) 2010 The House of Books,

: Nanja Toebak

uitgave mag worden vervee
lel van druk, fotokopie, micr
voorafgaande schriftelijke to

Oorspronkelijke titel: *Stolen*
Oorspronkelijke uitgave: The Chicken Ho



Vertaling: Sabine Mutsaers
Vormgeving omslag & illustratie binnenw
Omslagfoto: © shutterstock
Binnenwerk: ZetSpiegel, Best

ISBN 978 90 443 2626 0
NUR 285
D/2010/8899/40

www.lucychristopher.com
www.thehouseofbooks.com

Voor mijn moeder en Simon, die hebben geholpen,
en voor de woestijn, die me heeft geïnspireerd

Jij zag mij voordat ik jou zag. Op het vliegveld, die dag in augustus, had je die blik in je ogen, alsof je iets van me wilde, alsof je al heel lang iets van me wilde. Nooit eerder had iemand zo naar me gekeken, zo indringend. Ik raakte erdoor van slag; verrast, denk ik. Die blauwe, blauwe ogen, ijsblauw, die naar me keken alsof ik ze zou kunnen verwarmen. Ze zijn tamelijk heftig, namelijk, die ogen, en ook tamelijk mooi.

Je knipperde snel toen ik naar je keek en je wendde je af, alsof je nerveus was. Alsof je je schuldig voelde omdat je naar een willekeurig meisje op het vliegveld had staan staren. Maar ik was geen willekeurig meisje, hè? Je speelde het goed. Ik trapte erin. Gek, maar ik heb altijd gedacht dat blauwe ogen te vertrouwen waren. Ze leken me veilig, op de een of andere manier. Alle betrouwbare mensen hebben blauwe ogen. De donkere ogen zijn voor de slechteriken... de man met de zeis, The Joker, zombies. Allemaal donker.

Ik had ruzie gehad met mijn ouders. Mijn moeder was niet zo blij met mijn blote topje en mijn vader was gewoon chagrijnig omdat hij te weinig had geslapen. Dus toen ik jou zag... Ik denk dat het een welkome afleiding was. Had je het zo gepland: wachten tot mijn ouders tegen me uitvielen en me daarna benaderen? Ik wist, ook toen al, dat je me in de gaten had gehouden. Je had iets eigenaardig bekends. Ik had je eerder gezien... ergens... maar wie wás je? Mijn ogen werden steeds naar je gezicht getrokken.

Je was al vanaf Londen bij me. Ik had je bij het inchecken in de rij zien staan, met alleen handbagage, een kleine tas. In het vliegtuig had ik je gezien. En nu was je hier, op het vliegveld van Bangkok: je zat in de koffiehoek waar ik koffie wilde gaan halen.

Ik deed mijn bestelling en wachtte terwijl die werd klaargemaakt. Ik prutste wat met mijn geld. Ik keek niet om, maar ik wist dat je nog steeds zat te kijken. Het zal wel raar klinken, maar ik voelde het gewoon. Mijn nekhaartjes gingen overeind staan als je maar even met je ogen knipperde.

De jongen achter de kassa liet de koffiebeker pas los toen ik het geld in mijn hand had. Kenny, stond er op zijn naamplaatje; gek dat ik dat nog weet.

'We nemen geen Britse munten aan,' zei Kenny, nadat hij me ze eerst had laten uittellen. 'Heb je geen briefgeld?'

'Dat heb ik in Londen opgemaakt.'

Kenny schoof hoofdschuddend de koffie weer naar zich toe. 'Bij de Duty Free is een pinautomaat.'

Ik voelde dat er iemand achter me kwam staan. Ik draaide me om.

'Laat mij maar betalen,' zei je. Je stem was laag en zacht, alsof de woorden alleen voor mij bestemd waren, en je had een vreemd accent. Het overhemd met korte mouwen dat je aanhad rook naar eucalyptus, en je had een littekentje op de zijkant van je wang. Je ogen waren te indringend om er lang naar te kijken.

Je had al een biljet klaar. Buitenlands geld. Je glimlachte naar me. Ik geloof niet dat ik dankjewel heb gezegd. Sorry daarvoor. Je nam de koffie aan van Kenny. De papieren beker deukte een beetje in toen je hem uit zijn hand griste.

'Suiker? Eén zakje?'

Ik knikte. Door je aanwezigheid, door het feit dat je tegen me praatte, was ik te zenuwachtig om iets anders te doen.

'Geeft niks, ik doe het wel. Ga jij maar zitten.' Je gebaarde naar de plek waar je had gezeten: aan een tafeltje tussen de kunstpalmbomen, bij het raam.

Ik aarzelde. Maar daar was je op voorbereid. Je raakte zachtjes mijn schouder aan, je hand warm door mijn topje heen. 'Wees maar niet bang, ik bijt niet,' zei je zacht. 'Er zijn trouwens geen andere plaatsen vrij, tenzij je bij de Addams Family daarginds wilt zitten.'

Ik volgde je blik naar de lege stoelen vlak bij een groot gezin. De twee kleinste kinderen kropen over de tafel, tussen hun ruziënde ouders in. Nu vraag ik me af wat er gebeurd zou zijn als ik naast hen was gaan zitten. Dan hadden we het kunnen hebben over kindervakanties en aardbeienmilkshakes. Daarna zou ik teruggegaan zijn naar mijn ouders. Ik keek op naar je gezicht, met die lachrimpeltjes rond je mond. Het diepe blauw van je ogen verborg geheimen. Daar verlangde ik naar.

'Ik ben net aan mijn eigen familie ontsnapt,' zei ik. 'Ik hoef nog geen nieuwe.'

'Goed gedaan.' Je knipoogde. 'Eén zakje suiker dus.'

Je ging me voor naar de plek waar je daarnet had gezeten. Vlak bij je tafeltje zaten nog andere mensen, waardoor ik er met meer vertrouwen op afstapte. Het kostte me tien passen om er te komen. Ik liep in een soort roes en ging met mijn gezicht naar het raam zitten. Ik keek toe hoe je de koffie meenam naar het tafeltje met melk en suiker en het dekseltje eraf haalde. Ik zag je de suiker erin strooien; je haar viel over je ogen toen je je hoofd boog. Je glimlachte toen je me zag kijken. Ik vraag me af of het toen is gebeurd. Glimlachte je terwijl je het deed?

Ik denk dat ik even een andere kant op gekeken moet hebben, naar de vliegtuigen die opstegen achter het glas. Een jumbojet balanceerde op zijn achterwielen, in de lucht erachter hing een zwarte wolk uitlaatgas. Een volgende stond al klaar. Je handen moeten heel snel zijn geweest toen ze het erin gooiden. Heb je een afleidingsmanoeuvre gebruikt, vraag ik me af, of lette er gewoon niemand op je? Het zal wel een poedertje zijn geweest, maar het was niet veel. Misschien zag het eruit als suiker. De koffie smaakte er niet anders door.

Toen ik me omdraaide, kwam je net teruggelopen; soepel ontweek je alle passagiers die je met hun eigen beker koffie voor de voeten liepen. Je keek niet naar hen. Alleen naar mij. Misschien leek daarom niemand anders je op te merken. Je bewoog je te zeer voort als een jager: je sloop mijn kant op langs de rij plastic planten.

Toen zette je de twee bekers koffie op het tafeltje, schoof er een in mijn richting en negeerde de andere. Je pakte een lepeltje, liet het rond je duim tollen en ving het weer op. Ik keek naar je gezicht. Je was mooi op een ruige manier, maar ouder dan ik had gedacht. Voor mij te oud, eigenlijk, om daar zo met je te zitten. Minstens begin twintig. Van een afstand, toen ik je had gezien in de rij bij het inchecken, had je dun en tenger geleken, zoals de jongens van achttien bij mij op school, maar van dichtbij, nu ik echt goed keek, zag ik dat je stevige, bruine armen had en dat je gezicht verweerd was. Je had de kleur van donker zand.

'Ik ben Ty,' zei je.

Je blik flitste weg en weer terug voordat je je hand naar me uitstak. Je vingers voelden warm en ruw toen je mijn hand pakte en die vasthield, maar het was niet echt een handdruk. Toen je een wenkbrauw optrok, besefte ik wat je wilde.

'Gemma,' zei ik voordat ik het wist.

Je knikte alsof je dat al wist. Maar natuurlijk, dat was waarschijnlijk ook zo.

'Waar zijn je ouders?'

'Ze zijn al naar de gate, daar wachten ze op me.' Toen werd ik nerveus, dus voegde ik eraan toe: 'Ik heb gezegd dat ik niet lang zou wegblijven. Alleen even koffie halen.'

Een van je mondhoeken krulde weer omhoog en je lachte een beetje. 'Hoe laat vertrekt je vliegtuig?'

'Over een uurtje.'

'Waarheen?'

'Vietnam.' Je leek onder de indruk. Ik glimlachte naar je, voor het eerst, geloof ik. 'Mijn moeder gaat er heel vaak heen,' voegde ik eraan toe. 'Ze is curator – eigenlijk een soort kunstenaar die verzamelt in plaats van schildert.'

Ik weet niet waarom ik het gevoel had dat ik het moest uitleggen. Uit gewoonte, denk ik, door alle schoolkinderen die vragen stellen maar niks weten.

'En je vader?'

'Die werkt in het zakencentrum van Londen. Effectenhandelaar.'

'Strak in het pak.'

'Meestal wel, ja. Nogal saai, het geld van andere mensen beheren... al ziet hij dat niet zo.'

Ik voelde dat ik begon te ratelen, dus nam ik een slok koffie om mezelf de mond te snoeren. Tijdens het drinken zag ik een straaltje zweet langs je haargrens lopen. Maar je kon het niet warm hebben, want de airco blies volop onze kant uit. Je blik schoot nerveus naar alle richtingen, en je kon me soms niet aankijken. Die nervositeit gaf je iets verlegens; daardoor vond ik je nog leuker. Maar toch wás er iets met je – het bleef door mijn hoofd spelen.

'En jij?' mompelde je. 'Wat wil jij later gaan doen? Een baan zoeken zoals je vader? Reizen zoals je moeder?'

Ik haalde mijn schouders op. 'Dat zouden ze graag willen. Ik weet het niet. Niets lijkt me echt geschikt.'

'Niet... zinvol genoeg?'

'Zoiets. Ik bedoel, ze verzamelen alleen maar spullen om zich heen. Mijn vader verzamelt het geld van andere mensen en mijn moeder hun schilderijen. Wat doen ze nu eigenlijk dat van henzélf is?'

Ik wendde mijn blik af. Ik vond het vervelend om over het werk van mijn ouders te praten. We hadden het er in het vliegtuig vanuit Londen ook over gehad: mijn moeder kletste maar door over de schilderijen die ze in Vietnam wilde gaan kopen. Dat was op dat moment wel het laatste waar ik het over wilde hebben.

Je lachte weer naar me, je stem was heel zacht. Het lepeltje balanceerde perfect op je duim, als in een goocheltruc. Ik vroeg me nog steeds af of het wel goed was dat ik daar zo met jou zat. Maar gek genoeg had ik het gevoel dat ik je alles kon vertellen. Dat zou ik waarschijnlijk gedaan hebben ook, als mijn keel niet dichtgesnoerd was geweest. Vaak wens ik dat het toen was geëindigd, met jouw glimlach en mijn gespannen zenuwen.

Ik keek om me heen om te zien of mijn ouders misschien naar me liepen te zoeken, al wist ik dat ze dat niet zouden doen. Ze vonden het wel prima om bij de gate de selectie tijdschriften te lezen die ze hadden meegebracht, in een poging intelligent over te komen. Trouwens, mijn moeder zou nooit haar nederlaag over onze kledingruzie toegeven door me te komen zoeken. Toch keek ik om me heen. Een zwerm naamloze gezichten werd langzaam naar de kassa van de koffiehoek gezogen. Mensen, overal mensen. Het malen en brommen van de koffiemachine. Het gegil van kleine kinderen. De geur van eucalyptus die van je geruite overhemd kwam. Ik nam een slokje van mijn koffie.

'Wat verzamelt je moeder?' vroeg je. Mijn aandacht werd meteen weer getrokken door je zachte stem.

'Voornamelijk kleur. Schilderijen van gebouwen, vormen. Ken je Rothko? Mark Rothko.'

Je fronste je voorhoofd.

'Dat soort dingen. Ik vind het nogal aanmatigend, al die eindeloze vierkanten.' Ik zat weer te ratelen. Even zweeg ik, en ik keek naar je hand. Die lag nog op de mijne. Was dat wel goed? Probeerde je me te versieren? Op school had nog nooit iemand me zo aangeraakt. Toen je me zag kijken, trok je snel je hand terug, alsof je zelf ook nu pas besefte dat hij er nog lag.

'Sorry.' Je haalde je schouders op, maar ik zag een twinkeling in je ogen die maakte dat ik teruglachte. 'Ik geloof dat ik... een beetje gespannen ben.'

Je legde je hand weer op tafel, deze keer naast de mijne, op een paar centimeter afstand. Ik kon mijn pink er zo naartoe schuiven. Je droeg geen trouwring. Helemaal geen sieraden.

'Wat voor werk doe jij?' vroeg ik. 'Of zit je nog op school?'

Ik trok een pijnlijk gezicht vanwege mijn eigen vraag. We beseften allebei hoe stom het klonk. Je was duidelijk ouder dan alle andere jongens met wie ik op deze manier had gepraat. Je had piepkleine rimpeltjes van de zon rond je ogen en mond, en je zat goed in je vel. Zelfverzekerder dan de onhandige jongens op school.

Met een zucht leunde je achterover. 'Ik maak eigenlijk ook een soort kunst,' zei je. 'Maar ik schilder geen vierkanten. Ik reis wat, ik tuinier... en ik bouw. Dat soort dingen.'

Ik knikte alsof ik het begreep. Ik wilde je vragen wat je hier deed, met mij, en of ik je ooit eerder had gezien. Ik wilde weten waarom je belangstelling voor me had. Ik was niet gek, ik zag heus wel dat ik stukken jonger was dan jij. Maar ik vroeg niks. Ik was zenuwachtig, denk ik, ik wilde niet dat je ook maar iets onbetrouwbaars had. En ik geloof dat het me ook wel een volwassen gevoel gaf om daar met zo'n knappe man te zitten, met een beker koffie die hij voor me had gehaald. Misschien zie ik er toch niet zo jong uit, dacht ik, ook al was ik op wat lipgloss na helemaal niet opgemaakt. Misschien zag jij er gewoon oud uit voor je leeftijd. Toen je uit het raam keek, trok ik een plukje haar achter mijn oor vandaan en liet het voor mijn gezicht vallen. Ik beet op mijn lippen om ze roder te maken.

'Ik ben nog nooit in Vietnam geweest,' zei je na een hele tijd.

'Ik ook niet. Ik zou liever naar Amerika gaan.'

'Echt? Al die steden, die mensen...?'

Er trok een schokje door je vingers toen je naar me keek; je blik ging naar de lok die ik zojuist had bevrijd. Even later boog je je over het tafeltje heen om hem weer achter mijn oor te strijken. Je aarzelde.

'Sorry, ik...' mompelde je. Je kon de zin niet afmaken en je wangen werden een beetje rood. Je vingers trilden tegen mijn slaap. Ik voelde hoe ruw je vingertoppen waren. Mijn oor gloeide toen je er langs streek. Toen gleden je vingers door naar mijn kin. Die duwde je met je duim omhoog om me aan te kijken, bijna alsof je me bestudeerde in het kunstlicht boven mijn hoofd. En ik bedoel, je keek écht naar me... met ogen als twee sterren. Zo hield je me gevangen, gevangen op dat stukje van het vliegveld van Bangkok, als een klein diertje dat naar het licht toe werd getrokken. En ik voelde inderdaad vleugels fladderen in mijn binnenste. Dikke, vette mottenvleugels. Je hield me moeiteloos gevangen en trok me naar je toe alsof ik al in het net verstrikt zat.

'Zou je niet liever naar Australië gaan?' vroeg je.

Ik lachte even; zoals je het vroeg, klonk het heel serieus. Je trok meteen je vingers terug.

'Ja, hoor.' Ik haalde mijn schouders op, ademloos. 'Daar wil iedereen heen.'

Toen zweeg je, en je keek naar de tafel. Ik schudde mijn hoofd en voelde je aanraking nog steeds. Ik wilde dat je bleef praten.

'Kom jij uit Australië?'

Ik verbaasde me over je accent. Je klonk heel anders dan de acteurs uit *Neighbours*. Soms leek je Brits. Soms klonk het alsof je helemaal nergens vandaan kwam. Ik wachtte, maar je gaf geen antwoord. Dus boog ik me naar je toe en gaf een por tegen je onderarm.

'Ty?' zei ik. Ik probeerde je naam uit en de klank ervan beviel me wel. 'Hoe is het daar? In Australië?'

Toen glimlachte je, en je hele gezicht veranderde door die lach. Het lichtte min of meer op, alsof er zonnestralen uit je binnenste kwamen.

'Dat zul je nog wel zien,' zei je.

Toen veranderde alles. Ik vertraagde terwijl de dingen om me heen versnelden. Gek eigenlijk, wat een beetje poeder kan doen.

'Hoe voel je je?' vroeg je.

Je zat met grote ogen naar me te kijken. Ik deed mijn mond open om te antwoorden dat ik me prima voelde, maar wat eruit kwam, was niet te volgen. Het was niet meer dan een warboel aan geluiden; mijn tong was te dik en te zwaar om woorden te vormen. Ik herinner me nog dat de lampen vervaagden tot een laaiend vuur. Ik herinner me dat de airco koud aanvoelde op mijn armen. De geur van koffie verdween en ging over in die van eucalyptus. Je hand omklemde stevig de mijne toen je me beetpakte en wegvoerde – toen je me stal.

Ik moet je koffie omgestoten hebben toen ik probeerde op te staan. Later trof ik een brandplek aan op mijn been, een roze vlek boven mijn linkerknie. Die zit er nog steeds. Het vel is een beetje rimpelig, als olifantenhuid.

Je dwong me om snel te lopen. Ik dacht dat je me naar mijn vliegtuig bracht, naar de gate waar mijn ouders op me wachtten. Het was ver weg, veel verder dan in mijn herinnering. Toen je me over de rolbanden sleurde, voelde het alsof we vlogen. Je praatte met mensen in uniform en trok me tegen je aan alsof ik je vriendin was. Ik knikte naar hen en glimlachte. Je nam me mee een trap op. Eerst wilden mijn knieën niet, en daar moest ik van giechelen. Toen veranderden mijn knieschijven in marshmallows. Opeens was er frisse lucht, die rook naar bloemen en sigaretten en bier. Er waren ergens andere mensen, die zachtjes praatten en lachten, krijsend als apen. Je trok me door de struiken, de hoek om achter een gebouw. Mijn haar bleef achter een takje hangen. We waren vlak bij de vuilnisbakken. Ik rook rottend fruit.

Je trok me weer tegen je aan, tilde mijn gezicht schuin omhoog en zei iets. Alles aan je was wazig en zweefde op de dampen van de vuilnisbakken. Je mooie mond bewoog als een rups. Ik stak mijn hand uit en probeerde hem te vangen. Je nam mijn vingers in de jouwe. Je warmte schoot door mijn vingertoppen heen mijn hele arm door. Je zei nog iets. Ik knikte. Iets in mijn binnenste begreep je. Ik begon me uit te kleden. Ik leunde tegen je aan toen ik mijn spijkerbroek uittrok. Je gaf me nieuwe kleren. Een lange rok. Schoenen met hakken. Toen wendde je je af.

Ik moet ze aangetrokken hebben. Ik weet niet hoe. Daarna trok je zelf je overhemd uit. Voordat je een ander aantrok, voelde ik aan je rug. Warm en stevig, bruin als boomschors. Ik weet niet wat ik dacht en zelfs niet of ik wel iets dacht, maar ik weet nog dat ik de behoefte had je aan te raken. Ik herinner me het gevoel van je huid. Gek is dat, als je je een aanraking beter herinnert dan je eigen gedachten. Maar mijn vingers tintelen er nu nog van.

Je deed nog andere dingen, zette iets op mijn hoofd dat kriebelde en deed iets donkers voor mijn ogen. Ik bewoog me traag voort. Mijn hersenen konden het niet bijhouden. Er klonk een doffe plof van iets wat in een vuilnisbak terechtkwam. Iets slijmerigs op mijn lippen. Lippenstift. Je gaf me een bonbon. Zwaar. Donker. Zacht. Vloeibaar vanbinnen.

Toen werd het nog verwarrender. Ik keek naar beneden en zag mijn voeten niet. Toen we begonnen te lopen, was het alsof ik op de stompjes van mijn benen liep. Ik raakte in paniek, maar je sloeg je armen om me heen. Warm en stevig... veilig. Ik deed mijn ogen dicht en probeerde na te denken. Ik kon me niet herinneren waar ik mijn tas had gelaten. Ik kon me helemaal niets herinneren.

We werden omringd door mensen. Jij duwde me voort in een menigte van wazige gezichten en kleuren. Je moet aan alles hebben gedacht: een ticket, een nieuw paspoort, onze route, hoe we door de controles kwamen. Was het de meest zorgvuldig geplande diefstal aller tijden of puur geluk? Het kan nooit gemakkelijk zijn geweest om me het vliegveld van Bangkok door te loodsen en me in een ander vliegtuig te krijgen zonder dat iemand het doorhad – zelfs ik niet.

Je bleef me maar bonbons toestoppen. Die volle, donkere smaak... al die tijd in mijn mond, op mijn tanden. Vóór jou was ik gek op chocola. Nu word ik zelfs van de geur misselijk. Na de derde bonbon raakte ik buiten bewustzijn. Ik zat ergens, tegen je aan geleund. Ik had het koud, had behoefte aan je lichaamswarmte. Je mompelde tegen iemand anders wat over mij.

'Te veel gedronken,' zei je. 'We hebben iets te vieren.'

Toen zaten we in een krap toilethokje. Met een harde luchtstroom werd de inhoud van de wc-pot onder me vandaan gezogen.

En we liepen weer. Misschien een ander vliegveld. Nog meer mensen... de geur van bloemen, zoet, tropisch en fris, alsof het pas had geregend. En het was donker. Nacht. Maar niet koud. Toen je me een parkeergarage door sleepte, werd ik langzaam wakker. Ik begon me tegen je te verzetten. Ik wilde gillen, maar je trok me achter een vrachtwagen en drukte een prop stof tegen mijn mond. De wereld werd weer wazig. Ik liet me tegen je aan zakken. Het enige wat ik me vanaf toen herinner is een versufte rit in een auto, met veel schokken en bochten. De motor bleef maar grommen.

Wat ik me nog wel herinner is het wakker worden. En de hitte. Die klauwde naar mijn keel en probeerde me de adem te benemen. Ik wilde weer het bewustzijn verliezen. En toen kwam de pijn... de misselijkheid.

Je had me tenminste niet aan het bed vastgebonden. Daar was ik dankbaar voor. In de film liggen de slachtoffers altijd vastgebonden op bed. Toch kon ik me niet verroeren. Zodra ik ook maar een klein beetje bewoog, kwam het braaksel naar boven in mijn keel en begon mijn hoofd te tollen. Er lag een dun laken over me heen. Ik had het gevoel alsof ik midden in een vuur lag. Ik deed mijn ogen open. Alles kantelde en draaide, beige en vaag. Ik was in een kamer. De wanden waren van hout, lange planken met bouten in de hoeken. Het licht deed pijn aan mijn ogen. Ik zag je niet. Behoedzaam draaide ik mijn hoofd en keek om me heen. Ik proefde braaksel in mijn mond. Ik slikte het weg. Mijn keel was dik. Schor. Nutteloos.

Ik sloot mijn ogen weer. Probeerde diep adem te halen. In

gedachten liep ik mijn hele lijf na. Mijn armen waren er nog, benen, voeten. Ik wiebelde met mijn vingers. Ze werkten allemaal nog. Tastte langs mijn buik. Ik had een T-shirt aan, mijn beha sneed in mijn borst. Blote benen, mijn spijkerbroek was verdwenen. Ik tastte over het laken naast me en liet mijn hand toen rusten aan de bovenkant van mijn dij. Mijn huid werd vrijwel onmiddellijk warm en klam. Ik had mijn horloge niet om.

Toen liet ik mijn hand over mijn onderbroek gaan en voelde erdoorheen. Ik weet niet wat ik dacht aan te treffen, of zelfs wat ik verwachtte. Misschien bloed. Kapot vlees. Pijn. Maar er was niets van dat alles. Had je mijn onderbroek uitgetrokken? Was je erin geweest? En zo ja, waarom had je dan de moeite genomen hem weer aan te doen?

'Ik heb je niet verkracht.'

Ik greep het laken stevig vast. Keek met een ruk om. Zocht je. Mijn ogen werkten nog niet goed. Je was achter me, dat hoorde ik wel. Ik probeerde mezelf naar de rand van het bed te duwen, bij jou vandaan, maar mijn armen waren niet sterk genoeg. Ze trilden hevig, en toen viel ik terug in de lakens. Het bloed pompte door me heen. Ik kon mijn eigen lijf bijna horen opstarten en ontwaken. Ik probeerde mijn stem en wist een jammerkreetje voort te brengen. Mijn mond lag tegen de kussensloop. Ik hoorde jou ergens een stap zetten.

'Je kleren liggen naast het bed.'

Ik kromp ineen bij het horen van je stem. Waar was je? Hoe dichtbij? Ik opende mijn ogen een stukje. Het deed niet eens zoveel pijn. Naast het bed lag een nieuwe spijkerbroek, keurig opgevouwen op een houten stoel. Mijn jas lag er niet bij. Mijn schoenen evenmin. In plaats daarvan stond er onder de stoel een paar bruinleren hoge schoenen. Met veters, degelijk. Niet van mij.

Ik hoorde je voetstappen dichterbij komen. Ik probeerde

me klein te maken, weg te komen. Alles was zwaar. Traag. Maar mijn hersenen werkten weer en mijn hart ging tekeer. Ik was op een akelige plek, dat wist ik wel. Hoe ik daar was gekomen, wist ik niet. Ik wist niet wat je met me had gedaan.

Ik hoorde de vloerplanken nog een paar keer kraken en voelde de angst van mijn borst naar mijn keel gaan. Een lichtbruine cargobroek bleef voor me staan. Mijn ogen waren op gelijke hoogte met de stof tussen je knieën en je kruis. Ik hoorde mijn ademhaling versnellen. Ik greep me vast aan het matras. Dwong mijn blik omhoog. Verder omhoog tot ik bij je gezicht was gekomen. Toen stokte mijn adem even. Ik weet niet waarom, maar ik had min of meer iemand anders verwacht. Ik wilde niet dat de persoon die daar stond, naast het bed, dezelfde was die ik zo aantrekkelijk had gevonden op het vliegveld. Maar jij was het: die blauwe ogen, het vaalblonde haar en het littekentje. Alleen was je deze keer niet mooi. Je was kwaadaardig.

Je gezicht stond uitdrukkingsloos. De blauwe ogen leken kil. Je lippen waren smal. Ik trok het laken zo ver mogelijk op, tot alleen mijn ogen onbedekt waren; ze keken naar je. De rest van mijn lichaam was stijf en verstard. Je stond te wachten tot ik iets zou zeggen, je wachtte op vragen. Toen die niet kwamen, beantwoordde je ze toch.

'Ik heb je hier mee naartoe genomen,' zei je. 'Je misselijkheid is een bijwerking van het verdovende middel. Je zult je nog wel een tijdje raar voelen... oppervlakkige ademhaling, duizelig, hallucinaties...'

Terwijl je sprak, begon je gezicht te draaien. Ik deed mijn ogen dicht. Er verschenen sterretjes achter mijn oogleden; een heel melkwegstelsel van piepkleine, tollende sterretjes. Ik hoorde je op me af schuifelen. Dichterbij. Ik probeerde mijn stem.

'Waarom?' fluisterde ik.

'Ik moest wel.'

Het bed kraakte en mijn lichaam wipte even omhoog toen je op het matras kwam zitten. Ik schoof op. Ik probeerde mijn benen op de grond te zetten, maar ze wilden nog steeds niet meewerken. De hele wereld leek zich tegen me te keren. Ik moest van het bed afglijden. Toen ik mijn hoofd afwendde, verwachtte ik weer te gaan overgeven. Er kwam niks. Ik trok mijn benen op en sloeg mijn armen eromheen. Mijn borst voelde te gespannen om te huilen.

'Waar ben ik?'

Je wachtte even met antwoorden. Ik hoorde je inademen en zuchten. Je kleren ritselden toen je ging verzitten. Op dat moment drong het tot me door dat ik geen andere geluiden hoorde, nergens, alleen die van jou.

'Je bent hier,' zei je. 'Je bent veilig.'

Ik weet niet hoeveel langer ik heb geslapen. Deze periode is heel vaag, als een soort verknipte nachtmerrie. Ik geloof dat je me op zeker moment eten hebt gegeven, dat je me hebt laten drinken. Maar je waste me niet. Dat weet ik omdat ik stonk toen ik weer wakker werd. Ik was bezweet en klam en mijn T-shirt plakte aan mijn lijf. En ik moest plassen.

Ik lag daar te luisteren. Spitste mijn oren. Maar het was stil. Eigenaardig stil. Zelfs jouw gekraak en geschuifel ontbraken. Geen enkel geluid van mensen. Geen verkeer. Geen gebrom van een snelweg in de verte. Geen langsrazende treinen. Niets. Er was alleen die kamer. De hitte.

Ik testte mijn lichaam, tilde voorzichtig eerst het ene been en toen het andere op en bewoog mijn tenen. Deze keer voelden mijn ledematen niet zo zwaar; ik was wakkerder. Zo stil als ik kon duwde ik me omhoog en keek eens goed om me heen in de kamer. Jij was er niet. Ik was alleen. Alleen met het tweepersoonsbed waarop ik lag, en een klein nachtkastje, een ladekast en de stoel waar de spijkerbroek op lag. Alles was van hout, eenvoudig. Er hingen geen foto's of schilderijen aan de muur. Links van me was een raam met een dun gordijn ervoor. Buiten scheen de zon. Daglicht. Heet. Voor me was een gesloten deur.

Ik wachtte nog even, mijn oren gespitst. Toen schoof ik moeizaam naar de rand van het bed. In mijn hoofd draaide het, alsof ik ieder moment kon omvallen, maar ik hield vol. Ik klampte me vast aan de rand van het matras en dwong mezelf om adem te halen. Ik had mijn adem ingehouden. Behoedzaam zette ik één voet op de vloer. Toen de andere. Ik liet ze mijn gewicht dragen en zocht steun bij het nachtkastje. Even werd het zwart voor mijn ogen, maar ik bleef staan luisteren, met gesloten ogen. Er was nog steeds niets te horen.

Ik pakte de spijkerbroek, ging weer op het bed zitten en trok hem aan. Hij was strak en zwaar en plakte aan mijn benen. De knoop sneed in mijn blaas, waardoor ik nog nodiger moest plassen. De schoenen liet ik staan; op blote voeten zou ik stiller kunnen zijn. Ik deed een stap in de richting van de deur. De vloer was van hout, net zoals de rest, en voelde koel aan onder mijn voeten; tussen de planken zaten spleten die naar het donker eronder leidden. Mijn benen waren net zo stijf als het hout. Maar uiteindelijk bereikte ik de deur. Ik duwde de klink naar beneden.

Het was donkerder aan de andere kant. Toen mijn ogen aan het donker gewend waren, zag ik dat er een lange gang was – weer van hout – met vijf deuren: twee links van me, twee rechts en een aan het einde van de gang. Ze waren allemaal dicht. De vloer kraakte een beetje toen ik mijn eerste stap zette. Ik verstarde door het geluid. Maar achter de deuren was niets te horen, niets wat erop duidde dat iemand me had gehoord, dus zette ik nog een stap. Welke deur was mijn ontsnapping?

Ik stopte bij de klink rechts van me en greep het koude metaal. Duwde hem naar beneden, hield even mijn adem in en trok de deur naar me toe. Wachtte. Je was niet daarbinnen. Het was een stoffig, grauw vertrek met een wastafel en een douche. Een badkamer. Achterin was nog een deur. Misschien was daar een toilet. Even kwam ik in de verleiding, vroeg ik me af of ik snel zou kunnen gaan plassen. God, wat moest ik nodig. Maar hoe vaak zou ik een kans als deze krijgen? Misschien maar één keer. Ik liep achteruit de gang in. Ik kon wel langs mijn been plassen. Of buiten. Ik moest hier weg. Als me dat lukte, zou het verder wel goed komen. Dan zou ik vast iemand vinden die me kon helpen. Een plek waar ik naartoe kon gaan.

Ik hoorde je nog steeds niet, nergens. Met mijn handen tegen de muur om mijn evenwicht te bewaren, liep ik naar de deur aan het einde van de gang. Een stap, twee. Telkens heel zacht gekraak. Mijn handen gleden langs het hout en ik kreeg splinters in mijn vingers. Mijn ademhaling was snel en luid, als van een hijgende hond, en mijn ogen scanden de omgeving, in een poging erachter te komen waar ik was. Het zweet stroomde langs mijn schedel en nek, via mijn rug mijn spijkerbroek in. Het laatste wat ik me duidelijk kon herinneren was het vliegveld van Bangkok. Maar ik had toch in een vliegtuig gezeten? En in een auto? Of misschien was dat niet meer dan een droom geweest. En waar waren mijn ouders?

Ik concentreerde me op mijn passen: klein en stil. Ik wilde in paniek raken en schreeuwen. Maar ik moest me beheersen, dat besefte ik wel. Als ik ging nadenken over waar ik was en wat er was gebeurd, zou ik niet verder durven gaan.

De laatste deur ging gemakkelijk open. Aan de andere kant

was een grote, schaars verlichte kamer. Ik deinsde achteruit, terug de gang op, klaar om weg te rennen. Mijn maag draaide om, de druk op mijn blaas was ondraaglijk. Maar er was geen beweging in de kamer. Geen geluid. Je was er niet. Ik keek snel om me heen. Ik zag een bank en drie houten stoelen, ruw gemaakt en heel eenvoudig, zoals die in de slaapkamer. In de muur was een uitsparing die eruitzag als een haard. De wanden waren van hout. Ook hier waren de gordijnen dicht, waardoor alles een donkere, bruinige gloed kreeg. Geen enkele opsmuk. Geen schilderijen of foto's. De kamer was net zo kaal als de rest van het gebouw. En de lucht was er dik en zwaar, muf als een jas.

Links van me was een keuken, met in het midden een tafel en aan alle kanten kasten. Ook hier waren de gordijnen dicht, maar aan een kant was een deur met matglas waar licht doorheen kwam. Buiten. Vrijheid. Ik schuifelde er vlak langs de muur naartoe. De pijn in mijn blaas werd erger, de broek zat te strak. Maar ik bereikte de deur. Pakte de klink beet. Duwde hem langzaam naar beneden, in de verwachting dat de deur op slot zou zitten. Maar dat was niet zo. Verrast hapte ik naar adem. Toen kwam ik bij mijn positieven en trok de deur open, ver genoeg om er doorheen te kunnen glippen. Rechtstreeks naar buiten.

Het zonlicht trof me onmiddellijk. Alles was fel, pijnlijk fel. En heet. Heter dan binnen. Ik kreeg meteen een droge mond. Happend naar adem leunde ik tegen de deurpost. Met mijn hand erboven als bescherming tegen de zon deed ik mijn best om mijn ogen niet tot kleine spleetjes te knijpen. Al dat witte licht verblindde me. Het was alsof ik in een hiernamaals terechtgekomen was. Alleen waren er geen engelen.

Moeizaam sperde ik mijn ogen open en ik dwong mezelf om te kijken. Er was geen enkele beweging, geen enkel teken van jou. Behalve het huis waren er twee gebouwen rechts van me. Ze zagen er geïmproviseerd uit, bijeengehouden met repen metaal en hout. Ernaast, onder een metalen afdak, stond een gebutste terreinwagen met trailer. En verder was er het onbekende.

Ik maakte een verstikt geluid. Voor zover het oog reikte was er niets. Alleen vlak, oneindig bruin land tot aan de horizon. Zand en nog eens zand, met groepjes kale struiken en hier en daar een boom zonder blad. Het land was dood en dorstig. Ik was hier nergens.

Ik draaide me om. Er waren geen andere gebouwen. Geen wegen. Geen mensen. Geen telefoondraden of trottoirs. Niets. Alleen leegte. Hitte en horizon. Ik begroef mijn nagels in mijn handpalm en wachtte op de pijn die me vertelde dat dit geen nachtmerrie was.

Zodra ik begon te lopen, wist ik dat het hopeloos was. Waar moest ik heen? Alles zag er hetzelfde uit. Ik snapte nu waarom je de deuren niet had afgesloten, waarom je me niet aan het bed had vastgebonden. Er was hier niets en niemand. Alleen wij.

Mijn benen waren stijf en kwamen traag op gang, en de spieren in mijn bovenbenen deden meteen al pijn. Mijn blote voeten prikten. De rode aarde mocht dan kaal en leeg lijken, er lagen overal stekels en stenen, doorns en wortels. Ik knarsetandde, richtte mijn blik naar beneden en sprong over de obstakels heen. Maar het zand was zo heet dat ook dat pijn deed.

Natuurlijk zag je me. Ik hoorde de auto toen ik zo'n honderd meter van het huis was. Ik liep door; mijn blaas deed pijn bij iedere stap. Ik ging zelfs harder lopen. Met mijn blik op een punt in de verte aan de horizon gericht begon ik te rennen. Mijn ademhaling was raspend en mijn benen voelden zwaar. Mijn voeten bloedden. Ik hoorde de banden gieren in het zand, je kwam mijn kant op.

Ik probeerde het met zigzaggen, misschien zou dat je vertragen. Ik was half krankzinnig, hijgend en snikkend en snakkend naar adem. Maar je reed door, heel hard achter me, met slippende banden en brullende motor. Ik zag je sturen en de auto draaien.

Ik stond even stil en veranderde van richting, maar je was als een cowboy met zijn lasso: je omcirkelde me en sneed me telkens de pas af, welke kant ik ook op ging. Je sloot me in, putte me uit. Je wist dat het een kwestie van tijd was tot ik niet meer zou kunnen. Toch bleef ik rennen, als een verdwaasde koe, op de vlucht voor jouw steeds kleiner wordende kringetjes. Uiteindelijk moest ik wel vallen.

Je stopte en zette de motor uit.

'Het heeft geen zin,' riep je. 'Je zult niets aantreffen. Niets en niemand.'

Toen begon ik te huilen, met grote snikken uit mijn binnenste, alsof het nooit zou ophouden. Je deed het portier open en pakte me bij mijn T-shirt, achter in mijn nek. Toen je me naar je toe trok, schaafden mijn armen over de grond. Ik draaide mijn hoofd opzij en beet in je hand. Hard. Je vloekte. Ik weet dat ik je tot bloedens toe had gebeten. Dat kon ik proeven.

Ik stond op en holde weer weg. Maar je haalde me opnieuw in, heel snel. Deze keer gebruikte je je hele lichaam om me tegen de grond te drukken. Zand op mijn lippen. Je zat boven op me, met je borst tegen mijn rug en je benen tegen mijn dijen geklemd.

'Geef je gewonnen, Gemma. Zie je dan niet dat je nergens heen kunt?' gromde je in mijn oor.

Ik verzette me weer, maar je voerde de druk op, hield mijn armen stevig tegen mijn zij, je kneep hard. Ik proefde zand en je lichaam was zwaar op het mijne.

Dat was het moment waarop ik mijn plas liet lopen.

Ik gilde en spartelde de hele weg terug. Ik beet je weer. Meerdere keren. Ik spuugde ook. Maar je liet niet los. 'Je gaat daar dood,' beet je me toe. 'Snap je dat dan niet?'

Ik schopte je, keihard, tegen je schenen en in je ballen en waar ik je maar kon raken. Maar je liet je greep niet verslappen. Je sleepte me alleen maar sneller achter je aan. Je was sterk. Voor iemand die zo mager leek, was je verdomd sterk. Je sleurde me door het zand terug naar het huis. Ik stortte me met mijn hele gewicht op je, schoppend en krijsend als een wilde. Je sleurde me de keuken door en smeet me de donkere badkamer in. Ik beukte en gilde en probeerde de deur open te trappen. Maar het had geen zin, je had hem van buitenaf op slot gedaan.

Er waren geen ramen die ik kon ingooien, dus deed ik de deur aan de andere kant open. Zoals ik al had gedacht, was daar een toilet. Ik liep de twee treden af. Er lagen geen planken op de vloer, alleen kale grond die weer pijn deed aan mijn voeten. Ook hier waren geen ramen: de wanden bestonden uit dikke planken vol splinters, met smalle spleten ertussen. Ik duwde ertegen, maar ze waren stevig. Toen ik het deksel van de wc omhoog deed, zag ik alleen een diep, donker gat dat naar poep stonk.

Ik liep terug de badkamer in en doorzocht het kastje boven de wasbak. Alles wat ik daar aantrof smeet ik tegen de deur, zo hard als ik kon. Een fles ontsmettingsmiddel viel kapot en de scherven vlogen alle kanten op. De scherpe lucht vulde mijn neusgaten. Jij beende aan de andere kant van de deur heen en weer.

'Niet doen, Gemma,' waarschuwde je. 'Straks is alles op.'

Ik schreeuwde om hulp tot mijn keel er pijn van deed. Niet

dat het zin had. Na een tijdje gingen mijn woorden over in geluid waarmee ik je probeerde te overstemmen. Ik beukte met mijn armen tegen de deur, totdat er blauwe plekken verschenen tot aan mijn ellebogen en er reepjes huid loskwamen van mijn polsen. Ik was wanhopig. Je kon ieder moment binnenkomen met een mes of pistool of nog erger. Ik zocht naar bescherming en raapte een glasscherf op van de fles ontsmettingsmiddel.

De deur rammelde toen je je er met je hele gewicht tegenaan gooide. 'Rustig nou,' zei je met trillende stem. 'Het heeft geen zin.'

Je zat op de gang tegenover de badkamer. Dat wist ik omdat ik je schoenen kon zien door de spleet onder de deur. Ik leunde tegen de muur en rook het ontsmettingsmiddel en de zure lucht van de pis op mijn spijkerbroek. Na een tijdje hoorde ik een holle tik, toen je de sleutel uit het slot trok.

'Laat me met rust,' riep ik.

'Dat kan ik niet.'

'Alsjeblieft.'

'Nee.'

'Wat wil je van me?' Ik snikte nu en lag ineengedoken op de grond. Ik bette het bloed van mijn voeten, van de schrammen en de smeerboel die ik met rennen had veroorzaakt.

Ik hoorde dat je met je hand, of je hoofd, tegen de badkamerdeur ramde. Ik hoorde dat je stem oversloeg.

'Ik vermoord je niet,' zei je. 'Echt niet, oké?'

Maar mijn keel werd alleen maar droger. Ik geloofde je niet.

Je zweeg een hele tijd, en ik vroeg me af of je weg was. Ik zou bijna je stem verkiezen boven de stilte. Ik klemde de glasscherf van de fles ontsmettingsmiddel stevig in mijn hand, zo stevig dat hij in mijn handpalm sneed. Toen hield ik hem omhoog tegen het licht van een scheur in de muur. Er zaten minuscule regenboogjes in het glas. Ik hield de scherf zo dat een ervan over mijn hand danste. Toen ik mijn vinger tegen het glas drukte, verscheen er een druppel bloed.

Ik hield het glas boven mijn linkerpols en vroeg me af of ik het zou kunnen. Toen liet ik het langzaam zakken. Ik sneed een streep in mijn vel, dwars eroverheen. Er stroomde bloed uit. Het deed geen pijn. Mijn armen waren gevoelloos van het gebeuk op de deur. Er kwam niet veel bloed uit. Ik hapte naar adem toen er twee druppels op de vloer vielen, uit ongeloof over wat ik had gedaan. Jij zei later dat het door de naweeën van het verdovende middel kwam, maar ik weet het niet. Op dat moment was ik behoorlijk vastberaden. Misschien wilde ik mezelf liever van het leven beroven dan wachten tot jij het zou doen. Ik pakte het glas over met mijn linkerhand en stak mijn rechterpols uit. Maar toen kwam jij binnen. Snel. De deur vloog open en vrijwel onmiddellijk pakte je me het glas af en nam je me in je armen, omhulde me met je kracht. Ik gaf een stomp op je oog. En je sleurde me de douche in.

Je zette de kraan zachtjes aan. Het water was bruinig en kwam met horten en stoten, waardoor de leidingen kreunden. Er dreven zwarte dingen in. Ik schuifelde achteruit een hoek in. Het bloed uit mijn pols vermengde zich met het water en kolkte alsmaar rond. Maar ik was blij met het water dat ons scheidde. Het voelde als een soort bondgenoot.

Je pakte een handdoek uit een doos die bij de deur stond en hield die onder de kraan tot hij doorweekt was. Toen zette je de kraan uit en kwam naar me toe. Ik drukte me tegen de gebarsten tegels en bleef maar gillen dat je me met rust moest laten. Maar je ging niet weg. Je knielde neer in het water en drukte de handdoek tegen de snee. Ik deinsde zo snel terug dat ik mijn hoofd stootte.

En toen was er niets meer.

Toen ik wakker werd, lag ik weer op het tweepersoonsbed, met een koel, vochtig verband om mijn pols. De spijkerbroek had ik niet meer aan. Mijn voeten waren aan het bed gebonden met hard, ruw touw en zaten ook in het verband. Ik trok eraan om te testen hoe strak het touw zat, en ik slaakte een kreet van de pijn die door mijn benen vlamde.

Toen zag ik je staan, bij het raam. De gordijnen waren een stukje open en je staarde naar buiten. Ik zag de frons op je voorhoofd. Je had een blauw oog. Mijn werk, neem ik aan. Op dat moment, met de zon die je huid oplichtte, zag je er niet uit als een ontvoerder. Je zag er moe uit. Mijn hart bonsde, maar ik dwong mezelf om naar je te kijken. Waarom had je me hier mee naartoe genomen? Wat wilde je van me? Maar als je me iets wilde aandoen, zou je dat inmiddels toch wel gedaan hebben? Of misschien wilde je me laten wachten.

Toen draaide je je om en zag me kijken. Ik kon je blik niet vasthouden. Het kwam door die ogen. Te blauw. Te indringend. Ik kon het niet uitstaan dat ze bijna bezorgd stonden. Ik ging op mijn rug naar het plafond liggen staren. Het was gemaakt van gebogen metaal.

'Waar ben ik?' vroeg ik.

Ik dacht aan het vliegveld. Mijn ouders. Ik vroeg me af waar de rest van de wereld was gebleven. Vanuit mijn ooghoek zag ik dat je langzaam je hoofd schudde.

'Niet in Bangkok,' zei je. 'Of in Vietnam.'

'Waar dan wel?'

'Daar zul je uiteindelijk wel achter komen, denk ik.'

Je liet je voorhoofd in je handen rusten en drukte je vingertoppen zachtjes tegen je blauwe oog. Je had korte, vieze nagels. Ik probeerde nog een keer mijn voeten los te rukken.

Mijn enkels waren nat van het zweet, maar niet glibberig genoeg om ze los te kunnen trekken.

'Wil je water?' vroeg je. 'Iets te eten?'

Ik schudde mijn hoofd. Ik voelde weer tranen op mijn wangen. 'Wat gaat er gebeuren?' fluisterde ik.

Je tilde je hoofd op uit je handen. Je ogen flitsten mijn kant op, maar ze stonden niet kil. Ze waren een beetje ontdooid. Ze leken nat. Heel even vroeg ik me af of jij ook had gehuild. Je zag dat ik aandachtig naar je keek en wendde je hoofd af. Toen liep je de kamer uit, en minuten later kwam je terug met een glas water. Je ging naast het bed zitten en reikte me het glas aan.

'Ik zal je niets doen,' zei je.

Ik bleef in bed liggen. De kussensloop werd dun van mijn tranen. De lakens absorbeerden mijn zweet. Alles stonk. Ik probeerde me niet te veel te verroeren. Op een bepaald moment kwam je binnen en je verwisselde het verband rond mijn voeten. Ik was inmiddels helemaal week, ik smolt weg, net als mijn lichaamstemperatuur.

Later zei je dat het maar een dag of twee heeft geduurd. Het voelde als weken. Mijn ogen werden dik van het huilen. Ik probeerde manieren te verzinnen om te ontsnappen, maar mijn hersenen waren ook gesmolten. Ik raakte behoorlijk vertrouwd met het plafond, de ruwe wanden en het houten raamkozijn. Ik dronk van het bruine, zanderige water dat bij mijn bed stond, maar alleen als jij niet keek. En één keer at ik wat van de kom nootjes en zaden die je had neergezet; ik raakte ze eerst voorzichtig aan met mijn tong, voor het geval ze vergiftigd waren.

Telkens wanneer je binnenkwam, probeerde je met me te praten. Het gesprek verliep elke keer ongeveer hetzelfde.

'Wil je gewassen worden?' vroeg je dan.

'Nee.'

'Eten?'

'Nee.'

'Water? Je zou water moeten drinken.'

'Nee.'

Een stilte, waarin jij je afvroeg wat ik wél zou willen. 'Zullen we naar buiten gaan?'

'Alleen als je me naar een stad brengt.'

'Er zijn hier geen steden.'

Eén keer ging je niet de kamer uit, zoals anders. In plaats daarvan ging je met een zucht voor het raam staan. Ik zag dat je blauwe oog ziekelijk geel was geworden; mijn enige indicatie dat er tijd was verstreken. Je keek me aan met een diepe rimpel in je voorhoofd. Toen rukte je heel snel de gordijnen open. Het licht stroomde naar binnen en maakte dat ik terugdeinsde tussen de lakens.

'Laten we naar buiten gaan,' zei je. 'Het landschap bekijken.'

Ik wendde me af van het licht en van jou.

'Achter is het anders dan voor,' zei je. 'We gaan naar achteren.'

'Laat je me dan gaan, daar achter?'

Je schudde je hoofd. 'Er is niets waarnaar je kunt ontsnappen,' zei je. 'Dat heb ik je al gezegd. Het is een wildernis.'

Uiteindelijk gaf ik me gewonnen. Ik knikte. Maar het was niet omdat jij het wilde. Het was omdat ik je niet geloofde toen je zei dat er daarbuiten niets was. Er moest iets zijn, een stadje in de verte of een weg, of op z'n minst een hoogspanningskabel. Alleen maar wildernis bestaat niet.

Je maakte mijn voeten los. Je wikkelde het verband eraf en drukte je hand tegen mijn voetzolen. Het prikte niet zoals ik had verwacht. Je keek ook naar mijn pols. Er zat een korst op de snee, bruinrood, maar er zat geen vers bloed op.

Je probeerde me van het bed te tillen, maar ik duwde je weg. Zelfs die kleine handeling bracht me aan het trillen. Ik rekte me uit en stapte aan de andere kant uit het bed.

'Ik kan het zelf wel.'

'Natuurlijk, dat vergat ik even,' zei je. 'Ik heb je benen er nog niet afgehakt.'

Je lachte om je eigen grapje. Ik reageerde er niet op. Mijn benen begonnen zo te trillen dat ik amper kon staan. Ik dwong mezelf om een stap te zetten. Mijn voet tintelde van de pijn. Ik slikte. Maar ik wist dat ik niet eeuwig in die kamer kon blijven.

Je wendde je af toen ik de spijkerbroek aantrok. Die was weer gewassen en gedroogd; de vlekken die erin gekomen waren toen ik door het zand was gekropen waren verdwenen. Ik was hopeloos zwak op het moment dat ik die kamer uitliep, ik kon ieder moment onderuitgaan. Had ik maar meer gegeten van alles wat je me had aangeboden. Ik liep de gang in en jij volgde me. Je liep geluidloos, zelfs de vloer kraakte niet. Ik liep naar de keuken die ik eerder had gevonden, maar je greep me bij mijn arm. Ik kromp ineen bij je aanraking en kon niet naar je kijken.

'Deze kant op,' zei je.

Ik schudde je vingers van me af en hield een paar passen afstand. Je leidde me de huiskamer door, waar de gordijnen nog dicht waren, en ik knipperde met mijn ogen omdat ik nauwelijks iets kon zien. Toen ik een stap zette, prikte er iets in mijn voet. De pijn schoot door mijn been naar boven. Ik kreeg tranen in mijn ogen, maar die veegde ik snel weg voordat jij het zag. Ik hield mijn voet omhoog en trok er een goudkleurig spijkertje uit, zo een dat je gebruikt om schilderijen mee op te hangen. Ik vroeg me af wat het daar deed terwijl er geen schilderijen waren om aan de muur te hangen.

We liepen door een soort serre naar de andere kant van het huis. Ik kneep mijn ogen tot spleetjes tegen het licht toen je de deur opendeed. Er was een veranda, over de hele lengte van het pand. Ik hobbelde naar een rieten bank, plofte erop neer en pakte mijn voet beet, om over de rode plek van het spijkertje te wrijven.

Toen ik opkeek, zag ik de grote keien. Ze waren gigantisch, glad en rond; ze lagen op zo'n vijftig meter afstand van het huis en waren samen twee keer zo lang. Het geheel zag eruit als een handvol knikkers die door een reus waren neergegooid. Vooraan lagen twee grote rotsblokken met diepe gleuven erin gesleten, en een stuk of vijf kleinere lagen er dicht tegenaan. In het midden en eromheen groeiden dunne, spichtige bomen.

Ik zat ernaar te staren. Die keien waren zo anders dan de rest van het landschap, ze staken als duimen uit de grond. Het liep tegen het einde van de middag, en na een tijdje drong het tot me door dat de rotsblokken rood waren omdat de zon erop scheen, waardoor de zanderige buitenkant een donkerrode gloed kreeg.

'De Afgezonderden,' zei je. 'Zo noem ik ze. Ze lijken niet op... Het is alsof... ze zich afgezonderd hebben van al het andere hier in de omgeving. Ze zijn alleen, maar ze horen ook bij elkaar.'

Je kwam naast de bank staan. Ik schoof van je weg en je pulkte aan een reepje riet tot het loskwam.

'Waarom heb ik ze niet eerder gezien?' vroeg ik. 'Toen ik wilde vluchten?'

'Je lette niet op.' Je liet het stukje riet los en keek nu naar mij. Toen ik weigerde je aan te kijken, liep je naar een van de hoekpalen van de veranda. 'Je was toen te erg van streek om iets op te merken.'

Ik keek vluchtig naar de grote keien, op zoek naar een pad,

iets wat door mensenhanden was gemaakt. Er stak een plastic buis uit de stenen die helemaal doorliep tot aan het huis. Daar verdween hij onder het achterste deel van de veranda, waar de badkamer was. Aan de voet van de stenen stonden houten paaltjes, op regelmatige afstand van elkaar, alsof er ooit een hekje had gestaan.

'Wat is er aan de andere kant?' vroeg ik.

'Niet veel. Meer van hetzelfde.' Je keek met een ruk opzij en knikte naar het stoffige terrein rondom het huis. 'Het is niet jouw vluchtroute, mocht je dat soms denken. Je enige vluchtroute is via mij. En dan heb je pech, ben ik bang, want ik ben juist hierheen gevlucht.'

'Wat is dat voor buis?' Ik dacht dat als er een buis naar jouw huis liep, er misschien achter de rotsen nog andere waren, die naar andere huizen voerden.

'Die heb ik zelf aangelegd. Voor het water.'

Je grijnsde, trots bijna, en tastte naar iets in je borstzakje. Toen stak je je hand in je broekzak en haalde er een zakje gedroogde blaadjes en een pakje vloeitjes uit. Ik keek naar je andere zakken. Zat er ergens een bobbel? Kon je daar je autosleutels bewaren? Je draaide een lange, dunne sigaret voor jezelf en likte aan het vloeitje.

'Waar zijn we?' vroeg ik nog een keer.

'Overal en nergens.' Je leunde met je hoofd tegen de paal en keek naar de rotsen. 'Ik heb deze plek ooit gevonden. Hij is van mij.' Je bestudeerde peinzend je shagje. 'Het is lang geleden. Ik was toen nog klein, misschien half zo groot als jij nu bent.'

Ik keek je vluchtig aan. 'Hoe ben je hier gekomen dan?'

'Lopend. Heeft me ongeveer een week gekost. Toen ik hier aankwam, ben ik ingestort.'

'Was je helemaal in je eentje?'

'Ja. De rotsen bezorgden me dromen... en water natuurlijk.

Dit is een bijzondere plek. Ik ben hier een week of twee gebleven en heb daar in het midden gekampeerd. Ik leefde van de rotsen. Toen ik thuiskwam, was alles anders geworden.'

Ik wendde mijn blik af; ik wilde niets weten over jou of je leven. Hoog boven ons cirkelde een vogel, een minuscule x tegen de bleke hemel. Ik maakte me heel klein en sloeg mijn armen om mijn knieën, klampte me vast om te voorkomen dat de angst in mijn binnenste zich zou uiten in een schreeuw.

'Waarom ben ik hier?' fluisterde ik.

Je klopte op je zakken en haalde toen een doosje lucifers tevoorschijn. Je gebaarde naar de stenen. 'Omdat dit een magische plek is... heel mooi. En jij bent ook mooi. Mooi en afgezonderd van de rest. Het klopt allemaal.' Je draaide de sigaret rond tussen je duim en wijsvinger. Toen stak je hem naar me uit. 'Wil je er een?'

Ik schudde mijn hoofd. Het klopte helemaal niet. En niemand had me ooit eerder mooi genoemd. 'Wat wil je van me?' vroeg ik, en mijn stem brak.

'Dat is makkelijk genoeg.' Je glimlachte en de sigaret in je mondhoek hing naar beneden, aan je lippen geplakt. 'Gezelschap.'

Toen je de sigaret aanstak, kwam er een vreemde geur vanaf, natuurlijker dan tabak, maar niet zo sterk als wiet. Je nam een diepe trek en keek toen weer naar het groepje rotsblokken.

Ik volgde je blik en zag een klein gat in het midden. Het zag eruit als een doorgang.

'Hoe lang hou je me hier?' vroeg ik.

Je haalde je schouders op. 'Voor altijd, natuurlijk.'

Toen het licht doofde tot een grijze schemer, draaide je je om om naar binnen te gaan. 'Kom mee,' zei je.

Je stopte even in de serre waar we al eerder doorheen gelopen waren, bij een rij enorme accu's. Er zaten snoeren aan die naar het plafond liepen, met onderweg een aantal schakelaars. Op de plank boven je hoofd stonden zes olielampen op een rij. Wat zou er gebeuren als ik er een van de plank gooide? Zou je buiten westen raken van de klap? Hoeveel tijd zou me dat opleveren om hier weg te komen? Je bukte om iets te bekijken en klikte een schakelaar aan.

'Generator,' zei je met een knikje naar de batterijen. 'Deze voorziet alles in de keuken van stroom, en de paar lampen die we hier in huis hebben.'

Maar ik stond nog steeds naar de olielampen te kijken. Toen je dat zag, pakte je er een op en stopte me die in mijn handen. Ik hield hem vast bij het dikke middenstuk, en het dunne metalen handvat tikte tegen het glas. Je begon uit te leggen hoe de lamp werkte. Toen je je omdraaide om er nog een te pakken, hield ik hem vlak achter je omhoog, maar mijn armen trilden te erg om je ermee te kunnen raken. Dus stond ik daar maar stom te staan, met die lamp in de lucht. Maar toen besefte je wat ik van plan was en zette je tamelijk snel de tweede lamp terug op de plank, waarna je je hand uitstak naar de mijne.

'Daar kun je me niet mee uitschakelen,' zei je, en je mondhoek krulde omhoog.

Je pakte de lamp van me af, goot er petroleum in en stak hem aan. Toen duwde je me het vertrek uit. Met de lamp voor je uit gestoken leidde je me terug naar de kamer waar ik had geslapen.

'Dit is jouw kamer,' zei je. Je liep naar de ladekast bij de deur. 'Hier liggen schone lakens.'

Je trok de onderste la open om het me te laten zien. Toen deed je de twee laden daarboven open: er lagen T-shirts, truitjes, korte en lange broeken en vestjes in. Ik liet mijn vingers over een van de T-shirts gaan. Het was beige, effen, maat 38, en het voelde nieuw.

'Dat past je toch wel?' vroeg je.

Ik vroeg niet hoe je mijn maat wist. Ik bleef maar naar de kleren kijken. Alles was beige en saai. Geen merknamen, niks leuks. Het zag eruit alsof het allemaal in een goedkoop warenhuis was gekocht. Je wees op de bovenste twee laatjes.

'Ondergoed,' zei je. Toen deed je een stapje terug. Maar ook in die la keek ik niet.

'Ik heb ook rokjes en een paar jurken, als je wilt. Die hangen hiernaast. Ze zijn groen.'

Ik kneep mijn ogen tot spleetjes. Groen was mijn lievelingskleur. Hoe wist je al die dingen? Wíst je al die dingen? Je liep naar de deur.

'Ik zal je de andere kamers laten zien.' Toen je zag dat ik niet achter je aan kwam, draaide je je met een ruk om en deed een stap in mijn richting. Je kwam zo dichtbij dat ik de geur van sigarettenrook kon ruiken die in je kleren zat. 'Gemma, ik doe je niks,' zei je zacht.

Je draaide je weer om en liep weg. Daar in het schemerdonker hoorde ik de muren kreunen, samentrekken door de afnemende hitte van de dag. Ik volgde het licht van je olielamp naar de naastgelegen kamer. Daar stond een laag kampeerbedje tegen een van de wanden, met een slordige hoop lakens erop. Ernaast stond een lang, smal tafeltje, en tegen de muur aan de andere kant een kledingkast met een laag houten kastje ernaast.

'Ik slaap voorlopig hier,' zei je. Je ontweek mijn blik. Ik deed alsof ik niet merkte hoe je zin in de lucht bleef hangen, onafgemaakt.

De badkamer kende ik al. De deur daarnaast kwam uit in een diepe kast. Er stond niet veel in, alleen een paar bezems, een zwabber en een paar metalen kisten. Ik volgde je lamp naar de deur aan de andere kant, van de laatste kamer op de gang. Die was groter dan jouw slaapkamer, bijna net zo groot als de kamer die je mij had toegewezen. Aan de ene kant was een inbouwkast en stond een leunstoel. Eén hele wand werd in beslag genomen door boekenplanken, al waren die niet bepaald gevuld. Je deed de inbouwkast open en liet me de gezelschapsspellen op de onderste plank zien: *Uno*, *Vier op een rij*, *Wie is het?* en *Twister*. Allemaal spelletjes die we thuis ook hadden, die ik had gespeeld met vriendinnen, of met Kerstmis met mijn ouders. Maar deze versies waren vaal en oud, alsof ze van een tweedehandswinkel kwamen.

'Er is ook een naaimachine, een gitaar... en ik heb sportspullen,' zei je.

Ik keek naar de boeken die keurig in het gelid op de planken stonden. Bij het licht van de olielamp kon ik een paar titels lezen. *Woeste hoogten*, *De grote Gatsby*, *David Copperfield*, *Heer der vliegen*... boeken die we hadden besproken op school. Ik zag niet één eigentijdse titel, alleen maar klassiekers. Ik keek naar de volgende plank. Daar stonden voornamelijk natuurgidsen; over woestijnbloemen en dieren en boeken over slangen. Er waren titels over knopen leggen, hutten bouwen en over stenen. Ik zag een Aboriginal-woordenboek staan. Toen ik de titels bekeek, drong er iets tot me door.

'We zijn hier in Australië, hè?'

Een ferme hoofdknik. 'Eindelijk heb je het door,' mompelde je.

Ik herinnerde me wat je op het vliegveld tegen me had gezegd, je vraag of ik niet naar Australië wilde... en je vreemde accent. Nu begreep ik het. Alleen had ik altijd gedacht dat Australië een en al strand en *bush* was, in plaats van eindeloos rood zand. Toch voelde ik een lichte hoop opflakkeren, een vaag gevoel dat alles misschien nog goed zou komen.

Australië was een beschaafd land, met wetten en rechters, politie en een regering. Misschien werd er al naar me gezocht, misschien hield de politie een klopjacht. Waarschijnlijk was het hele land al in staat van paraatheid gebracht. Toen verdween het sprankje hoop weer. Je had me meegenomen vanuit Bangkok. Wie zou er nou in Australië gaan zoeken?

'Wie weet er dat ik hier ben?' vroeg ik.

'Niemand. Ook niet dat ík hier ben. We zitten midden in de Australische woestijn. Deze plek staat niet eens op de kaart.'

Ik dwong mezelf om te slikken. 'Alles staat op de kaart.'

'Dit niet.'

'Dat lieg je.'

'Niet waar.'

'Hoe heb je me hierheen gebracht dan?'

'Achter in de auto. Het heeft me veel tijd gekost.'

'Zonder kaart?'

'Zoals ik al zei,' beet je me toe, 'heeft het me veel tijd gekost.'

'Als het waar was, zou ik het heus nog wel weten.'

'Ik heb ervoor gezorgd dat je het je niet herinnert.'

Dat snoerde me de mond. Je blik schoot weg van de mijne en ik deed een stap achteruit. Toen herinnerde ik me de chemische lucht van die lap stof voor mijn gezicht. De roes van het hotsen en slingeren in je auto. De misselijkmakend zoete bonbons. Ik zocht naar meer herinneringen, maar die kwamen niet. Toen schudde ik mijn hoofd, want eigenlijk wilde ik het me ook niet herinneren. Ik zette nog een stap in de duisternis en leunde tegen de boekenkast. Mijn hoofd tolde. Ik vroeg me af wat je nog meer voor me verborgen hield. Wat voor gruwelijke geheimpjes.

'Iemand moet je toch gezien hebben,' fluisterde ik.

'Ik betwijfel het.'

'Op het vliegveld hangen camera's... alles is tegenwoordig beveiligd met videocamera's.'

'Alleen in Londen, daar hangen er duizenden. Al zit in de meeste geen film.' Je hield de olielamp omhoog. Het licht wierp schaduwen over je gezicht en vormde donkere holten onder je ogen.

'Er is heus wel iemand naar me op zoek. Mijn ouders natuurlijk.'

'Zou kunnen.'

'Het zijn belangrijke mensen.'

'Dat weet ik.'

'Ze hebben contacten en geld. Ik kom vast op tv en ze laten over de hele wereld mijn foto zien. Er is altijd wel iemand die me herkent.'

'Weinig kans.' Je hield de lamp nu vlak bij me, ik voelde de warmte. 'Je hebt bijna de hele weg hierheen in de achterbak gelegen, onder de tent.'

Mijn borstkas werd weer samengedrukt toen ik me mijn eigen lichaam opgekruld en geknakt voorstelde, in de kofferbak gegooid als een stuk bagage. Het was als een afschuwelijke horrorfilm, alleen hadden we de scène met het vleesmes nog niet gehad. Ik kruiste mijn armen voor mijn borst. Hoe was het mogelijk dat ik me hier niets van herinnerde? Waarom alleen heel korte flitsen? Was het middel dat je me had gegeven echt zo sterk geweest? Ik deed nog een stap bij je vandaan, achteruit naar de deur.

'Op het vliegveld zal iemand je toch wel gezien hebben.' Ik praatte eigenlijk tegen mezelf. 'Iemand moet mij gezien hebben. Je kunt onmogelijk al die controleposten door gekomen zijn zonder...'

'Als ze je al gezien hebben, dan hebben ze je niet herkend.'

'Hoezo niet?'

'Je droeg een pruik, een zonnebril, hoge hakken en een andere jas. Op het paspoort dat ik voor je heb gebruikt stond een andere naam. Je oude paspoort heb ik in een container gegooid.'

Je kwam op me af. Die felle blik in je ogen was terug, alsof je iets van me wilde, en ik dacht eraan terug hoe je in de koffiehoek naar me had gekeken. Toen was ik als een blok gevallen voor die doordringende ogen. Deze keer was het heel anders. Ik keek naar de boekenplanken; de Australische zoogdierengids stond op een paar centimeter van mijn gezicht. Ik overwoog om hem naar je toe te slingeren.

'Je rugzak hebben we ook in de container gegooid,' voegde je eraan toe. 'Weet je niet meer dat je je hebt omgekleed, dat je een rok hebt aangetrokken? Weet je niet meer dat je me aanraakte? Toen vond je het allemaal heel leuk.'

Er stroomde zout water mijn mond in, alsof ik zou moeten overgeven. Je liep van je plek en kwam tussen de deur en mij in staan. Ik stak mijn hand uit naar de zoogdierengids.

'Je bent nu een ander mens, Gem,' mompelde je. 'Je oude ik is daar achtergebleven. Hier krijg je de kans om opnieuw te beginnen.'

'Ik heet Gemma,' fluisterde ik. Ik hield het boek als een dreiging tussen ons in. Een wapen van niets. 'En ik heb al die dingen niet met me laten doen.'

'Wel waar, je genoot ervan.'

Je zette de laatste stap en kwam pal voor mijn neus staan. Ik leunde tegen de boekenplank, drukte mijn ruggengraat ertegenaan. Mijn huid werd meteen heel warm. Ik hield het boek omhoog, voor mijn hals.

'Je was toen lekker meegaand, weet je nog?' mompelde je.

'Nee.'

Mijn wang gloeide onder je aanraking. Ik klemde mijn kaken op elkaar en keek je aan. Maar ik wist het nog wel. Dat maakte het nog erger. Ik wist nog dat ik had gelachen toen je iets op mijn hoofd zette. Ik herinnerde me de kleding en jouw rug. Ik herinnerde me dat ik je verschrikkelijk graag had willen kussen. Ik deed mijn ogen dicht. Ergens in mijn keel ontsnapte een geluid, en opeens zat ik in elkaar gedoken op mijn hurken tegen de boekenkast gedrukt. Je hand lag op mijn rug.

Ik haalde uit en raakte je kin. Ik gebruikte al mijn kracht om je weg te duwen.

'Ik haat je!' krijste ik. 'Ik haat je, verdomme!'

Je trok meteen je hand terug, alsof ik die had gebrand.

'Misschien verandert dat nog,' zei je zachtjes.

Je nam de olielamp mee en liet mij in het donker achter, ineengedoken tegen de boekenkast.

Die nacht kon ik weer eens niet slapen. Het kwam niet door de warmte. Het was daar 's nachts nooit warm. En het lag ook niet aan het donker, want ik had het gordijn opengedaan omdat ik snakte naar het licht van de maan.

Terwijl de hitte afnam en de houten wanden om me heen uitzetten, klonk het alsof er huilende wolven in de muren zaten... klaar om toe te slaan. Ik luisterde ingespannen of ik je hoorde en draaide mijn kussen zo dat ik de deurklink kon zien. Het gekraak van de wanden klonk als jouw voetstappen op de gang. Ik lag zo verstijfd dat ik er hoofdpijn van kreeg.

Naast mijn bed brandde een olielamp op een laag pitje. Ik kon hem pakken als het nodig was. Ik kon hem naar de deur slingeren zodra die krakend openging. Ik stelde me voor waarop ik zou mikken. In het hout naast het deurkozijn zat een zwarte vlek, ongeveer ter hoogte van jouw hoofd. Ik was er tamelijk zeker van dat ik die wel zou kunnen raken. Maar daarna? De deuren waren waarschijnlijk op slot, en zo niet, waar kon ik naartoe vluchten waar je me niet zou vinden?

Je lag in de kamer naast de mijne, maar een paar meter verderop... met een dun wandje tussen ons in. Ik probeerde aan school te denken, aan alles behalve aan jou. Ik probeerde te denken aan Anna en Ben. Zelfs aan mijn ouders. Maar niets werkte. Alles kwam steeds terug bij jou. De gedachte dat je daar lag. Lag te dromen. Dat je aan me dacht. Ik stelde me je voor in die wirwar van lakens, waar je met wijdopen ogen lag te bedenken hoe je me zou vermoorden. Misschien speelde je met jezelf en stelde je je voor dat ik het deed. Of misschien drukte je je oog tegen een spleetje in de muur en keek je hoe ik op je lag te wachten. Misschien kreeg je daar een kick van. Ik probeerde het knipperen van je wimpers tegen het hout te horen, maar er was niets anders dan gekraak.

Uiteindelijk viel ik toch in slaap, al weet ik niet hoe. Het moet tegen de ochtend zijn geweest, mijn lijf gaf het op, uitgeput door de spanning. Toen ik sliep, droomde ik...

Ik was weer thuis. Alleen was ik niet echt thuis. Het was alsof ik wel kon zien wat er gebeurde, maar niemand kon mij zien. Ik leunde tegen het raam in de hoek van onze huiskamer.

Mijn vader en moeder waren er ook, ze zaten samen op de witte bank. Twee politieagenten zaten met hen te praten, ongemakkelijk op de stoelen die mijn moeder had meegebracht uit Duitsland. Er waren camera's en cameramannen. Overal mensen. Zelfs Anna was er, ze stond achter de bank met haar hand op mijn moeders schouder. Een van de politiemannen zat voorovergeleund, met zijn ellebogen op zijn knieën, vragen af te vuren op mijn moeder.

*Wanneer hebt u uw dochter voor het laatst gezien, mevrouw Toombs?*

*Had Gemma het wel eens over weglopen?*

*Kunt u alstublieft beschrijven wat uw dochter die dag aanhad?*

Mijn moeder raakte in de war en keek mijn vader aan, op

zoek naar antwoorden. Maar de politieagent was ongeduldig en keek kwaad naar de camera's.

'Mevrouw Toombs,' begon hij. 'De verdwijning van uw dochter is een belangrijke zaak. Beseft u wel dat u in alle kranten zult staan?'

Toen ze dat hoorde, veegde mijn moeder haar tranen weg. Ze wist zelfs een glimlachje op haar gezicht te toveren.

'Ik ben zover,' zei ze. 'We moeten alles doen wat we kunnen.'

Mijn vader trok zijn stropdas recht. Iemand richtte een felle lamp op hen beiden en Anna werd uit beeld geschoven.

Ik probeerde te roepen, hun te laten weten dat ik daar was, bij hen in de huiskamer, maar er kwam geen geluid. Mijn mond stond alleen maar open en de klanken bleven ergens in mijn borstkas steken. Toen voelde ik dat mijn lichaam naar achteren werd getrokken, naar het raam toe, en het ging als een geest dwars door het glas heen. Daarna was ik buiten, in de kille avondlucht.

Ik drukte me tegen het raam in een poging weer door het glas heen te glijden. Mijn lijf deed pijn en ik had het koud, ik wilde wanhopig graag terug naar binnen. Toen voelde ik jouw sterke arm om me heen en je drukte me tegen je borst; je adem was warm op mijn voorhoofd.

'Je bent nu bij mij,' mompelde je. 'Ik laat je nooit meer gaan.'

Ik zag mijn moeder smekend in de camera's spreken en huilen toen de lampen feller werden.

Maar jouw aardse geur vulde mijn neusgaten. En je lijf smoorde me. Je armen omhulden me als een deken, je borst was zo breed als een rotsblok.

Ik werd wakker, hijgend en naar adem snakkend. Je geur was er nog, daar in die kamer. Hij vulde de ruimte als lucht.

Ik bleef liggen luisteren. Maar al snel moest ik plassen.

Ik ging niet terug naar bed. Zachtjes schuifelde ik door het huis. Je was niet op. Ik ging op zoek naar de autosleutels, huissleutels, alles wat van nut zou kunnen zijn. Ik zocht ook wapens. En natuurlijk een telefoon, een manier om met andere mensen te kunnen communiceren. Er moest toch iets zijn, al was het maar een radio.

Ik begon in de huiskamer. Ik zocht in stilte, steeds gespitst op jouw aanwezigheid. Ik keek in laden, onder de mat, langs de binnenste rand van de open haard. Niets. Toen ging ik naar de keuken. Er waren vier laden onder het aanrecht. In de eerste twee lag niet veel, alleen een paar katoenen tasjes en wat wasknijpers. De derde la bevatte oud, bot bestek. Dat kon misschien van pas komen. Ik pakte een mes – het scherpste dat ik kon vinden (ik testte ze op het hout) – en stopte het in mijn zak.

De vierde la zat op slot. Ik trok eraan. Het handvat wiebelde, maar de la gaf niet mee. In het midden zat een sleutelgat. Ik hield mijn oog ervoor, maar in de la was het te donker om iets te kunnen zien. Daarna stak ik het mes in het sleutelgat en probeerde de la zo open te krijgen. Zonder resultaat. Ik graaide in je potten met thee en suiker, op zoek naar de sleutel.

Ook de rest van de keuken doorzocht ik, waarbij ik voorzichtig de kastjes opendeed. Ik weet niet wat ik verwachtte, misschien een of ander martelwerktuig of een enorm mes. Maar ik vond niets van dat al, en ook geen sleutel. In de kastjes stond veelal hetzelfde spul als in de meeste keukens: kommen, borden en kookgerei. Niets waar ik wat aan had, of ik zou je met een koekenpan op je hoofd moeten meppen. Het was verleidelijk.

Toen deed ik de grote kast naast de deur open. Daar stond het eten. Blikken en pakjes waren keurig gerangschikt op de planken, en op de vloer stonden bakken met bloem, suiker en rijst. Ik liep de kast in. Hij was netjes opgeruimd en bijna alles stond op alfabet. Naast de zakken linzen stonden zakken gedroogde meloen, en daarnaast de mosterd. Ik moest op mijn tenen gaan staan om de bovenste planken te kunnen zien. Daar lagen de zoetere etenswaren: cacao, custardpoeder en pakjes pudding. Helemaal achteraan in de kast was een hele plank vol met pakken sinaasappelsap.

Het duurde een tijdje voordat ik de kast uit kwam. Daar stond je, in de keuken. Ik dook vliegensvlug terug, weg van jou. Je had bruinige modderstrepen op je wangen en rood stof aan je handen. Je gezicht stond ernstig, afwachtend.

'Wat deed je daar?'

'Gewoon even kijken,' zei ik. Ik greep instinctief naar het botte mes in mijn zak. Je perste je lippen op elkaar en keek boos. Ik voelde mijn hartslag versnellen terwijl ik het mes omklemde. 'Als ik hier voorlopig nog blijf, leek het me een goed idee om het huis te verkennen,' ging ik verder. Ik trilde helemaal.

Je knikte. Zo te zien was je er blij mee. Je deed een stapje opzij om me erdoor te laten. Ik ademde zo onhoorbaar mogelijk uit.

'Heb je nog iets interessants gevonden?'

'Een heleboel linzen.'

'Ik hou van linzen.'

'Er staat hier veel eten.'

'Dat zullen we nodig hebben.'

Ik liep om de keukentafel heen bij je vandaan, opgelucht en iets zelfverzekerder. 'Is er hier dan geen winkel? Iets waar je inkopen kunt doen?'

'Nee, dat heb ik je al gezegd.'

Ik keek weer in de kast. Hoe had je dat allemaal hier gekregen? En wat zou er gebeuren als ik het vernietigde? Zou je dan de deur uitgaan om nieuwe spullen te halen? Ik legde mijn hand op de rugleuning van een van de stoelen die onder de tafel geschoven waren.

'Voor hoe lang is dit?' vroeg ik. Ik keek naar het eten en probeerde het in te schatten. Er was genoeg voor wel een jaar, dacht ik. Misschien nog langer.

Je haalde je schouders op. 'In het bijgebouw staat ook eten. Nog veel meer.'

'En als dat ook op is?'

'Dat raakt niet op. Voorlopig niet.'

De moed zonk me in de schoenen. Ik keek toe hoe je langzaam de kraan opendraaide, tot er een dun straaltje water uit sputterde.

'Bovendien hebben we kippen,' zei je. 'En als je...' Je zweeg even en keek me aan voordat je het juiste woord uitkoos. 'Als je geacclimatiseerd bent, kunnen we eropuit gaan om in de natuur eten te zoeken. En we kunnen een keer een dromedaris vangen, misschien wel een paar. Die zetten we dan tussen de rotsblokken, met een hek eromheen...'

'Dromedarissen?'

Je knikte. 'Om te melken. Of we doden er een voor het vlees, als je wilt.'

'Dromedarissenvlees? Dat is gestoord,' zei ik.

Ik zag onmiddellijk de waarschuwende blik in je ogen, en de manier waarop je je schouders spande. Ik hield mijn mond en kneep harder in de rugleuning van de stoel.

Je waste je handen. Het water was roodbruin, als bloed. Ik keek toe hoe het de afvoer in kolkte. Je gebruikte een borsteltje om het vuil onder je nagels vandaan te schrobben. Zoals ik al zei: ik voelde me die dag iets zelfverzekerder, voor het eerst sinds mijn komst. Ik weet niet waarom, maar ik wilde je meer vragen stellen. Ik had ook niet langer het gevoel dat je me de hele tijd nauwlettend in de gaten hield. Ik liep om de keukentafel heen en bleef bij de afgesloten lade staan.

'Waarom is deze op slot?' vroeg ik.

'Voor jouw veiligheid. Na dat geintje met je pols...' Je liet de woorden wegsterven en draaide je weer om naar de gootsteen om verder te schrobben. 'Ik wil niet dat je jezelf weer verwondt.'

'Wat zit erin?'

Daar gaf je geen antwoord op. Sterker nog, toen ik weer aan de lade begon te rukken, liep je bij het aanrecht vandaan, vloog op me af en sloeg je armen om mijn middel. Je sleurde me weg, de keuken en de gang door. Ik gilde en schopte, maar je liep helemaal door tot aan mijn kamer. Daar gooide je me op het bed. Ik kroop snel bij je vandaan en tastte naar het mes in mijn zak. Maar je was al bij de deuropening tegen de tijd dat ik het had gepakt.

'Over een halfuur is de lunch klaar,' zei je.

Je smeet de deur achter je dicht.

Die nacht lag ik in bed met het botte mes in mijn hand en de olielamp naast mijn hoofd. De gordijnen waren open, het maanlicht bescheen de deur. Eén ding was zeker: ik zou me niet zonder verzet iets laten aandoen.

Ik hield je heel goed in de gaten en leerde je routine kennen. Als ik wilde ontsnappen, moest ik meer te weten komen over deze plek en over jou. Ik keek waar je je spullen opborg en zocht naar een patroon in je handelingen. Ik was bang, op sommige dagen was ik verstomd van angst, maar ik dwong mezelf om na te denken.

Ik gebruikte het mes uit de la om streepjes te kerven in de zijkant van het bed. Ik wist niet hoeveel dagen er al waren verstreken, maar ik schatte een dag of tien. Dus kerfde ik tien streepjes in het hout. Ieder ander die het zag, zou denken dat ik bijhield hoe vaak we daar seks hadden gehad.

Je dagelijkse routine was vrij eenvoudig. Je stond vroeg op, op het koelst van de dag, wanneer de lucht nog schemerig paars-grijs was. Ik hoorde je bezig in de badkamer. Dan ging je naar buiten. Soms kon ik je horen timmeren bij de bijgebouwen, het geluid galmde rond. Andere keren hoorde ik niets. Ik spitste mijn oren, hopend op een auto, of een vliegtuig dat brommend mijn kant op kwam. Ik merkte dat ik naar een snelweg snakte. Maar er kwam nooit iets. Het was onvoorstelbaar stil. Dat was ik niet gewend. Een dag of twee lang heb ik me zelfs afgevraagd of ik soms gehoorschade had opgelopen. Het was alsof alle geluiden waaraan ik gewend was waren verwijderd, weggehaald. Na het bombardement aan lawaai in Londen voelde ik me doof in de woestijn.

Na een paar uur kwam je weer naar binnen. Je maakte ontbijt en zette thee, en je bood me altijd iets aan. 's Morgens at je een soort pap die je klaarmaakte met water, met iets van gebakken vlees erbovenop. Daarna ging je voor de rest van de dag terug naar buiten. Ik keek je na als je een meter of dertig naar het dichtstbijzijnde bijgebouw liep. Je deed de deur achter je dicht. Ik wist niet wat je daar iedere dag zo lang deed. Voor hetzelfde geld hield je er andere ontvoerde meisjes. Of nog erger.

Ik had het donkerste, koelste plekje van het huis gevonden: in een hoekje van de huiskamer, bij de open haard. Daar ging ik zitten nadenken over manieren om te ontsnappen. Ik mocht het niet opgeven. Als ik dat deed, was het bekeken, dat wist ik. Dan kon ik net zo goed meteen doodgaan.

Als je terugkwam, probeerde je met me te praten, maar dat lukte niet zo best. Dat kun je me toch moeilijk kwalijk nemen. Zodra je maar naar me keek, verstijfde ik en dan versnelde mijn ademhaling. Als je je mond opendeed, kon ik wel gillen. Maar ik gaf mezelf opdrachtjes. Eén keer moest ik van mezelf naar je kijken. De keer daarna stelde ik je een vraag. En de dertiende avond dwong ik mezelf om met je te eten.

Het was halfdonker toen ik vanuit de huiskamer de keuken in liep. Er brandde een zwak lampje boven het fornuis, een van de weinige lampen in het huis. Er vlogen motten en andere insecten tegenaan. Je gebruikte het licht om bij te koken. Voorovergebogen gooide je van alles in een pan, snel roerend. De rest van de keuken werd verlicht door een paar olielampen, die schaduwen op de muren wierpen. Je glimlachte toen je me zag, maar door de schaarse verlichting leek het een grimas.

Ik ging aan tafel zitten. Je legde een vork bij me neer. Ik pakte hem, maar mijn hand begon te trillen. Ik legde hem weer neer. Keek naar de duisternis aan de andere kant van het raam. Je pakte twee kommen en schepte het eten op. Dat deed je zorgvuldig: je nam het beste eerst. Je zette een kom voor me neer. Het was te veel eten, en het rook sterk naar witte peper. Ik hoestte.

Er zat vlees in; misschien was het kip, misschien ook niet. Een hoop vet en vellen, en stukjes bot. Vanuit het midden stak verticaal een poot de lucht in. Wat voor beest het ook was, je had het duidelijk helemaal gebruikt in plaats van alleen bepaalde delen. Ik roerde met mijn vork door de kom op zoek naar groente en vond een paar kleine, erwtachtige dingetjes, rimpelig en hard. Mijn hand trilde nog steeds, waardoor mijn vork tegen de zijkant van de kom tikte. Ik vond iets wat op een stukje wortel leek en kauwde erop.

Tegen die tijd had ik het hongeren opgegeven. Als je me wilde vergiftigen, zou je dat allang gedaan hebben. Maar ik kan niet zeggen dat ik van de maaltijd genoot. Natuurlijk zag je dat. Je zag alles wat met mijn gezondheid te maken had.

'Je eet niet goed,' zei je.

Ik keek naar mijn trillende vork. Mijn keel zat te dichtgesnoerd om meteen te slikken. Bovendien smaakte het eten alsof ik een vuilnisbak in mijn mond had leeggekieperd. Maar dat zei ik niet tegen je. Natuurlijk niet. Ik hield het voor me en keek toe hoe jij het eten je mond in schoof. Je at als een straathond: je schrokte alles naar binnen alsof het je allerlaatste maaltijd zou zijn. Je pakte een bot en kloof eraan, scheurde er met je tanden repen vlees vanaf. Ik stelde me voor dat die tanden mij beten, dat ze mijn vlees verscheurden. Ik schoof de botten op mijn bord van me af.

De maan klom al hoger aan de hemel: een reepje maanlicht viel op de vloer rond mijn voeten. Buiten, rondom het huis, begonnen de krekels aan hun repeterende koren. Ik stelde me voor dat ik buiten was, in het donker bij de krekels... weg van jou. Ik slikte het restant van het wortelgeval door en verzamelde al mijn moed.

'Wat doe je de hele dag?' vroeg ik.

Je wenkbrauwen schoten verbaasd omhoog. Je verslikte je bijna in je vlees. Stik er maar in, dacht ik.

'Als je naar buiten gaat,' vervolgde ik. 'Naar dat gebouw daar. Wat doe je daar?'

Je legde het bot neer, en het vet op je wangen glom in het kaarslicht. Je staarde me met grote ogen aan, alsof nooit eerder iemand je zoiets had gevraagd. Dat was waarschijnlijk ook het geval.

'Ik...' begon je. 'Ik maak dingen, zal ik maar zeggen.'

'Mag ik ze zien?' vroeg ik snel, voordat ik me kon bedenken. Ik keek weer naar het raam. Als ik maar naar buiten zou kunnen, ergens anders heen... alles moest beter zijn dan iedere dag in dat huis zitten.

Je keek me een hele tijd aan. Je vingertoppen wreven over de flintertjes vlees die nog aan het bot zaten en schoven ze heen en weer. Ook je vingers waren vet.

'Als je met me meegaat, wil ik niet dat je weer probeert te ontsnappen,' zei je.

'Dat zal ik niet doen,' loog ik.

Je kneep je ogen tot spleetjes. 'Ik ben gewoon... bang dat er iets met je gebeurt.'

'Dat weet ik, maar je hoeft je geen zorgen te maken,' loog ik weer.

Je keek naar de duisternis achter het glas, naar de sterren die tevoorschijn kwamen. 'Ik zou je graag willen vertrouwen,' zei je, en je blik flitste terug naar mijn gezicht. 'Kan ik dat?'

Ik slikte en probeerde iets te verzinnen om je te overtuigen. Daar werd ik kwaad om. Ik wilde me niet tot jouw niveau verlagen, en je al helemaal niet om een gunst vragen.

'Ik weet dat ik nergens heen kan,' zei ik uiteindelijk. 'Ik weet dat het hopeloos is om te willen ontsnappen. Ik zal het niet eens proberen, dat beloof ik.' Ik denk dat je me nog steeds niet geloofde, dus voegde ik eraan toe: 'Bovendien wil ik graag zien wat je de hele dag uitvoert.'

Ik glimlachte er zelfs bij. God weet waar ik die glimlach vandaan wist te halen, ik moet wel een of andere bovenmenselijke kracht hebben gehad. Maar ik weet dat mijn ogen niet meelachten, die boorden zich in de jouwe, vol haat.

Je zette grote ogen op, als een klein kind. Je vingers pulkten aan het vlees. Toen, met een beweging zo klein als van een vogeltje, knikte je snel. Ik denk dat je me verschrikkelijk graag wilde geloven, dat je wilde denken dat ik eindelijk bijdraaide. Weer keerde je je om naar het raam. Ik verbeet mijn trots en deed nog één poging.

'Doe gewoon wat je anders ook zou doen,' zei ik. 'Ik wil het zien.'

Ik hoorde je hoesten voordat ik mijn ogen opendeed. Het licht was ijl en grijzig. Je stond naast mijn bed met een beker in je handen. Ik deinsde achteruit, bij jou vandaan. Zo te zien stond je al een hele tijd te wachten. Met een zacht plofje zette je de beker op het nachtkastje.

'Thee,' zei je. 'Ik wacht in de keuken.'

Voor die ene keer dronk ik hem op. Maar je had hem gemaakt zoals je hem zelf lekker vond, met twee scheppen suiker. Te zoet. Ik kleedde me aan, ik trok zelfs de beige kleren aan die je voor me had gekocht. Ze roken schoon, een beetje naar kruiden. Ik strikte de veters van de hoge schoenen: het was mijn maat, ze zaten als gegoten. Toen volgde ik de geur van vers brood naar de keuken. Je zat te wachten op het houten krat dat je als opstapje gebruikte, vlak achter de open deur. Ik wreef met mijn handen over mijn armen toen ik het koele briesje voelde. Maar het was heel fijn om de wereld te zien door de open deur, ook al was die wereld gevuld met een uitgestrekt niets. De zon stond nog laag, vlak boven de horizon. Het licht schitterde in het zand achter je, waardoor je lichaam leek te stralen... alsof je een soort aura om je heen had.

'Ik heb *damper* gemaakt,' zei je. 'Tast toe.'

Je wees naar een paar hompen brood die op het aanrecht lagen. Ze waren zo groot als broodjes en hadden rare vormen. Ze waren te heet om vast te houden. Ik probeerde er een in mijn mond te stoppen, maar ik verbrandde mijn lip. Je gaf me een glas water.

'Ben je zover?'

Ik knikte en stapte het zonlicht in. Deze keer was het niet zo heet, maar ook nu prikten de zonnestralen in mijn nek. Ik stapte onvast op het houten krat, beschermde mijn ogen tegen de zon en keek voor me uit. Het was zo uitgestrekt, dat uitzicht. Ik zal het nooit goed kunnen onthouden. Hoe kun je zoiets onthouden? Volgens mij zijn mensenhersenen niet gemaakt voor dat soort herinneringen. Die zijn gemaakt voor dingen als telefoonnummers, of iemands haarkleur. Niet voor reusachtigheid.

Je schopte tegen het grove zand rondom het krat. Het was donkerrood, roestkleurig. Het leek wel afkomstig van bloed in plaats van van de rotsen, en het leek in niets op het roomwitte zand dat je op stranden ziet. Je deed een paar passen, haalde je vinger door het stof aan de zijkant van het huis en trok een kronkelige streep over het hout. Ik sprong van het krat en volgde je. Je liep een paar meter door, tot aan de hoek van het huis, dat, zo zag ik nu voor het eerst, op grote betonnen platen stond. Eronder was een donkere ruimte die er koel uitzag, net groot genoeg om erin te kruipen. Je ging op je knieën zitten en stak een stok in het gat.

'Hij zit er nog,' mompelde je. 'Alleen net te ver weg om hem te kunnen pakken.'

'Wie?'

'De slang.'

Ik sprong naar achteren. 'Wat voor slang? Kan die het huis in?'

Je schudde je hoofd. 'Dat doet hij niet.' Je keek op. 'Als je maar hoge schoenen aantrekt als je naar buiten gaat, oké?'

'Hoezo, is hij gevaarlijk?'

Je kneep één oog dicht tegen de zon en bekeek me aandachtig. 'Nee,' zei je toen. 'Wees maar niet bang.' Toen je opstond, waren je knieën roodbruin. 'Wel schoenen aandoen, hè?'

Je leunde tegen het huis en bekeek het met half dichtgeknepen ogen. Van een afstandje zag je er mager en slordig uit: als een groot stuk drijfhout. Je sprong op, greep de metalen dakrand beet en hees jezelf omhoog om een rij glimmende panelen te bekijken.

'Onze elektriciteit,' zei je. 'En ons warm water.'

Ik tuurde ernaar.

'Zonne-energie,' legde je uit, en toen ik nog steeds niet reageerde, voegde je eraan toe: 'We zijn hier natuurlijk niet op een elektriciteitsnet aangesloten.'

'Waarom niet?'

Je keek me aan alsof ik achterlijk was. 'De zon is hier sterk genoeg om heel Pluto van stroom te voorzien. Het zou idioot zijn om een andere energiebron te gebruiken. Maar ik heb de boel nog niet helemaal goed aangesloten.' Je friemelde wat aan de bedrading die in de muur verdween en controleerde of alles goed vastzat. 'Maar in de loop van de tijd kan ik meer lampen in huis ophangen, als je wilt. Dat soort dingen.'

Ik voelde de zweetdruppels op mijn voorhoofd komen. Ook al was het nog vroeg, de zon drong al door mijn T-shirt heen en deed mijn oksels prikken. Je sprong vanaf het dak in het zand, waarbij je voeten met een doffe plof neerkwamen.

'Wil je de kruidentuin zien?' vroeg je.

Je liep door het zand naar de bijgebouwen. Ik volgde je en speurde intussen het landschap af op zoek naar... wat dan ook, een teken van beweging. Je ging naar een afgebakend veldje naast de terreinwagen. Binnen de omheining was de grond omgespit.

'Hier is het,' zei je. 'Alleen doet hij het niet zo goed.'

Ik keek naar je verzameling dorre sprietjes. Het geheel zag eruit als het kruidentuintje dat mijn moeder een keer had aangelegd, in terracotta potten op ons terras. Mijn moeder had nooit groene vingers gehad.

'Deze tuin doet helemaal níks,' zei ik. Ik knielde neer en stak mijn handen door het houten hek heen. Ik raakte de aarde aan. Die was zo hard als beton. Uiteindelijk had ik het kruidentuintje van mijn moeder overgenomen, en de peterselie en de munt deden het prima... althans, tot het winter werd.

'Het was stom van me om deze plek uit te kiezen,' zei je. Je plukte zonder veel overtuiging wat aan de droge bruine stelen. Er viel een blaadje in je handen. Toen keek je op naar de rotsen achter het huis. 'De tuin in de Afgezonderden is beter.'

Ik keek ook naar die rotsblokken. De zon wierp er schaduwen op.

'Wat is daar nog meer?' vroeg ik.

'Moestuin, nog meer kruiden, een hoop eetbaar spul... *turtujarti*-bomen, *minyirli, yupuna, bush tomato*... alles wat je je maar kunt wensen. Een paar slakken die komen en gaan, hagedissen, en er zitten ook kippen.'

'Kippen?'

'Iemand had een kooi met kippen langs de kant van de weg laten staan toen ik hierheen reed, dus die heb ik meegenomen. Weet je niet meer dat ze achter in de auto zaten toen we hier naartoe reden?' Je ogen glinsterden een beetje. 'Zal wel niet, hè? Ze waren halfdood en jij was er niet veel beter aan toe.' Je stak je hand in je zak, haalde een heupflesje tevoorschijn en goot iets over de uitgedroogde kruiden.

'Gewoon water,' legde je uit.

Ik had het liefst de fles van je afgepakt om ze meer water te geven. 'Dat is niet genoeg,' zei ik.

Je keek me scherp aan, maar toen gaf je de planten nog wat extra druppels. Je ging rechtop staan. 'Er is ook schaduw, wist je dat? En water.'

Ik dacht terug aan het pad dat ik tussen de rotsen door had

zien lopen en ik vroeg me af wat er aan de andere kant zou zijn.

'Neem je me daar ook mee naartoe?' vroeg ik.

Je blik gleed even over mijn gezicht om mijn bedoeling te peilen. 'Morgen misschien.'

Je liep bij de kruiden vandaan, een paar passen door het zand. Toen wendde je je blik af van de Afgezonderden en keek naar de uitgestrektheid van dat roestbruine landschap. Het lag in golven voor ons, een deinende zee van zand waarop groene struikjes dobberden.

'Honderden kilometers ver zijn er geen andere mensen,' zei je. 'Niet echt. Maakt dat alles niet fijner?'

Ik keek je aan. Het had een grapje kunnen zijn, of een opmerking om me bang te maken. Maar volgens mij was het dat niet. Je had die verre blik in je ogen, die ietwat wazige blik waardoor het lijkt alsof je nog verder kijkt dan de horizon. Op dat ene moment was ik niet bang voor je. Je zag eruit als een soort ontdekkingsreiziger die uitkeek over het landschap en plande waar hij naartoe zou gaan.

'Hoe heet hij?' vroeg ik. 'Deze woestijn? Heeft hij een naam?'

Je knipperde met je ogen. Je mondhoeken trilden. 'Sandy.'

'Hè?'

Je perste je lippen op elkaar om niet in lachen uit te barsten, maar je hield het niet. Toen begonnen je schouders te schudden en boog je je hoofd naar de aarde. Je lachte zo hard dat ik ervan schrok. Je hele lijf bewoog mee met het geluid, tot je je in het zand liet vallen. Je raapte een handje zand op en liet de korrels door je vingers glijden.

'Goeie naam, hè?' zei je toen je weer een beetje bijgekomen was. 'Het is een zandwoestijn en hij heet Sandy. Zanderig.' Je spreidde je vingers en liet een oranje waterval neerdalen. 'Het is niet meer dan een hoop zandheuvels. Kom maar eens kijken.'

Ik deed een stap in jouw richting, eentje maar. Je pakte weer een handvol zand en stak die naar me uit terwijl je de korrels door je vingers naar buiten perste.

'Dit is het oudste zand ter wereld,' zei je. 'Zelfs de grond waar ik nu zit heeft er miljarden jaren over gedaan om zich te vormen, het is afgesleten van de bergen.'

'Bergen?'

'Ooit was hier een bergketen hoger dan de Andes. Dit is oeroud land, heilig, het heeft alles gezien wat er te zien is.' Je stak de hand vol zand naar me uit. 'Moet je voelen hoe warm het is,' zei je. 'Het zand leeft.'

Ik nam het van je over. De korrels brandden op mijn huid en ik liet ze vlug allemaal vallen. Het was de tweede keer die morgen dat je mijn huid deed gloeien. Je streek over de plek waar het zand was neergekomen en begroef je hele hand eronder. Toen kneep je je ogen dicht tegen de zon.

'Het zand is als een baarmoeder,' zei je. 'Warm, zacht en veilig.'

Je stak ook je andere hand eronder. Je schouders ontspanden zich en je hele lijf werd rustig. Het zag er net zo uit als mensen die net een joint hebben gerookt: totale verrukking. Het was heel raar. Ik deed een stap achteruit, en nog een. Je hield me niet tegen. Na een tijdje trok je je schoenen uit en stak je ook je voeten in het zand. Zoals je daar zat, met al je ledematen begraven, was het alsof je aan het zand was ontsproten. Je spiedde met één oog tot je me had gevonden.

'Je denkt nu iets,' zei je.

Ik knikte naar je voeten. 'Doet dat pijn?'

'Nee.' Je schudde je hoofd. 'Ik heb keiharde voeten. Alles moet wel keihard zijn om hier te kunnen leven.'

De zon brandde in mijn nek. Ik dacht dat ik in de verte iets zag, een beetje links van me, een soort schaduw. Misschien nog meer rotsen, of misschien gewoon een luchtspiegeling.

Het deed pijn aan mijn ogen om ernaar te kijken. Ik liep een meter of twee naar voren om het beter te kunnen zien, maar al snel gaf ik het op. Wat die vage schaduwen ook waren, ze waren ontzettend ver weg. Het kon wel uren of misschien zelfs dagen kosten om erbij in de buurt te komen.

Ik knielde neer in een van de vele kluitjes gras die als spikkels in het landschap verspreid lagen. Van een afstandje zag het gras er sponzig en zacht uit, als grote ballen mos, maar toen ik er met mijn hand over streek, prikten en krasten de puntige sprieten op mijn huid. Dit waren de 'spijkers' waar ik in was getrapt toen ik probeerde te ontsnappen, de reden dat mijn voeten nu zo gehavend waren.

Ik hoorde je achter me dichterbij komen. Ik hoorde je slikken. Het deed me denken aan onze ontmoeting op het vliegveld. Toen was je zo dichtbij geweest dat je langs mijn lichaam streek. Toen ik naar je opkeek, stak je je handen uit alsof je me wilde aanraken.

'Niet doen,' zei ik. 'Alsjeblieft.'

Maar je raakte het gras aan in plaats van mij. Je liet je vingers lichtjes langs de lange, naaldachtige sprieten gaan. Het leek je geen pijn te doen.

*'Spinifex,'* zei je. 'Australisch gras. Als het heel droog is, rollen de blaadjes zich op. Het gras sluit zichzelf binnen.' Je keek me weer aan, en je ogen waren heel flets in het zonlicht. 'Goede overlevingsstrategie, hè?'

Ik wilde niet naar je te lichte ogen kijken, dus richtte ik mijn blik op de schaduwen in de verte. De hitte bleef nu boven de grond hangen en maakte dat alles trilde en er onwerkelijk uitzag... en ik werd er beroerd van.

Je liep naar de bijgebouwen. Ik aarzelde even bij je auto en keek door het raampje of je je sleutel in het contact had laten zitten. Het oranje stof gaf af op mijn kleren toen ik tegen het portier leunde. Onder de laag stof was de auto wit. Rond de ramen zaten roestplekjes, op de achterbank lag een blik met benzine of iets dergelijks en voorin een verfrommeld kledingstuk. Onder het dashboard zaten twee versnellingspoken. Ik legde mijn hand tegen de warme, dikke banden.

Je keek verveeld toen ik je inhaalde. 'Ik snap niet waarom je het blijft proberen,' zei je. 'Je kunt hier niet weg.'

Je pakte een sleutel uit de zak van je hemd en stapte op het krat voor het eerste bijgebouw. De sleutel knarste in het slot. Je wachtte even voordat je de deur openduwde.

'Ik wil je niet mee naar binnen nemen als je er niet klaar voor bent,' zei je op vastberaden toon.

De deur zakte zwaar op zijn scharnieren toen je hem opendeed. Binnen was het donker en het zag er leeg uit. Verderop zag ik een paar voorwerpen in de schaduw, maar verder niks. Opeens wilde ik niet meer naar binnen. Ik verstarde en mijn ademhaling versnelde. Ik zag voor me hoe je me daar zou vermoorden, in die duisternis... en mijn lijk zou laten wegrotten. Je had ook zo'n rare grijns op je gezicht, alsof je het wílde.

'Ik weet niet...' begon ik, maar je pakte me snel bij mijn schouders en duwde me naar binnen.

'Wacht maar, dit wordt leuk,' zei je.

Ik begon te gillen. Je drukte me steeds steviger tegen je aan, met die sterke armen van je. Ik stribbelde tegen en probeerde me los te rukken, maar je had me klem in je keiharde armen, alsof ik in de greep was van een python. Je sleepte me verder naar binnen. Het was pikdonker.

'Blijven staan!' riep je toen. 'Niet bewegen. Anders verniel je het.'

Ik beet in je arm en spuugde naar je. Om de een of andere reden liet je los. Ik viel op de grond en kwam keihard op mijn knie terecht. Je pakte me bij mijn schouder, drukte me neer en gebruikte al je kracht om me tegen te houden.

'Niet bewegen, zeg ik toch!'

Je was hysterisch, je stem sloeg over. Ik klauwde naar de vloer en zocht houvast, wilde mezelf bij je vandaan slepen.

'Blijf van me af!' gilde ik.

Ik haalde uit. Mijn vuist raakte iets. Je hapte naar adem. Toen liet je me ineens gaan. Ik kwam overeind en rende naar de plek waar de deur moest zijn.

'Blijf staan... STOP!'

Ik struikelde en viel weer op de grond. Mijn handen landden in iets nats en plakkerigs. Ik kroop erdoorheen. Er kwam geen einde aan. De hele vloer was nat. En toen voelde ik andere dingen... hard, scherp, ze krasten op mijn benen. Er lagen ook zachte bobbels. Het voelde als kleding, misschien de kleren van andere meisjes die je daar had vermoord. Het kleverige spul kwam nu tot aan mijn ellebogen. Het voelde als bloed. Had je me geraakt zonder dat ik het had gemerkt? Ik voelde aan mijn voorhoofd.

'STOP! Alsjeblieft, Gemma, blijf daar zitten!'

Ik huilde, ik gilde en probeerde weg te komen. Jij schreeuwde nu ook. Ik hoorde je het vertrek door benen, achter me aan. Ik kon nu ieder moment een mes in mijn schouder voelen, of een bijl die mijn hoofd doorkliefde. Telkens opnieuw ging ik na of ik nog niet was geraakt. Ik voelde aan mijn keel. Ik wist niet waar de deur was. Op de tast schuifelde ik over de vloer, wanhopig op zoek naar iets waarmee ik me kon beschermen. Mijn schoenen gleden uit op de natte ondergrond.

Toen trok je de gordijnen open. En toen zag ik het.

Er lagen geen lijken. Geen dode mensen. We waren met z'n tweeën in dat ene vertrek. Met al die kleuren.

Ik stond er middenin. Zand en stof, planten en stenen... allemaal verspreid over de vloer om me heen. Mijn armen zaten onder het bloed. Althans, dat dacht ik aanvankelijk. Alles was rood, mijn kleren zaten vol rode vlekken. Ik raakte mijn onderarm aan. Het deed geen pijn, ik had nergens pijn. Ik bracht mijn arm naar mijn neus. Het rook naar zand.

'Het is verf,' zei je. 'Gemaakt van de rotsen.'

Ik draaide me met een ruk om en daar stond je. Tussen mij en de deur in. Je gezicht was verwilderd; je keek me met verstrakte mond en een woeste blik aan. Je ogen waren donker. Ik begon te trillen. Ik kroop achteruit en tastte naar iets wat ik tussen ons in zou kunnen houden, maar ik voelde alleen bloemetjes en sprieten Australisch gras. Ik kroop achteruit tot ik de muur raakte. Daar wachtte ik, iedere vezel gericht op jou, op wat je zou gaan doen, welke kant je op zou gaan. Mijn ademhaling was haperend en schor. Ik vroeg me af hoe hard ik zou kunnen schoppen. Zou ik langs je heen bij de deur kunnen komen?

Je hield me in de gaten. Zo verwilderd had ik je niet eerder gezien, maar toch bleef je stokstijf staan; al je woede concentreerde zich in je gespannen gezicht. Alleen het geluid van mijn ademhaling, steeds sneller, hing tussen ons in. Je balde je vuisten. Ik zag de aderen op je handen en je witte knokkels. Ik waagde een blik op je gezicht.

Je had je ogen tot spleetjes geknepen, alsof je vocht tegen iets in je binnenste, een diepe emotie. Snel duwde je je vuisten tegen je wangen en je drukte je knokkels tegen je ogen. Je kreunde; het geluid kwam ergens ver uit je borstkas. Maar de tranen kwamen toch. Ze liepen stilletjes over je wangen en gleden langs je kaak.

Ik had nog nooit een man zien huilen, alleen op tv. Ook mijn vader niet, nog niet iets wat daarop leek. De tranen stonden je heel raar. Het was alsof alle kracht uit je wegvloeide. Ik was zo verbaasd dat de angst verdween. Ik haalde diep adem en wendde mijn blik af. De muren waren beschilderd met grote gekleurde vegen waar stukjes plant, bladeren en zand op geplakt waren.

Je deed een stap in mijn richting, en onmiddellijk schoot mijn blik terug naar je gezicht. Je zat op je hurken en leunde op je hielen. Je kwam niet naar het gedeelte waar ik zat, dat vol lag met zand en kleverig spul. Je bleef aan de rand en keek alleen maar... naar mij. Je ogen waren doordringend blauw en stonden nog steeds verwilderd.

'Je zit in mijn schilderij,' zei je na een hele tijd. Je boog je naar voren en raakte een blaadje aan. 'Dit heb ik gemaakt.' Je liet je hand langs de rand gaan en streelde het zand. 'Het waren patronen en vormen, gemaakt met materiaal van het land...' Je gezicht verstarde en stond kwaad terwijl je de schade opnam die ik had aangericht. Uiteindelijk haalde je je schouders op en liet ze toen met een zucht zakken. 'Maar ach, je hebt weer een ander patroon gevormd... in zekere zin is dat misschien wel beter. Nu maak jij er deel van uit.'

Ik zag de streep die ik had getrokken toen ik over de vloer kroop, en de verf die ik overal over had uitgesmeerd. Onvast ging ik staan. Er rolde een bundel takjes van mijn schoot. Ik keek naar je gezicht, met je roodomrande ogen en de sporen van tranen, en naar je gespannen kaak. Op dat moment zag je eruit als een krankzinnige, een geestelijk gestoorde die niet in pillen gelooft. Ik liet allerlei zinnen door mijn hoofd gaan en probeerde te bedenken wat ik moest zeggen om daar weg te komen zonder je nog erger van streek te maken. Hoe kon ik de deur bereiken zonder dat je flipte? Hoe hoorde je met een gek om te gaan? Maar jij was degene die de stilte verbrak.

'Het was niet mijn bedoeling je bang te maken,' zei je, en je stem klonk weer vlak en redelijk. 'Ik maakte me zorgen om het schilderij. Daar heb ik... heel lang aan gewerkt.'

'Ik dacht dat je me wilde... Ik dacht...' De beelden waren te afschuwelijk om de woorden hardop uit te spreken.

'Dat weet ik.' Je haalde een hand door je haar, waardoor er rode strepen in kwamen van het zand aan je vingers. Je keek heel serieus. Je gezicht stond vermoeid en leeg en er verschenen rimpels in je voorhoofd.

'Rustig maar,' zei je. 'Alsjeblieft, rustig nou. Voor de verandering. Dit houden we zo geen van beiden vol. Neem nu maar van me aan dat het voor je eigen bestwil is.'

Je gezicht stond ernstig, alsof je echt het beste met me voorhad. Ik liep door dat rare schilderij van je heen tot ik tamelijk dicht bij je stond, dichterbij dan me lief was.

'Goed,' zei ik. Mijn hele lijf trilde weer en het kostte me moeite om op de been te blijven. Ik moest mijn stem luchtig en vriendelijk houden, zoveel wist ik wel van gekken. Als de toon maar goed is...

Ik verzamelde moed om je recht in de ogen te kijken. Die waren opengesperd, minder rood dan eerst. 'Laat me dan gewoon gaan,' zei ik. 'Even maar, een tijdje. Het komt wel goed.' Ik probeerde mijn stem geruststellend te laten klinken, probeerde je zover te krijgen dat je ja zou zeggen. Opnieuw keek ik vluchtig naar de deur.

De tranen stroomden weer over je gezicht. Je kon me niet aankijken. In plaats daarvan drukte je je voorhoofd in een van de hopen zand. Het rode stof plakte aan je vochtige wangen. Je ademde diep in en verbeet je tranen. Toen veegde je een deel van het zand weg, vormde er een rechte lijn van en wendde je gezicht van me af.

'Goed dan,' zei je, zo zacht dat ik eerst dacht dat je niets had gezegd. 'Ik zal je niet tegenhouden. Ik kom je alleen redden als je verdwaald bent.'

Dat liet ik me geen twee keer zeggen. Ik liep langs je heen. Ik was ontzettend gespannen en wachtte tot je me weer beet zou pakken; ik wachtte op die keiharde vingers op mijn bovenbeen. Maar je verroerde je niet eens.

De deur ging gemakkelijk open. Ik duwde de klink naar beneden en stapte het witte, hete zonlicht in. Achter me bracht je een soort snik voort.

Ik begon te rennen, langs het tweede bijgebouw, in de richting van de rotsformatie van de Afgezonderden. Ik keek telkens om, maar je kwam niet achter me aan. Het zweet gutste van mijn lijf voordat ik zelfs maar een paar meter had afgelegd. Ik sprong over pollen spinifex en struikelde over droge plantenwortels. Gelukkig had ik die stevige schoenen aan.

Toen ik bij de rotsen kwam, minderde ik vaart. Weer vielen me de houten paaltjes op die uit het zand staken, rondom, op gelijke afstand van elkaar, en de plastic buis die vanaf het huis naar de rotsen liep. Die kon ik volgen. Ik keek naar de kleine opening waar de buis tussen de rotsen verdween; het gat dat er vanaf de veranda had uitgezien als een doorgang. Maar moest ik wel die kant op? De andere optie was om de buitenrand van de rotsen te volgen naar de andere kant en het middenstuk helemaal over te slaan. Maar dan kon ik de buis niet volgen, en ik dacht nog steeds dat die deel moest uitmaken van een omvangrijker waterleidingnet; dat hij me naar een ander gebouw aan de achterkant zou voeren.

Ik hoorde een doffe klap vlak bij de bijgebouwen en nam snel een beslissing. Ik zou de buis volgen.

Het pad was rotsachtig en ongelijk en werd steeds smaller. Maar het was daar binnenin meteen koeler, alsof de koelte rechtstreeks van het steen afstraalde. Het duurde even voordat mijn ogen gewend waren aan het minder felle licht in de schaduwen die de hoge rotsen wierpen. Het pad werd zo smal dat ik met één voet aan iedere kant van de buis moest lopen. Algauw voelde het alsof de rotsen op me af kwamen, alsof ik werd platgedrukt als een droogbloem tussen een boek. Ik stak mijn armen uit en legde mijn handen tegen het koele, droge steen, alsof ik het wegduwde. Toen ik me ging haasten, struikelde ik over de buis en ik moest mijn handen gebruiken om mijn evenwicht te bewaren. Het pad werd nog smaller, maar ik zag licht aan het eind. Was dat de andere kant al?

Nog een paar meter en ik was er. Maar het was niet het eind: het pad ging over in een open plek. Daar was het licht helderder maar groenig, gefilterd door begroeiing. Ik bleef staan. De open plek had de omvang van een flinke kamer, maar er stonden dichte struiken en bomen langs de rand, waarvan sommige tegen de rotswanden aan groeiden en naar boven doorliepen. Er waren nog meer paden, die dieper de rotsen in voerden. Het was hier totaal anders dan de kille open vlakte aan de andere kant, een compleet andere omgeving. Het was het eerste beetje echt groen dat ik in tijden had gezien.

Ik deed een paar passen naar het midden van de open plek. De buis maakte een bocht naar rechts en liep vanaf daar een van de grotere paden in. Daar stonden een paar kooien. De kippen! Toen ik erheen liep, begonnen ze te kakelen. Ik knielde neer en keek door het gaas. Het waren er zes, broodmager. Ernaast stond nog een kooi, daar zat een haan in. Ik stak mijn vinger door het gaas en streelde zijn zwarte staartveren.

'Arm beest,' mompelde ik.

Ik trok aan het stugge metalen deksel tot het openvloog en stak mijn hand naar binnen. Ik zocht naar eieren, zodat ik die kon meenemen als ik hier weg zou gaan. Maar er lagen geen eieren. Even overwoog ik om de kippen vrij te laten, maar ik was bang dat ze kakelend naar jou toe zouden rennen, en dan zou je meteen weten waar ik was. Achter de kippenkooien waren dichte struiken. Aan sommige takken hingen vreemde gelige bessen, en door de begroeiing heen zag ik een soort mini-appeltjes hangen.

Ik keek het smalle pad af. Dit duurde te lang. Je kon ieder moment bij me zijn. Dus liet ik de kippen voor wat ze waren. Hoe sneller ik de open plek over was, hoe beter.

Ik volgde de buis weer. Het pad waar die lag was breder en vlakker dan het vorige, en ik moest door een paar stukken dicht gras heen. Zouden er slangen zitten? Wat zou ik doen als ik er een zag? Ik had ooit een film gezien waarin een man zijn arm afbond met een stuk touw vlak boven een slangenbeet, maar dat touw had hij zo strak aangetrokken dat zijn arm later geamputeerd moest worden. Die gedachte probeerde ik uit mijn hoofd te zetten, want ik had er niet bepaald iets aan. Ik liep door en hoopte maar dat dit de goede richting was. Het zag ernaar uit dat ik in een rechte lijn naar de andere kant ging. De zon stond pal boven mijn hoofd en was heel sterk, maar dit was niet dezelfde smorende hitte als bij het huis. De begroeiing werd dichter. Hier tussen de rotsen leek het helemaal niet op een woestijn.

Ik had nog niet ver gelopen toen er weer een open plek kwam. Deze was kleiner dan de vorige en nóg dichter begroeid. Ik volgde de buis dwars door het midden.

De poel was zo goed afgeschermd door bomen en struiken dat ik bijna het water in liep. Ik werd net op tijd tegengehouden door de dikke arm van een boom.

De rotsen hingen over het water en schermden de poel af tegen de zon. Achterin was een grot, vlak boven het water, met mos langs de randen van de ingang. Er kon wel van alles schuilgaan in dat zwarte gat. Slangen, krokodillen... lijken. Ik huiverde.

Ik hield me vast aan de boom en staarde naar het water, terwijl ik vaag ergens boven mijn hoofd de vogels hoorde kwetteren. Het was diep en donker, maar niet troebel. Ik kon helemaal tot aan het zand en het wier op de bodem kijken. Eigenlijk had ik kunnen weten dat er ergens water moest zijn. Hoe konden al die bomen hier anders groeien? Die hoefden het in ieder geval niet van de regen te hebben.

Ik knielde neer aan de oever en stak een vinger in het water. Met een geschrokken kreetje trok ik hem terug. Het water was koud, bijna ijskoud. Ik wilde erin springen... erin springen en het allemaal opdrinken. Maar ik zat daar maar, op mijn hurken. Wat was ik stom. Ik keek naar al dat water terwijl ik met de seconde meer vocht verloor, en toch raakte ik het niet aan. Ik wist namelijk niet of het drinkbaar was, of wat erin zat. Ik kon alleen maar denken aan een tv-programma waarin een ontdekkingsreiziger uit een rivier dronk, waarna er piepkleine visjes in zijn maag terechtkwamen die zijn ingewanden aanvraten; zijn maag moest door een arts leeggepompt worden met een lange slang. Hier bij de poel waren geen artsen. En ik wilde geen visjes in mijn ingewanden, dus zette ik het drinken uit mijn hoofd. Ik stond op en liep om het water heen, op zoek naar de plek waar de buis aan de andere kant tevoorschijn kwam.

Maar de buis kwam niet tevoorschijn. Hij eindigde in de poel en liep nergens anders heen. Ik haalde mijn handen door mijn haar en keek om me heen. Het zag ernaar uit dat je gelijk had gehad. Er waren geen andere gebouwen die gebruikmaakten van de watervoorraad.

Ik liep met grote passen over de kleine open plek, op zoek naar een andere uitgang, een manier om aan de andere kant te komen. Er waren nog twee paden, maar die waren smaller dan het pad waarover ik was gekomen, en overwoekerd. Voorzichtig liep ik het breedste pad op. Als ik me eerder al zorgen had gemaakt om slangen, was dat niets vergeleken met mijn angst op dit pad. Het scherpe gras kwam tot aan mijn knieën en om me heen ritselde en bewoog van alles. Ik meende vlak bij mijn handen iets op de rotsen te zien, iets te zien wegglibberen. Er dansten ook luid zoemende vliegen rond mijn hoofd, die in mijn haar vlogen. Ik liep door totdat het pad doodliep tegen de rotsen en ik moest omkeren. Ik probeerde het tweede, kleinere paadje, maar dat werd al gauw te smal.

Toen liep ik terug naar de grote open plek, maar daar waren de paden niet beter. Ik raakte alleen maar verder verdwaald, verstrikt in de doolhof van de Afgezonderden. Ik weet niet hoe lang ik heb geprobeerd eruit te komen. Het viel niet mee om op die plek het besef van tijd te behouden. Het leek een eeuwigheid te duren. Maar één ding wist ik wel: je was me niet gevolgd. Nog niet. Wanhopig klampte ik me vast aan de hoop dat je zou denken dat ik ergens anders heen was gevlucht. Ik probeerde nog een smal paadje, platgedrukt om tussen de rotsen door te passen. Toen ik wéér bij de grote open plek kwam, besefte ik dat ik in kringetjes ronddraaide.

Dat was het moment waarop ik eindelijk wakker werd en mijn idee kreeg.

Tegen een van de rotsblokken groeide een hoge boom, met een witte stam en dikke, sterke takken. Toen ik mezelf omhoog trok, was ik blij dat hij zo sterk was. Als kind was ik dol op bomenklimmen, al heb ik het niet vaak gedaan. Mijn moeder was altijd bang dat ik zou vallen. Het voelde raar om weer in een boom te zitten, en eerst had ik niet door waar ik mijn voeten moest neerzetten, maar al snel kreeg ik het te pakken. Ik sloeg mijn armen om de stam heen en werkte me omhoog met de takken als opstapje. De enige keer dat ik stopte, was toen ik voor mijn neus een bruin spinnetje zag wegschieten. Daarna was het pure vastberadenheid die me voortdreef.

Maar toen ik de top bereikte, was dat een afknapper. Overal waren takken en bladeren en ik kon niks zien. Ik haalde diep adem, deed mijn mond en ogen dicht en probeerde de takken opzij te duwen. Er viel van alles op me. Ik wilde niet weten wat het was, dus sloeg ik het van me af voordat ik het beter kon bekijken, maar toch was het alsof ik het over me heen voelde kruipen. Ik voelde pootjes in mijn haar. Terwijl ik me vasthield aan de allerhoogste takken zette ik een voet tegen de rotswand en probeerde me een stukje omhoog te hijsen.

Toen keek ik om me heen.

Ik beschermde mijn ogen tegen de zon. Er was niets dan zand en vlakte en horizon. Ik gebruikte de takken om me om te draaien, waarbij ik mijn been schaafde aan de rotswand. Maar ook aan de andere kant waren geen gebouwen, geen stadjes... zelfs geen weg. Het zag er aan die kant hetzelfde uit als bij het huis. Een lang, uitgestrekt niets. Ik kon wel gillen; de enige reden dat ik het niet deed, was waarschijnlijk de angst dat je me zou horen. Als ik een pistool had gehad, denk ik dat ik mezelf op dat moment door mijn kop geschoten zou hebben.

Ik liet me naar de voet van de boom zakken en leunde met mijn hoofd tegen een tak, met de muis van mijn handen tegen mijn ogen gedrukt. Toen sloeg ik mijn armen om de tak heen en drukte mijn gezicht in de schors. Een ruw gedeelte kraste tegen mijn wang, maar ik bleef duwen, in een poging het snikken tegen te gaan.

Het klinkt idioot, maar het enige waaraan ik op dat moment kon denken waren mijn ouders op het vliegveld. Wat hadden ze gedacht toen ik niet kwam opdagen voor de vlucht? Wat hadden ze sindsdien gedaan? Met mijn wang tegen de schors gedrukt probeerde ik me het laatste wat we tegen elkaar hadden gezegd te herinneren. Ik wist het niet meer. Daar moest ik nog harder van huilen.

Ik was bijna weer rustig toen ik de auto hoorde. Snel klauterde ik de boom weer in, het rotsblok op. Ik greep me vast aan een tak, waarbij ik bijna mijn evenwicht verloor. Eerst keek ik naar de horizon, toen naar het land naast de Afgezonderden. Daar! Je auto reed langzaam voorbij, vlak onder me.

Het duurde even voordat ik besefte waar je mee bezig was. Eerst dacht ik dat er al die tijd een hek was geweest. Toen drong het tot me door dat je het ter plekke aan het aanbrengen was. De moed zonk me in de schoenen. Dus daarom had je me laten gaan zonder me te volgen – je had al die tijd om de Afgezonderden heen gereden en me ingesloten, me gekooid als een dier. Ik was zo druk bezig geweest met mijn poging om door het groepje rotsen heen te komen dat ik je auto niet eens had gehoord.

Ik keek toe hoe je het hek plaatste. Je had een lange rol bij je van iets wat eruitzag als kippengaas, en toen je bij de houten paaltjes kwam, de paaltjes die ik eerder had zien staan, spijkerde je het gaas eraan vast. Je werkte snel, het kostte maar een paar minuten per paaltje, en toen reed je naar het volgende, onderweg het gaas uitrollend. Zo te zien was de klus bijna geklaard. Ik was al gekooid.

Ik leunde tegen de rotswand. Daarboven, boven de bomen, scheen de zon fel in mijn gezicht, en plotseling was ik uitgeput. Verslagen. Ik deed mijn ogen dicht om het allemaal buiten te sluiten.

Toen ik ze weer opendeed, reed je niet meer rond. Je stond aan de andere kant van het hek te wachten; de auto liep stationair, het portier aan de bestuurderskant was open en je hoge schoenen rustten in het opengedraaide raampje. Ik zag sigarettenrook omhoog kringelen.

Ik hield me vast aan de takken en keek om naar het huis, naar het desolate landschap eromheen. Er stond een briesje dat wat blaadjes deed opdwarrelen. Heel in de verte kon ik die heuvelachtige schaduwen nog zien. Ze waren een enorm eind van me vandaan, maar toch gaven ze me een sprankje hoop. Afgezien van die schaduwen waren de rotsen waarop ik stond het enige beetje hoogte, zover ik kon kijken. Voor het eerst vroeg ik me af hoe je deze plek had gevonden. Waren er echt nergens andere mensen? Waren we daar inderdaad helemaal alleen? Misschien waren er ooit mensen op onderzoek uitgegaan en hadden ze het halverwege opgegeven, of ze waren omgekomen. Het had iets krankzinnigs om te kunnen overleven in dat landschap. Het leek wel een andere planeet.

Ik voelde dat mijn keel werd dichtgeschroefd en ik wilde weer in huilen uitbarsten, maar ik stond het mezelf niet toe. Ik moest sterk zijn, anders zou ik boven in die boom blijven zitten totdat ik doodging van de honger, of van de dorst. Mijn vader heeft ooit gezegd dat sterven van de dorst de pijnlijkste dood is die er bestaat: je tong splijt en dan houden je inwendige organen er een voor een mee op... ze zwellen op en barsten open. Dat wilde ik niet.

Dus besloot ik terug te gaan naar de grootste open plek.

Daar zou ik wachten tot het donker werd en dan naar dat hek sluipen en kijken of ik eroverheen of eronderdoor kon kruipen. Hoe moeilijk kon dat nou zijn? Daarna zou ik terughollen naar het huis, wat spullen en kleren pakken als ik de tijd had, en water, en dan door de woestijn naar die schaduwen in de verte lopen. Uiteindelijk zou ik wel een weg vinden, of een paadje. Dat moest gewoon.

Het werd al koud voordat het donker werd. Mijn hele lijf trilde, lang voordat de maan verscheen. Ik rolde me op tot een balletje en ging op mijn hurken tegen de rotsen aan zitten, klappertandend.

Ik was nog niet eerder 's avonds buiten geweest. Ik wist wel dat het dan kouder was dan overdag, want zelfs binnen had ik gevoeld dat de temperatuur daalde, maar deze kou had ik niet verwacht. Op dat moment voelde het kouder dan op een winteravond thuis. Het kwam me idioot voor dat het in de woestijn overdag zo belachelijk heet was en 's avonds zo belachelijk koud. Maar er zijn daar natuurlijk geen wolken, dus is er niets om de warmte vast te houden. Die verdwijnt gewoon, net als de horizon. Daarom was het die avond waarschijnlijk ook zo licht: er was niets om de maan te verbergen.

Daar was ik blij om. Het betekende dat ik tamelijk gemakkelijk de weg zou kunnen vinden tussen de rotsen. Dat ik de grond kon afspeuren naar slangvormige schaduwen. Ik begon te ijsberen, alles om warm te blijven. Uiteindelijk kon ik niet langer wachten. Behoedzaam zocht ik mijn weg over het smalle pad naar de rand van de Afgezonderden.

Vanaf daar keek ik naar het hek dat je had aangebracht.

Het was tamelijk hoog, maar het zag er niet al te stevig uit. Ik wreef met mijn handen over mijn armen. Het was te koud om te kunnen nadenken over iets anders dan weer warm worden. Zo nu en dan hoorde ik het gebrul van je auto naderen, wanneer je langs een van je patrouilleposten reed. Wat wel fijn was aan deze situatie, was dat ik je kon horen aankomen, al een eeuwigheid voordat je er was. Maar mijn tanden klapperden zo luid dat ik bang was dat jij ze dadelijk ook zou kunnen horen. Ik vroeg me af wat je zou denken: wist je precies waar ik was?

Ik sloeg mijn armen om me heen, zo stevig als ik kon, en staarde naar de sterren. Als ik het niet zo koud had gehad en ik niet zo wanhopig graag had willen ontsnappen, had ik er eeuwig naar kunnen kijken. Ze waren onvoorstelbaar schitterend, héél veel sterren, dicht op elkaar en heel helder. Mijn ogen zouden daarboven kunnen verdwalen als ik er lang genoeg naar keek. Thuis mocht ik sowieso al blij zijn als ik 's avonds sterren zag, met de luchtvervuiling en al die stadsverlichting, maar in de woestijn waren ze niet te missen. Ze slokten me op. Als honderdduizend piepkleine kaarsjes straalden ze hoop uit. Als ik naar de sterren keek, kreeg ik de indruk dat het misschien toch nog goed zou komen.

Ik wachtte tot je weer langsgereden was en stapte toen tussen de rotsen vandaan. Toen mijn schouders loskwamen van de rotswand, verbaasde het me hoe kil mijn rug opeens voelde. De stenen hadden natuurlijk de hele dag het zonlicht geabsorbeerd en waren daardoor warmer geworden.

Ik liep een paar passen door het zand. Meteen voelde ik me onbeschut, alsof ik naakt was en jij al mijn bewegingen volgde. Snel rende ik naar het hek, met gebogen hoofd. Die paar meter afstand voelde een stuk langer. Al die tijd spitste ik mijn oren; ik hoorde je auto wel, maar het was niet meer dan een dof gebrom aan de andere kant van de rotsen.

Toen ik bij het hek aankwam, bleef ik staan. Het was gemaakt van fijn kippengaas en kwam tot wel een meter boven mijn hoofd. Mijn vingers pasten niet in de gaatjes. Ik probeerde een hele tijd om mijn voet ertussen te wurmen, maar dat lukte niet en ik gleed naar beneden, met mijn vingers over het ruwe oppervlak. Daarna probeerde ik het nog een keer met de andere voet. Niks. Ik gaf een schop tegen het hek. Ik duwde ertegen, maar het duwde me gewoon terug.

Toen begon ik te trillen, van de kou of van angst, dat weet ik niet... waarschijnlijk allebei. Ik dwong mezelf om me op mijn probleem te concentreren. Ik kon niet over het hek heen klimmen, dus moest ik eronderdoor. Ik liet me in het zand vallen en begon te graven. Maar dit was geen gewoon zand, zoals op het strand. Het was hard woestijnzand, met stenen en doorns en stukken plantenwortel erin. Het was stug en net zo lastig als álles daar. Ik zette mijn tanden op elkaar, probeerde me er niets van aan te trekken dat ik mijn handen openhaalde en groef verder. Het was net zo'n oorlogsfilm waarin ze zich een weg uit het kamp graven. Maar in het echt gaat het nooit zoals in Hollywood. Het gat dat ik had gemaakt was net groot genoeg voor een konijn. Het was hopeloos. Ik ging op mijn buik liggen en probeerde het hek van onderen op te tillen, maar het gaf niet mee. Mijn vingers kon ik er net onder wurmen, maar meer niet. Het gaas was te strak gespannen.

Daar lag ik dan, plat in het zand met mijn neus tegen het hek. Mijn hart ging als een razende tekeer, net als mijn ademhaling. Ik kwam overeind en probeerde nog een keer over het gaas heen te klimmen. Ik schreeuwde het bijna uit van frustratie. Alles leek op me af te komen: het hek, de rotsen...

Toen hoorde ik je auto.

Ik rende terug in de richting van de Afgezonderden, maar je kwam al de hoek om voordat ik het donkere gedeelte goed en wel bereikt had. Toch liep ik terug naar de rand van de rotsen en wachtte af.

Je zette de auto stil en schakelde de motor uit. Je stapte uit en leunde op de motorkap. Je tuurde naar de rotsen, op zoek naar mij. Je had me zien rennen, daar was ik van overtuigd. Waarschijnlijk kon je me daar nu ook zien staan, huiverend tegen de rotsen, in een wanhopige poging om iets van hun warmte over te nemen.

'Gem?' riep je.

Na een poosje liep je om de auto heen naar het portier aan de passagierskant en opende dat. Je pakte een trui, kwam teruggelopen en hield hem omhoog.

'Kom bij me terug.'

Ik hield me stil. Ik wilde niet naar je terug. Ik wist niet wat je zou doen. Met mijn armen tegen de rotsen gedrukt probeerde ik het trillen te laten ophouden. Mijn vingertopjes werden blauw.

'Je kunt nergens heen!' riep je. 'Ik wacht hier de hele nacht als het moet. De hele week. Je kunt niet aan me ontkomen.'

Je voelde in je zakken, haalde een voorgerolde sigaret tevoorschijn en begon te roken. De geur van brandende blaadjes dreef mijn kant op en bleef in die koude nachtlucht hangen. Ik drukte me tegen de rotswand en wendde mijn hoofd af van de geur. Toen probeerde ik een vuist te maken, maar mijn vingers waren zo stijf dat het pijn deed.

Wéér had je me gevangen genomen; het was slechts een kwestie van tijd voordat je me mijn schuilplaats uit zou drijven. Ik liet me langs de rotsen glijden tot ik in het zand zat en groef mijn handen onder de nog warme korrels, koortsachtig op zoek naar warmte.

Je zag mijn beweging. Je kwam naar het hek toe, leunde er met je handpalmen tegenaan en bekeek me aandachtig. Toen liep je naar de auto en kwam terug met een ijzerschaar. Het maanlicht viel op je huid toen je aan de slag ging; de helft van je gezicht lichtte op. Je knipte een spleet in het hek. Toen trok je het gaas opzij tot er een gat ontstond waar je doorheen paste. Het hek krulde golvend op.

Ik verzette me niet. Ik deed niets. Mijn lijf werd slap en leeg. Terug in het huis wikkelde je me in dekens. Je stopte me iets warms in handen, dat ik van je moest opdrinken. Maar mijn lichaam en mijn hersenen en mijn binnenste waren stijf bevroren. Ik was weggezakt, weggegleden naar een donkere, donkere verlaten plek. Je zei iets tegen me, maar je stem verstomde. De waarheid was te erg om naar te luisteren.

Er was niets aan de andere kant van de rotsen, alleen maar meer van hetzelfde.

Waar ik ook naartoe ging, je zou me toch te pakken krijgen.

Ik kon niet weg.

Ik sloot mijn ogen. Achter mijn oogleden was het donker en rustiger en ik liet me erin wegzakken. Ik verroerde me niet en maakte geen geluid. Langzaam trok ik me terug, stapje voor stapje, dwars door de bank en de vloerplanken heen, tot ik was aanbeland op die donkere, koele plek onder het huis, waar ik me klein maakte in het zand daar in het donker. Daar wachtte ik tot de slang me zou vinden.

Ik kon niets anders doen...

... dan wachten op de dromen.

Ik sliep.

Mijn moeder was bij me, ze streelde mijn voorhoofd en suste me. Ze praatte zacht, haar woorden waren een wiegeliedje. Ze wikkelde iets om mijn schouders en omhulde me ermee. Ik voelde haar armen om me heen en haar adem was zoet als thee met suiker.

De keer daarna was ik ouder. Ik was ziek thuis van school. Mijn moeder had haar laptop op de keukentafel staan en de telefoon lag bij haar elleboog. Ik zat op de bank, ingepakt en lekker warm. Ik wilde niet naar de Teletubbies kijken en mocht van mama geen talkshows zien.

'Zullen we een spelletje doen?' vroeg ik haar.

Ze gaf geen antwoord.

'Verstoppertje?'

Na een tijdje stond ik op van de bank en sloop naar de voorraadkast. Ik trok de zware deur open over de vloerbedekking en stapte het donker in. Het was er warm en vochtig en het rook er zoals mijn schoolblazer rook wanneer die nat was. In een hoekje ging ik zitten wachten, en ik stelde me voor dat ik op de zeebodem zat... in de buik van een megagroot zeemonster.

Door een gat in de muur heen hoorde ik het geratel van mijn moeders toetsenbord. Maar ze kon ieder moment stoppen met typen en me komen zoeken. Dat wist ik. Algauw zou ze zich afvragen waar ik was.

Ik liet me verder wegzakken in de duisternis van de voorraadkast... en wachtte...

Toen lag ik in een ziekenhuis. Ik was aangesloten op apparaten die zachtjes piepten. Ik kreeg mijn ogen niet open, maar ik was wel wakker. Er kwam bezoek: Anna en Ben en mensen van school. Mijn vader kwam bij me zitten en streelde mijn hand. Hij rook naar sigaretten, zoals hij altijd rook toen ik klein was. Er was een verpleegster in de kamer die zei dat het belangrijk was dat ze tegen me bleven praten. Een andere verpleegster bette mijn voorhoofd.

Ik stak mijn hand uit naar Anna en klauwde in de lucht vlak bij haar gezicht. Ik probeerde te gillen, wilde hen smeken om te blijven, allemaal, maar mijn mond ging niet open en het geluid bleef in mijn keel steken.

Toen ik mijn ogen opendeed, waren ze weg. De enige die was achtergebleven was jij.

Ik praatte niet tegen je. Ik lag daar maar op dat bed in die houten kamer naar de wanden te staren. Mijn stem was verschrompeld en verdwenen en ik wist niet hoe ik hem moest terugvinden. Ik vergat streepjes in het bed te kerven. Ik wilde alles vergeten.

Soms kwam je naast me zitten. Soms probeerde je met me te praten, maar ik keek je niet aan. Ik trok mijn knieën hoog op tegen mijn borst en sloeg mijn handen eromheen.

Daarna kwamen de herinneringen.

Eerst werd ik wakker met het gevoel van mijn dikke donzen dekbed om mijn schouders en de zachtheid van een flanellen pyjama op mijn huid. Als ik me concentreerde, kon ik bijna het knarsende geluid horen van de ochtendkoffie die mijn moeder aan het malen was. Ik rook de rijke, bittere geur van de koffiebonen die pruttelden op het fornuis, het aroma dat via de spleten in de deur mijn bed bereikte. Ik hoorde de dreun van de verwarming die aansloeg.

Toen was mijn vader ook uit bed en hij bonsde op mijn deur. Hij las me altijd de les over het belang van ontbijten, over goede cijfers halen en de universiteiten waarop ik me die zomer moest gaan oriënteren. Nu hield ik mijn ogen dicht en probeerde me zijn gezicht voor de geest te halen. Toen dat niet lukte, hapte ik geschrokken naar adem. Wat voor model bril droeg hij precies? Welke kleur had zijn lievelingsstropdas?

Daarna probeerde ik het met mijn moeder, maar dat was al even lastig. Ik herinnerde me wel de rode jurk die ze graag droeg naar de opening van een tentoonstelling, maar haar gezicht kon ik me niet voor de geest halen. Ik wist dat ze groene ogen had, net als ik, en fijne gelaatstrekken... maar op de een of andere manier kon ik niet alle stukjes in elkaar passen.

Dat maakte me bang, dat geheugenverlies, en ik haatte mezelf erom. Het voelde alsof ik het niet waard was iemands dochter te zijn.

Maar Anna kon ik me wel herinneren. En Ben ook. Urenlang dacht ik aan hem; ik stelde me voor dat hij daar bij me was, dat ik mijn vingers door zijn vlassige, zongebleekte haar haalde. Als ik mijn ogen dichtdeed, lag hij naast me in bed over me te waken.

Hij was de hele zomer gaan surfen in Cornwall. Anna was met hem meegegaan. Dit was de allereerste keer dat Anna en ik de zomer zonder elkaar doorbrachten. Ik vroeg me af wat die twee deden in het pension aan het strand, hoe ze iedere dag in het zand zaten... het zand dat zo anders was dan hier, veel zachter. Ik vroeg me af of ze zelfs maar wisten dat ik weg was.

Toen ik mijn ogen weer opendeed, zat je naast me. Je beet op het velletje naast je nagels. Na een tijdje zag je me kijken.

'Hoe voel je je?'

Ik kon niet antwoorden. Het was alsof mijn lichaam was veranderd in steen. Zelfs als ik alleen maar mijn lippen bewoog, zou ik breken.

'Ik kan iets te eten voor je maken,' probeerde je. 'Of te drinken?'

Ik knipperde niet eens met mijn ogen. Als ik maar lang genoeg bleef stilliggen, zou je vanzelf wel weggaan, dacht ik.

'Misschien... misschien moeten we het bed verschonen?'

Je schoof wat dichter naar me toe. Stak je hand uit en legde de achterkant van je vingers even tegen mijn voorhoofd, maar ik voelde ze amper. Op dat moment was je duizenden kilometers ver weg, in een ander universum, een soort droom. Ik was thuis, in mijn bed... en ik kon ieder moment wakker worden en me gaan klaarmaken voor school. Het was Ben die naast me zat, niet jij. Jij kon het niet zijn.

Je leunde achterover in de stoel en ging naar me zitten kijken.

'Ik mis je woorden,' zei je.

Ik slikte; het deed pijn aan mijn droge keel. Je keek naar me en je blik bleef rusten op mijn mond.

'Ik weet hoe dit werkt,' zei je toen. 'Ik heb zelf ook ooit gezwegen.' Je vond een ruw plekje aan de zijkant van je vinger en bewoog het met je duim heen en weer. 'De mensen dachten dat ik nooit had gepraat, alsof ik... hoe noem je dat? Stom was. Doofstom, dachten sommigen zelfs.' Je beet op het losse velletje. 'Maar dat was vlak nadat ik deze plek had gevonden.'

Mijn wenkbrauwen bewogen even, en jij zag het.

'Heb ik nu je belangstelling?'

Je leunde met je hoofd tegen de muur. Er liep een druppeltje zweet langs je wang, over het vage litteken heen. 'Ja, inderdaad,' zei je, en je knikte toen je zag waar ik naar keek. 'Dat heb ik ook opgelopen in de tijd dat ik zweeg.' Snel veegde je het zweet weg, en je hand bleef even op de bobbelige huid rusten. Toen bracht je je vingers naar elkaar toe en knipte hard tegen je wang. Ik schrok van het geluid. 'Zo'n vangnet kan hard aankomen,' zei je. 'Er ontstaat gemakkelijk een litteken.'

Je stond op en liep naar het raam. Ik draaide mijn hoofd een beetje, zodat ik je kon zien. Je merkte het.

'Dus zo ver heen ben je niet,' mompelde je. 'Niet morsdood.'

Wat later legde je een dun, vaal schrift op het nachtkastje. Toen je de kamer uit was, pakte ik het op en bladerde erin. De bladzijden waren leeg. Er lag ook een potlood op het kastje, scherp geslepen. Ik ramde het in de zachte huid tussen mijn duim en wijsvinger. Het deed pijn. Ik stak het er nog een keer in.

Ik probeerde hen te tekenen, allemaal... mijn moeder, mijn vader, Anna en Ben. Ik wilde hun gezichten onthouden. Maar ik ben nooit zo creatief geweest. Op de tekeningen verschenen de vormeloze gezichten van vreemden; slordige lijnen en schaduwen. Ik kraste ze weg met onvaste zwarte strepen.

Dan maar met woorden. Dat was sowieso altijd meer iets voor mij geweest. Mijn ouders begrepen niet hoe ik zo goed kon zijn in Engels en niet in wiskunde of tekenen, zoals zij. Maar zelfs met de woorden wilde het niet lukken, toen niet. Ze sloegen nergens op. Als je ze nu zou lezen, zou je denken dat ik aan de drugs was of iets dergelijks: ik sprong van de hak op de tak.

Ik probeerde een brief te schrijven, maar ik kwam niet verder dan: 'Lieve papa en mama.' Er was niet veel te zeggen. Bovendien wist ik niet of jij het zou lezen.

Dus schreef ik de enige woorden op die ik kon bedenken: *gevangen, opgesloten, beperkt, achter slot en grendel, tussen vier muren, ontvoerd, gekidnapt, meegenomen, gedwongen, geduwd, pijn, gestolen...*

Ook dat vel papier kraste ik door.

Ik kon niet meer slapen. Mijn blaas deed pijn en alles was stijf. Ik wilde beweging. Voorzichtig probeerde ik mijn knieën te buigen. Ik kneep mijn tenen bij elkaar en ging met mijn tong over mijn droge lippen. Mijn armen voelden zwak toen ik me van het matras wegduwde en zodra ik probeerde te gaan staan, begonnen mijn benen te trillen.

Ik trok nieuwe kleren aan uit de ladekast. De korte broek hing los om mijn heupen; mijn buik was dun. Ik ging naar de badkamer en plaste in de pot. Toen zette ik de kraan open. Hij kwam sputterend tot leven en braakte warm, bruin gespikkeld water uit. Ik waste mijn gezicht en hield daarna mijn hoofd onder de kraan om met grote slokken te drinken. In het kleine, gebarsten spiegeltje zag ik het water langs mijn mond druipen. Mijn ogen waren een beetje gezwollen en mijn neus vervelde van de weinige zon die ik had gezien. Op de een of andere manier leek ik ouder.

Jij was in de keuken. Je zat met je hoofd dicht naar de tafel gebogen een handgeschreven tekst te lezen op losse vellen papier. Even keek je naar me op en toen ging je door met waar je mee bezig was. Om je heen stonden glazen potjes; sommige met vloeistof erin, andere leeg. Je pakte er een op en las met samengeknepen ogen het etiket. Je hield het potje tegen het licht dat door het raam naar binnen viel en schreef iets op een van de vellen papier. De voorheen afgesloten lade hing open, maar ik kon niet zien wat erin zat. Op het bankje lag iets wat eruitzag als een naald.

Mijn maag draaide om. Alles om je heen wees maar op één ding: drugs. Misschien had je mij die toegediend, misschien wilde je net zelf gaan gebruiken. Ik liep de keuken uit. Je keek niet op. Voor deze ene keer had je het te druk met iets anders.

Ik liep door de kleine serre, langs de accu's en de planken aan de muur, en ging de veranda op. Ik keek naar de vloer totdat mijn ogen gewend waren aan het felle licht. Toen ik kon kijken zonder mijn ogen tot spleetjes te hoeven knijpen, liep ik een paar passen en leunde tegen de reling. Ik staarde over het zand naar de Afgezonderden. Het hek dat je had gemaakt was er nog; de rotsblokken erachter waren net zo roerloos als anders. Vanaf de plek waar ik stond zou niemand vermoeden hoeveel groen en hoeveel leven die rotsen omvatten; niemand zou geloven hoeveel vogels er zongen. Die rotsen waren geheimzinnig en vreemd. Net als jij.

Ik keek naar de wolkeloze blauwe lucht. Er waren geen vliegtuigen, geen helikopters. Geen reddingsoperaties. Toen ik in bed lag, had ik het idee gekregen om 'help' in het zand te schrijven, maar toen al besefte ik dat dat geen enkele zin had als er toch niemand overvloog. Ik draaide me om om de rest van het uitzicht te bekijken: horizon, horizon, Afgezonderden, horizon, horizon, horizon... geen plek om naartoe te vluchten.

Ik hoorde jouw voetstappen op het hout en de klik van de deur, nog voordat ik je op de veranda zag.

'Je bent uit bed,' zei je. 'Daar ben ik blij om.'

Ik deed een stap achteruit, in de richting van de bank.

'Waarom vandaag?' vroeg je. Je leek oprecht nieuwsgierig.

Maar ik zat vol treurige gedachten. Ik wist dat als ik nu mijn mond opendeed, het er allemaal uit zou komen. En ik gunde je niets, zelfs dat niet. Maar je bleef het proberen.

'Een mooie dag,' zei je. 'Warm en windstil.'

Ik liep verder naar achteren en drukte me tegen de bank aan. Ik kneep zo hard in de armleuning dat het riet knerpte.

'Wil je iets eten?'

Ik staarde strak voor me uit, naar de kraters in de rotsen.

'Ga eens zitten.'

Dat deed ik, ik weet niet waarom. Ik denk dat het door je toon kwam, die toon die je beter niet kon tegenspreken, de toon die me slappe knieën bezorgde van angst.

'We kunnen toch praten?'

Ik trok mijn voeten op de bank. Een licht briesje beroerde het zand. Ik keek naar de rondvliegende korrels vóór ons, een paar meter verderop.

'Vertel eens iets, wat dan ook – over je leven in Londen, je vrienden of zelfs je ouders!'

Ik kromp ineen door je onverwacht luide woorden en schuifelde heen en weer in de bank. Ik wilde je niets vertellen, laat staan over hen. Ik sloeg mijn armen om mijn knieën. Wat zou mijn moeder nu aan het doen zijn? Hoe erg vonden ze het dat ik was verdwenen? Wat hadden ze gedaan om me terug te vinden? Ik trok mijn benen dichter tegen me aan en probeerde de gezichten uit mijn hoofd te verdrijven.

Een tijdje zei je niets, je staarde over het land. Ik keek naar je vanuit mijn ooghoeken: je plukte met duim en wijsvinger aan je wenkbrauw. Je was slecht op je gemak en bleef staan bij de rand van de veranda. Maar ik wist wat je dacht, je probeerde een nieuw gespreksonderwerp te verzinnen, iets interessants om me mee uit mijn schulp te lokken. Je hersenen zweetten van inspanning. Na een hele tijd leunde je met je ellebogen op de reling en zuchtte diep. Toen begon je te praten, heel zacht.

'Is het echt zo erg?' vroeg je. 'Om met mij te leven?'

Ik deed mijn mond open en blies uit. Ik wachtte minstens een minuut. 'Natuurlijk,' fluisterde ik toen.

Achteraf denk ik dat er misschien meer achter dat ene woord zat... de behoefte aan contact, de wens om mijn stem te gebruiken in plaats van hem te verliezen. Want zo voelde het toen, met de wind die het zand opblies: het voelde alsof de wind mijn stem bij me vandaan zou kunnen blazen. Ik verdween, samen met die zandkorrels, ik waaide weg in de wind.

Maar je hoorde me. Je viel bijna van de veranda van schrik. Je fronste, beheerste je en dacht na over mijn antwoord.

'Het kan erger,' zei je.

Je liet je zin in de lucht hangen. Wat kon er nou erger zijn dan dit? Doodgaan? Dat kon nooit veel erger zijn dan hier in het niets verblijven, starend naar niets... en er nooit aan kunnen ontkomen. En bovendien wist ik niet beter of je zou me ook nog vermoorden. Ik sloot mijn ogen voor dit alles en probeerde mijn leven van thuis terug te halen. Daarin werd ik steeds beter. Als ik er de tijd voor nam, kon ik gemakkelijk een paar uur lang de kleinste dingen bedenken die ik thuis op een dag had gedaan. Maar jij liet me niet dromen, toen niet. Algauw hoorde ik de punten van je schoenen luid tegen de reling tikken. Je gaf een ritme aan. Ik deed mijn ogen open. Dit was niets voor jou. Normaal gesproken sloop je rond als een kat.

'Hier zijn tenminste geen steden,' zei je uiteindelijk. 'Hier is... geen beton.'

'Ik hou van steden.'

Je vingers verstrakten om de reling. 'In een stad is niemand echt,' snauwde je. 'Niets is echt.'

Ik kromp in elkaar, verbaasd over je plotselinge woede. 'Ik mis de stad,' fluisterde ik. Toen het tot me doordrong hoezéér ik de stad miste, begroef ik mijn hoofd tussen mijn knieën.

Je kwam naar me toe. 'Het spijt me van je ouders,' zei je.

'Wat spijt je?'

Je knipperde met je ogen. 'Dat we ze hebben achtergelaten, natuurlijk.' Je ging aan het andere uiteinde van de bank zitten en je blik boorde zich in de mijne. 'Ik had ze graag meegenomen... tenminste, als ik had gedacht dat jij daar gelukkiger van zou worden.'

Ik schoof bij je vandaan, zo ver mogelijk naar de andere kant van de bank.

Je krabde aan het riet. 'Zo is het beter, alleen jij en ik. Dat is de enige manier waarop het kan werken.'

Ik speurde de lucht weer af en probeerde mijn gedachten op een rijtje te zetten. Ik verbeet mijn angst.

'Hoe lang had je het al gepland?'

Je haalde je schouders op. 'Een tijdje, twee of drie jaar. Maar ik hield je al langer in de gaten.'

'Hoe lang?'

'Een jaar of zes.'

'Sinds mijn tiende? Heb je me sindsdien in de gaten gehouden?'

Je knikte. 'Met tussenpozen.'

'Daar geloof ik niks van,' zei ik, maar iets in mijn binnenste zei dat ik erover na moest denken. Er was iets, ergens in mijn achterhoofd, waardoor ik het misschien zou begrijpen als ik er langer bij stilstond.

Ik speurde mijn geheugen af op zoek naar je gezicht. Er kwam niets specifieks, maar er waren wel vage, half onthouden momenten, zoals de man die mijn vriendinnen een keer bij het schoolhek hadden zien staan wachten, en die keer in het park toen ik had gedacht dat iemand me vanuit de bosjes in de gaten hield... en mijn moeder die steeds het idee had gehad dat iemand haar volgde op weg naar huis. Was jij dat? vroeg ik me af. Had je me zo lang in de gaten gehouden? Vast niet. Maar er was nog iets, iets wat ik me niet precies kon herinneren.

'Waarom ik?' fluisterde ik. 'Waarom niet een ander arm kind?'

'Omdat jij jij was,' antwoordde je. 'Je hebt mij gevonden.'

Ik hield je blik vast. 'Hoezo?'

Je keek me vragend aan. Toen ik niet reageerde zoals je wilde, boog je je over de bank heen naar me toe. Je blik was indringend. 'Weet je dat niet meer? Herinner je je onze eerste ontmoeting dan niet?' Je schudde zachtjes je hoofd van verbazing.

'Waarom zou ik?'

'Ik herinner me jou wel.' Je stak je handen naar me uit alsof je me wilde aanraken, en je onderlip trilde een beetje. 'Ik herinner me jou echt.'

Je ogen waren opengesperd. Ik trok mijn kin tegen mijn borst, weg van die ogen.

'Dat is niet echt gebeurd,' zei ik. Ik praatte zacht en met trillende stem, bijna onhoorbaar. 'Het is niet waar.'

Je stak je hand naar me uit en pakte me bij mijn schouder. Ik voelde je vingers in mijn huid priemen, waarmee je me dwong je aan te kijken.

'Het is wél gebeurd,' zei je. Je gezicht stond vastberaden en je knipperde niet met je ogen. 'Het is waar. Je herinnert je het alleen nog niet.' Je staarde me indringend aan, eerst naar mijn linkeroog en toen naar mijn rechter. 'Maar dat komt nog wel,' fluisterde je.

Na een poosje hoorde ik je slikken. Toen werden je ogen een beetje troebel, en je liet me los. Ik viel terug in het riet. Je stond op en liep weg. Ik hoorde je in de keuken met de kastdeurtjes gooien. Ik legde mijn hoofd op mijn knieën in een poging me klein te maken. Ik trilde en had zelfs kippenvel op mijn benen, al had ik het niet koud.

Ik weet niet hoe lang ik daar heb zitten nadenken. Mijn ogen gleden in die tijd herhaaldelijk over het land, op zoek naar iets... alles wat maar afweek en wat tot een ontsnapping zou kunnen leiden. Oranje flarden begonnen de blauwe lucht te doorweven en de horizon gloeide roze.

Je kwam naar buiten en tuurde met half dichtgeknepen ogen naar de zonsondergang. Je had in iedere hand een glas water. Een eeuwigheid bleef je in de deuropening naar me staan kijken, staan wachten tot ik terug zou kijken. Toen ik dat niet deed, kwam je naar de bank gelopen. Je stak me een van de glazen toe. Ik pakte het niet aan, al stikte ik van de dorst. Uiteindelijk zette je het naast me op de grond en deed een stap bij me vandaan, nippend van je eigen glas. Je bleef me in de gaten houden. Ik denk dat je wachtte tot ik weer zou gaan praten. Ik weet niet waarom; je leek me niet zo'n prater. In plaats van naar jou keek ik naar de wind die willekeurige zandkorrels meevoerde. Het was volkomen arbitrair waar hij ze weer liet vallen.

'Wie ben jij?' fluisterde ik.

De woorden waren eerder mijn gedachten dan een vraag. Ik besefte niet eens dat ik ze hardop had uitgesproken, totdat ik je zag worstelen met het antwoord. Je fronste je voorhoofd en rimpelde je gezicht. Je zuchtte.

'Gewoon Ty,' zei je. Je ging op het puntje van de bank zitten en wreef met je vingertoppen over je wenkbrauwen. In het felle oranje van de zonsondergang leken je ogen lichter dan ooit. Het was alsof daar ook zandkorreltjes in zaten, erin geblazen door de wind. 'Ik kom hier vandaan, denk ik.'

Je stem was zacht en aarzelend, heel anders dan hoe die normaal gesproken klonk. Hij leek meer op een sprietje spinifex dat werd voortgeblazen. Ik had het gevoel dat ik me naar voren moest buigen om je woorden te vangen voordat ze voorgoed zouden wegwaaien.

'Ben je Australiër?'

Je knikte. 'Hm-hm. Ik ben vernoemd naar de Ty, het riviertje waarnaast mijn ouders hadden liggen neuken.'

Je keek me aan in afwachting van een reactie. Die gaf ik niet; ik wachtte gewoon tot je verder zou praten. Ik ging ervan uit dat je dat zou doen. Op dat moment zag ik iets aan je, een soort opgekropte energie die je kwijt moest.

'Mijn moeder was nog heel jong toen ze mij kreeg,' vertelde je verder. 'Maar mijn vader en zij hebben eigenlijk nooit echt een relatie met elkaar gehad. Ma kwam uit een chique Engelse familie. Zodra ik op naam van mijn vader was gezet, zijn ze allemaal de oceaan overgestoken en probeerden ze me uit hun hoofd te zetten. Pa heeft me overgebracht naar een stuk grond van een paar duizend hectare, met een handjevol vee. Dat was mijn leven.'

'Wat is er gebeurd?'

Ik keek toe hoe je ging verzitten in de leunstoel, worstelend met een antwoord. Ik vond het fijn om te zien dat je het moeilijk had. Dat was eens wat anders. En ergens in mijn achterhoofd dacht ik dat ik je antwoorden misschien tegen je zou kunnen gebruiken na mijn redding, als jij de gevangenis in ging. Je beet op de nagel van je duim en keek naar de ondergaande zon.

'Eerst redde pa het wel,' zei je. 'Waarschijnlijk was hij toen nog niet helemáál verknipt. Hij had zelfs mensen in dienst, schaapscheerders en een mevrouw die op mij paste... Ik kan even niet op haar naam komen.' Je stem stierf weg toen je erover nadacht. 'Mevrouw Gee of zoiets.' Je trok een wenkbrauw naar me op. 'Ach, wat maakt het ook uit?'

Ik haalde mijn schouders op.

'Ze was zo'n beetje mijn juf. Ik leerde alles van haar en van de *oldfellas* en de schaapscheerders.'

'Oldfellas?'

'Aboriginals daar uit de omgeving die bij mijn vader op de boerderij werkten, de echte eigenaars van het land. Zij leerden me alles over het land, mevrouw Gee probeerde me wiskunde en dat soort onzin bij te brengen en van de rest van de landarbeiders heb ik alles geleerd over drank. Goeie opleiding, nietwaar?' Je lachte een beetje. 'Maar het was best oké om buiten wat rond te lopen.'

Het was gek om je zoveel te horen praten; normaal gesproken zei je nooit meer dan een paar woorden. Ik had er nooit bij stilgestaan dat jij ook een eigen verhaal kon hebben. Tot dat moment was je gewoon mijn ontvoerder geweest. Je had nergens een reden voor. Je was stom en gemeen en niet goed bij je hoofd. Dat was alles. Toen je begon te praten, veranderde je.

'Waren er geen andere kinderen? Toen je klein was?' Je wierp me een scherpe blik toe. Maar ik vond het fijn dat mijn stem kwaad en dwingend klonk, en dat ik je even aan het aarzelen bracht. Ik genoot van dat piepkleine beetje macht dat het me gaf.

Je schudde je hoofd. Ik denk dat je er niet meer over wilde praten, maar nu ik eindelijk weer tegen je sprak, wilde je me ook niet negeren.

'Nee, ik heb tot mijn vertrek geen andere kinderen gezien,' zei je uiteindelijk. 'Ik dacht dat ik de enige op de hele wereld was. Ik bedoel, mevrouw Gee zei wel dat er andere kinderen bestonden, maar ik geloofde haar niet.' Je mondhoeken krulden om tot een bijna-glimlach. 'Vroeger dacht ik dat ik een speciale gave had, waardoor ik kleiner bleef dan andere mensen. Ik beschouwde mezelf nooit als jonger dan de rest, alleen kleiner.'

'Speelde je dan nooit met andere kinderen?'

'Nee, alleen met het land.'

'En met je vader?'

Je snoof. 'Die speelde met niemand meer vanaf het moment dat mijn moeder bij hem was weggegaan.'

Ik zweeg en dacht na. Toen ik jong was, was ik omringd geweest door kinderen. Of toch niet? Op school wel, maar vóór die tijd? Nu ik er goed over nadacht, kon ik me niet herinneren dat ik andere kinderen om me heen had gehad. Ik was als kind ziekelijk geweest en mijn moeder had me altijd graag dicht bij zich gehouden. Voor mijn geboorte had ze een soort zenuwinzinking gehad. Dat had mijn vader me ooit verteld. Ze had een miskraam gehad, of zelfs meerdere, geloof ik, en ze wilde mij niet ook verliezen. Ik trok een grimas toen ik besefte dat dat uiteindelijk juist wel was gebeurd. Mijn moeder hád me uiteindelijk verloren.

Ik keek weer naar je en haatte je opnieuw. Je had je water opgedronken en staarde met het lege glas in je hand voor je uit. Zo bleef je een eeuwigheid staan voordat je weer wat zei. Je praatte zo zacht dat ik me zelfs dichter naar je toe boog om het te kunnen verstaan.

'Na een tijdje ging pa steeds vaker naar de stad, voor zijn werk en zo,' zei je. 'Hij ging vee verkopen, al kreeg hij er geen geld voor, maar alleen drank en drugs; dingen die hem hielpen vergeten. Hij veranderde compleet. Hij liep nooit meer over zijn land, zorgde niet echt voor zijn vee... en naar mij keek hij ook niet om.'

Je keek naar je glas. Het leek erop dat je weg wilde lopen om het opnieuw te vullen. Ik weet niet precies waarom, maar ineens wilde ik met je blijven praten. Misschien werd de verveling me eindelijk te veel, of die behoefte aan echt contact... ook al moest dat dan contact met jóú zijn. Ik weet het niet. Misschien zocht ik gewoon naar zwakke plekken in je verhaal.

'Wat deed je dan?' vroeg ik snel. 'Al die tijd dat je vader weg was moet je toch iets gedaan hebben?'

Je fronste en probeerde me te doorzien. 'Geloof je me niet?' vroeg je. Je tikte nadenkend met je glas tegen het riet. Toen haalde je je schouders op. 'Doet er niet toe.'

Je haalde je blaadjes en vloei tevoorschijn en rolde een sigaret. De krekels begonnen en je had bijna je halve shagje opgerookt voordat je weer begon te praten.

'Als je wilt weten wat ik deed...' zei je met verstikte stem. 'Meestal zwierf ik rond in de bush en probeerde ik te leven als een oldfella. Ik werd mager en sliep onder de sterren. Dagenlang zag niemand me, soms zelfs weken. Een keer heb ik uit nood een van mijn vaders kalfjes moeten doden; dat heb ik hem nooit verteld.' Je grijnsde plotseling, en je gezicht werd weer jong. 'Meestal at ik alleen hagedissen... als ik geluk had.' Je keek op naar de hemel alsof je daar iets zocht. 'Ik maakte tekeningen van de sterren daarboven, die kende ik heel goed. Meesterwerken met alleen maar stippeltjes.'

Ik herinnerde me de sterren zoals ik ze had gezien vanaf de plek vanwaar ik had geprobeerd te ontsnappen, die avond in de Afgezonderden. Er waren slechtere bedden denkbaar, als het tenminste niet zo koud was geweest.

'Hoe kwam je aan water?' vroeg ik streng.

'Makkelijk zat. Als je goed naar de planten kijkt, vind je vanzelf water... zoals in de lente in de Afgezonderden.'

Ik dacht aan die heldere poel en aan mijn angst dat er maagaanvretende minivisjes in zouden zitten. 'Is dat drinkwater?' vroeg ik.

Je wenkte met je hoofd naar het glas dat bij mijn voeten stond. 'Waar moet dat anders vandaan komen? Waar denk je dat die buis naartoe loopt?' Je gebaarde naar de lange buis die het huis uit kwam. 'Die heb ik aangelegd.'

'Ik geloof er niks van.'

'Je gelooft me nooit.'

Je liet je van de armleuning glijden en ging op de bank zitten, dichter bij me. Ik deinsde meteen achteruit, meer uit gewoonte dan iets anders. Daar moest je een beetje om lachen. Je leunde achterover in de bank, maar probeerde niet om dichterbij te komen. Na een tijdje begon je weer zachtjes te praten.

'Toen pa de stad eenmaal had ontdekt, met alles wat erbij hoorde, was het afgelopen... de boerderij is er nooit bovenop gekomen. Hij vergat zijn land en mij vergat hij ook. De landarbeiders en mevrouw Gee werden ontslagen. Ik zag hem zo nu en dan, wanneer ik 's nachts in mijn bed sliep, maar ik denk niet dat hij mij echt zag, met al die drank en drugs in zijn lijf. Zo ging het een poos door. Tot mijn vader op een dag niet meer terugkwam uit de stad.' Je wierp een vluchtige blik op mijn glas water. 'Hoef je dat niet?' vroeg je.

Ik keek naar het bruinige water waar zwarte stukjes op dreven en schudde mijn hoofd. Ik keek toe hoe je het opdronk: je adamsappel bewoog op en neer als een zuiger.

'Hoezo kwam je vader niet terug?'

Je wreef je lippen over elkaar en maakte ze allebei nat.

'Hij kwam gewoon niet terug. Was verdwenen. Opgerot!'

'Hoe oud was je toen?'

'Weet ik niet precies. Ik deed niet zo aan verjaardagen. Een jaar of elf, denk ik. Iedereen was toen allang vertrokken, ik bleef in mijn eentje achter op de boerderij. Maar het duurde wel een jaar voordat de mensen erachter kwamen en ze me kwamen vangen.'

'Kwamen ze je vángen?'

Je haalde schaapachtig je schouders op.

'Wilde je dan niet dat er iemand voor je zorgde?'

'Neuh, waarom zou ik? Ik kon het zelf beter.' Je kneep je ogen tot spleetjes. 'Ik heb ze flink laten zwoegen. Ze hebben alles geprobeerd: omkopen, andere kinderen, een pastoor. Uiteindelijk hebben ze me gevangen met een net, als een beest. Ze maakten ook van die sussende lokgeluidjes. Eerst dachten ze dat ik niet kon praten, of in ieder geval dat ik geen Engels sprak. Misschien dachten ze dat ik een oldfella was, want ik was behoorlijk donker geworden door de zon.' Je glimlachte bij de herinnering.

'Wat hebben ze met je gedaan?'

Je ogen werden meteen donkerder en je mond verstrakte, alsof je kwaad was dat ik het vroeg. 'Ze namen me mee naar de stad, propten me achter in een bestelwagen... ken je die wagens waar misdadigers in worden vervoerd? Ik werd naar een kindertehuis gebracht. Daar kreeg ik een kamer zonder raam, propvol met andere kinderen. Ze wilden mijn naam weten, maar die gaf ik niet. Ik zei helemaal niets. Toen hebben ze me maar Tom genoemd.'

'Tom?'

'Ja, een paar maanden lang. Zij bepaalden hoe oud ik volgens hen was en wat voor kleren ik aan moest. Omdat ik mijn mond niet opendeed, probeerden ze iemand anders van me te maken. Ik wou dat ze me nooit te pakken hadden gekregen.'

Ik vroeg me af wat er in dat geval gebeurd zou zijn. Zou je dan nog op de boerderij van je vader rondgelopen hebben, helemaal wild? Zou je het praten compleet verleerd zijn? Maar misschien had je dat niet erg gevonden.

'Wanneer ben je weer gaan praten?'

'Toen ze zo'n psychiater op me af stuurden. Toen heb ik de zaak gauw even rechtgezet.' Je haalde weer je schouders op. 'Ik heb daar tamelijk goed leren vechten.'

'Hebben ze je toch weten te doorgronden?'

'Ze hebben alleen ontdekt hoe ik heette,' beet je me toe. 'Na een hele tijd waren ze erachter dat mijn moeder aan de andere kant van de oceaan zat en dat mijn vader was gestorven in de kroeg. De boerderij was toen al opgedeeld om zijn schulden te betalen.' Je keek me nog altijd kwaad aan en klampte je vast aan de bank tot die begon te kraken. 'Niemand wist wie ik was,' voegde je eraan toe. 'Niet echt. Toen ik naar de stad ging, begon mijn hele leven weer van voren af aan.'

Er was een diepe rimpel ontstaan in het midden van je voorhoofd. Je schouders waren nu ook opgetrokken, gespannen rond je nek. Ik besefte dat ik je begon te doorgronden, dat ik wist wanneer je gespannen of kwaad was, of van streek. Je ging met je hand over je voorhoofd en wreef de rimpel weg. Ik boog me een beetje dichter naar je toe.

'Dus jij bent eigenlijk ook min of meer gestolen,' zei ik zachtjes. Ik zette nu door en liet je blik niet los. Je kneep je ogen tot spleetjes. Je wist heel goed wat ik bedoelde. Ze hadden jou gestolen zoals jij mij had gestolen. 'Ben ik voor jou een manier om wraak op hen allemaal te nemen?'

Een hele tijd zei je niets. Maar ik hield je blik vast. Nu ik eenmaal had gezien dat je niet kwaad op me werd, voelde ik me behoorlijk moedig. Uiteindelijk was jij degene die als eerste zijn blik moest afwenden.

'Nee,' zei je. 'Dat is het niet. Ik heb je van dat alles gered. Gered, niet gestolen.'

'Ik wou dat je dat niet had gedaan.'

'Zeg dat nou niet.'

Toen keek je me weer aan, met grote ogen, bijna smekend. 'Het is hier beter dan bij mijn pa,' zei je vastberaden. 'Deze grond is door niemand gekocht. En niemand zal hem willen hebben. Het land is stervende, eenzaam.'

'Net als ik, dus,' zei ik.

'Ja, net als jij.' Je beet op je mondhoek. 'Jullie moeten allebei gered worden.'

Die nacht kon ik niet slapen, maar dat was niets nieuws. Ik staarde naar het plafond en luisterde naar het gekraak en gekreun van het huis. Het klonk alsof het leefde. Het was een megagroot beest dat in het zand lag, en wij zaten in zijn buik.

Ik dacht na over manieren om je te doden. Ik stelde me het gorgelende geluid voor dat je zou maken nadat ik iets scherps in de zijkant van je nek had gestoken. Ik stelde me het bloed voor dat naar buiten gutste, over mijn handen stroomde en vlekken maakte op de houten vloer. Ik stelde me voor hoe je blauwe ogen levenloos en hard zouden worden.

Maar die beelden brachten me niet in slaap. Dus dacht ik aan dingen die ik tegen mijn ouders zou zeggen als ik ze weer mocht zien; voornamelijk excuses.

*Het spijt me dat ik mama's lievelingsvaas kapot heb laten vallen.*

*Het spijt me van die keer dat ik dronken ben geworden.*

*Het spijt me dat we ruzie hebben gemaakt op het vliegveld.*

*Het spijt me dat ik ontvoerd ben.*

*Het spijt, het spijt me, het spijt me...*

En toen was ik in het park. Ik lag te woelen en probeerde weg te komen uit die droom, maar het was te laat.

Ik liep hard. De geur van warme, muffe aarde bleef in mijn neusvleugels hangen... het overblijfsel van een zwoele zomerdag. Overal gonsden muggen; ze vlogen in mijn haar en in mijn ogen.

Hij was er ook, op maar een paar meter afstand. Hij kwam steeds dichterbij. Volgde me. Ik hoorde het schuren van zijn spijkerbroek, zijn doffe voetstappen. Ik ging harder lopen. Ik keek om naar de bomen en struiken, hopend op iets wat ik kende, maar de bomen waren dik en donker, met ruisende, ritselende blaadjes.

Hij was zo dichtbij dat ik zijn ademhaling kon horen, zwaar door een zomerverkoudheid. Ik nam een verkeerde afslag en liep op de vijver af. Hij snufte. Hij was achter me, praatte tegen me en zei dat ik vaart moest minderen. Maar ik rende weg. Het was eigenlijk stom, ik kénde die jongen. Bovendien kon ik niet bepaald ergens heen vanaf dat pad – alleen naar de vijver. Mijn voeten gleden uit over de houtsnippers, mijn ademhaling versnelde. En het water was zo dichtbij, naderde zo snel.

Zijn schaduw besloop me, haalde me in en bedekte de mijne met zijn duisternis. Ik rende harder en probeerde iets te bedenken wat ik kon zeggen... over school of over Anna of zo.

Toen bleef hij staan. En ik zag hem. Alleen was het deze keer geen 'hem'; jij was het.

Je droeg het geruite overhemd van het vliegveld en hield je armen wijd. Je handen trilden.

'Toe nou, Gemma,' zei je. 'Alsjeblieft... niet doen.'

Maar ik wendde me van je af en rende zo de vijver in. Ik liet me door het water bedekken toen ik naar beneden zakte, steeds verder, in de koude, donkere diepte. En mijn haar raakte in de war, verstrikt in het wier.

Er kwam een dof geluid vanaf de veranda; het gestage gebons van iets wat werd geraakt. Ik zwaaide het gaas van de hordeur open en bleef even staan, met mijn blote voeten op het hout. De ochtendzon was die dag milder, niet zo fel. Ik hoefde niet zoals anders een paar seconden te wachten tot mijn ogen aan het licht gewend waren.

Je stond links van me, in een rafelige korte broek en een dun hemdje vol gaten. Een boksbal zwaaide heen en weer tussen je vuisten en de lucht. Ik had hem nog niet eerder gezien, dus misschien had je hem net pas opgehangen. Je stond op je tenen, een beetje verend, en sloeg met je blote vuisten hard tegen de bal. Je spande je lichaam voor de klap; het was zo hard als de rotsen achter je. Rijen spieren tekenden zich af onder je hemd. Je lijf had niets zachts, niets overbodigs. Je gromde een beetje wanneer je de bal raakte en je knokkels waren rauw en rood.

Ik denk niet dat je wist dat ik stond te kijken. Je gezicht was heel geconcentreerd, iedere spier in je lichaam gericht op het slaan. Ik huiverde bij de gedachte dat je mij met die keiharde vuisten zou slaan, bij de gedachte aan het kraken van mijn brekende ribben en de blauwe plekken die zouden ontstaan.

Je ging door met slaan totdat je hemd van kleur veranderde door het zweet. Toen hing je de boksbal recht en trok je hemd op naar je gezicht om je voorhoofd af te vegen. Ik ving een glimp op van je buik, glad en gespierd, als geribbeld zand. Je liep naar een metalen paal die aan de zijkant van de veranda bevestigd was. Je pakte hem beet, duwde je kin naar beneden en trok je langzaam op aan de stang. Je biceps zwollen op bij iedere herhaling en je huid werd zo strak gespannen dat hij op knappen stond. Je was de sterkste man die ik ooit had gezien. Als je het zou willen, zou je me met het grootste gemak kunnen vermoorden. Eén duwtje met je handen om me te wurgen, één stomp en mijn hersenen zouden uit elkaar spatten. Ik zou er niets tegen kunnen doen. Met slechts een bot mesje onder een matras was ik geen partij voor je.

Later pakte ik het mes dat ik uit de keuken had meegenomen en testte hoe scherp het was door een streep te trekken over mijn vinger. Ik stelde me voor dat het jouw keel was waarin ik sneed. Er verscheen een druppel bloed, die een vlekje vormde op het laken. Toen leunde ik over de houten rand van het bed heen en kerfde er een paar nieuwe streepjes in. Ik schatte dat er zestien dagen voorbij waren, maar ik kerfde een extra streepje voor het geval ik me vergiste. Zeventien dagen.

Jij was er toen ik wakker werd.

'Ben je eraan toe om de Afgezonderden te bekijken?' vroeg je. 'Dan neem ik je vandaag mee.'

Ik fronste. 'Die heb ik al gezien.'

Ik draaide me om en probeerde niet te denken aan mijn mislukte ontsnappingspoging, maar je liep om het bed heen, zodat je me ook na het omdraaien kon zien. Je glimlachte toen je naar me keek.

'Je hebt ze nog niet echt gezien,' zei je. 'Niet met mij.'

Daarna vertrok je weer. Toen ik een hele tijd later opstond, zat je nog op me te wachten in de keuken. Zodra je me zag, deed je de deur open.

'Kom mee,' zei je.

Dus liep ik achter je aan. Ik weet niet precies waarom. Ik zou kunnen zeggen dat het kwam doordat ik niets anders te doen had dan naar vier muren staren, of dat ik weer wilde proberen te ontsnappen, maar ik denk dat er meer achter zat. Toen ik opgesloten zat in dat huis, voelde het alsof ik al dood was. En wanneer ik bij jou was, had ik tenminste het gevoel dat mijn leven ertoe deed... Nee, dat zeg ik niet goed. Het voelde alsof mijn leven werd opgemerkt. Ik weet dat het idioot klinkt, maar ik kon merken dat je het fijn vond dat ik er was. En dat was beter dan het alternatief: dat lege gevoel dat me dreigde te verdrinken, ieder uur dat ik in dat huis doorbracht.

Je ging me voor door het zand. Bij het hek bleef je staan om de opening opzij te schuiven. Je trok het kippengaas voor me weg en stapte erdoorheen. Zwijgend liepen we verder, tot we bij het begin van het pad kwamen. Daar wachtte je, met je hand tegen de stam geleund van een van de bomen die langs de rotswand groeiden. Ik bleef een beetje achter en hield een meter of twee afstand tussen ons.

'Je bent toch niet bang?' zei je. 'Om naar binnen te gaan?'

'Heb ik daar reden voor dan?' Ik wendde mijn blik af. 'Wat gaan we doen?'

'Niks, alleen...' Je schudde snel je hoofd. 'Een van de landarbeiders van mijn vader heeft me ooit gezegd dat hier in de buurt geesten in de rotsen zitten; dat de rotsen er niet voor niks zijn, ze hebben een doel... Hij zei dat als ik er geen respect voor toonde, ze op me neer zouden komen en me zouden verpletteren. Ik was als de dood door die verhalen.' Je liep een paar passen verder en keek naar de rotsen die boven je uit torenden. 'Sindsdien begroet ik altijd eerst de rotsen, voordat ik naar binnen ga... ik neem even de tijd om ze te laten weten dat ik er ben.'

Je raakte de rotswand aan met je vinger en schraapte er wat stof af. Toen wreef je er met duim en wijsvinger over en bracht het naar je lip. Je keek even naar me om en liep toen het pad op.

Na een paar tellen volgde ik je. Ik bleef op flinke afstand. Mijn benen trilden een beetje, waardoor ik wankel liep op de rotsgrond. Ook nu zette ik mijn handpalmen tegen die enorme wanden en liep met mijn benen aan weerskanten van de buis. Het zachte gekreun van de wind die langsfloot stond me niet aan. En ik vond het verschrikkelijk dat het pad dat tussen de rotsen door liep de enige uitweg leek te zijn. Ik had het gevoel dat ik in de val liep.

Je was snel, je stond al tegen de ruwe stam van een boom geleund toen ik bij de open plek kwam. Je draaide iets kleins rond in je handpalm.

'Woestijnwalnoot,' zei je.

Je stak hem me toe. Hij was hard als een steen, en zo zag hij er ook uit. Ik tikte met mijn nagel tegen de dop.

'Ze praten als je ze opwarmt,' zei je. 'Als de doppen openspringen in het vuur, praten ze tegen je... zegt men. De eerste keer dat ik deze noten in het vuur gooide, dacht ik dat het de geesten uit de rotsen waren, die tegen me zeiden dat ik ieder moment dood kon gaan.'

Je grijnsde. Toen nam je de noot weer van me over en stopte hem in je zak. In het voorbijgaan sloeg je met je vlakke hand tegen de boomstam.

'Turtujarti... die levert zoet, zout, noten... en beschutting. Als je hier al vrienden hebt, zijn het deze bomen.'

Je liep over de open plek naar de twee kippenkooien. Je haalde het deksel van de grootste van de twee, legde een handvol zaden en bessen in een hoek en controleerde het waterbakje. De kippen stoven op het voer af. Je keek of er eieren waren en maakte een afkeurend geluid toen dat niet het geval bleek te zijn.

'Ze zijn nog niet gezond,' mompelde je. 'Nog steeds van de leg door de autorit.'

Je streek met je hand over hun lijfjes en praatte zacht tegen ze. Ik keek toe hoe je voorzichtig met je vingers aan hun halzen voelde. Een tikkeltje meer druk van je sterke handen en je zou ze wurgen. Je deed het deksel dicht. Ik stak mijn vinger in de kooi en streelde de veren van de oranjebruine kip.

Je liep door naar de planten en controleerde of de waterpijpen wel ver genoeg doorliepen.

'Minyirli, yupana, bush tomato...' Je sprak alsof het vrienden waren die je aan me voorstelde. Je draaide de blaadjes en vruchten om en keek ze na op ziektes en ongedierte.

Toen kwam je overeind en volgde de buis naar de poel. Zelfverzekerd en luidruchtig beende je door het hoge, stugge gras.

'Zitten hier slangen?' vroeg ik.

Je knikte. 'Als je genoeg lawaai maakt, gaan ze wel weg. Het zijn eigenlijk bangeriken.'

Ik wilde het niet, maar vanaf dat moment bleef ik dichter bij je. Ieder takje op de grond was in mijn ogen een slang, totdat jij erop trapte en de takjes doormidden knakten.

Bij de poel leunde je tegen de boomtak die mij de vorige keer als een arm had tegengehouden. Je streek met je hand over de gladde bast.

'Big Red,' zei je, alsof je me weer wilde voorstellen. 'Deze jongen helpt om rotzooi uit ons water te filteren.'

Je knielde neer bij de poel, stak je hand in het water en volgde de buis naar beneden. Toen, met één snelle beweging, trok je je shirt uit.

'Zin om te zwemmen?' vroeg je. 'Ik moet de bron bekijken.'

Ik schudde snel mijn hoofd en dwong mezelf om niet naar je borstkas te staren. Iedere centimeter was strak en bruin. Ik had nog nooit zo'n gespierd, volmaakt lichaam gezien, maar ik wist dat het geen goed nieuws was, jouw kracht, en mijn hartslag versnelde als ik eraan dacht wat je ermee zou kunnen doen. Dus keek ik naar de grond. Er kropen grote zwarte mieren om en over mijn schoenen heen. Ik schudde er een af die naar mijn enkel probeerde te kruipen.

'Ga daar maar zitten,' zei je. Toen wees je op de mieren. 'Ik denk niet dat ze zullen bijten.'

Je waadde de poel in. Ik keek nog één keer vlug naar je voordat je onder water dook. Je rug was bruin en recht en je spieren bewogen mee bij alles wat je deed.

Er probeerde weer een mier tegen mijn been op te kruipen, maar ik veegde hem weg. Ergens boven me stootte een vogel een kreet uit als het kakelende gelach van een heks. Verder was het doodstil.

Op de terugweg vormden onze passen in het zand het enige geluid. Ik had iets nodig om de stilte te verbreken, de ongekende rust van die plek.

'Mag ik de kippen een keer voeren?' vroeg ik.

Je bekeek me heel traag, stootte een vaag lachje uit en knikte min of meer. 'Waarom niet?' zei je. 'Misschien dat ze dan wel gaan leggen.'

Je had je hemd om je schouders geslagen; je lijf was nog nat van het zwemmen. De waterdruppels bleven op je huid liggen. Toen we terugliepen naar het huis ging ik voorop, want ik wilde niet dat je zou zien hoe ik naar je keek.

Dag achttien. Je zat niet te wachten toen ik opstond. Ik deed de keukendeur open en ging op het geïmproviseerde opstapje zitten kijken naar het zand, zand en nog eens zand. Ik wachtte; waarop weet ik niet. De dag werd steeds heter om me heen. De vliegen jankten en zoemden rond mijn oren. De lucht was heiig.

Toen, tamelijk onverwacht, vloog er een zwerm piepkleine kwetterende beestjes voorbij. Ze maakten *ping*-geluidjes, als kleine kinderen die op hun plastic speeltjes trappen. Ik probeerde me op de individuen binnen de zwerm te concentreren. Elk vogeltje was ongeveer zo groot als mijn vuist, met een grijze rug en een bloedrode snavel. Ze cirkelden een tijdje om het huis heen en schoten toen terug naar de Afgezonderden. Ik wachtte een eeuwigheid, in de hoop dat ze zouden terugkomen.

De volgende dag zat je wel op me te wachten.

'Kom mee,' zei je.

Ik ging mee. Ik had zo langzamerhand een enorme hekel gekregen aan de stilte van dat huis, en aan de passieve depressie waarin ik begon weg te zinken. Maar je liep niet naar de Afgezonderden. Je liep naar de bijgebouwen. Ik hield afstand.

'Ik wil niet naar binnen,' zei ik toen je bleef staan bij de deur waar je me de vorige keer naar binnen had geduwd.

'Kom op,' zei je. 'Dit moet ik je laten zien.'

Je deed de deur open en ging naar binnen. Ik bleef op het

trapje staan en keek vanuit de deuropening toe. Je liep naar de andere kant van de ruimte en trok de gordijnen open. Het zonlicht stroomde naar binnen en bescheen de kleuren van het vertrek: al het zand en de bloemen en bladeren en de verf. Eerst leek het een rommeltje, alles lag door elkaar. Mijn ogen speurden onmiddellijk naar iets wat me zou kunnen schaden. Het enige wat ik zag was een berg stenen in een hoek. Toen je daarheen liep, voelde ik mezelf verstarren, klaar om te vluchten.

Maar je pakte geen steen. Je draaide een waterfles open en goot een paar druppels op de stenen. Toen schraapte je wat van het natte oppervlak in een schoteltje en mengde het met nog meer water tot een donkerbruine pasta.

'Wat doe je nou?' vroeg ik.

'Ik maak verf.'

Vlak bij me stond een mandje van gevlochten gras met daarin blaadjes, bessen en bloemen. Je liep erheen en koos zorgvuldig een paar rode besjes uit. Die vermaalde je tot een andere pasta. Je ging snel en zorgvuldig te werk, met voorwerpen uit de natuur in verschillende kleuren, waarvan je verf maakte. Ik voelde de zon in mijn nek branden, dus liep ik een stap naar binnen, de schilderschuur in, en leunde tegen de muur.

Je ging zitten, met je blote benen voor je uit gestrekt. Je haalde een verfkwast achter de rotsen vandaan, doopte hem in de roestbruine pasta en begon je voet te beschilderen met lange, dunne strepen. Het leek een beetje op de textuur van boomschors. Geconcentreerd fronste je je voorhoofd. Ik was niet bang van je zoals je daar zat, met gebogen hoofd, geconcentreerd, maar ik hield je wel goed in de gaten. Op dat moment geloofde ik je bijna toen je zei dat je me niets zou aandoen.

'Hoe lang hou je me vast?' vroeg ik zacht.

Je keek niet op van je schilderwerk. 'Dat heb ik je al gezegd,' antwoordde je. 'Voor altijd.'

Ik geloofde je niet. Hoe kon ik je geloven? Als ik mezelf dat toestond, had ik net zo goed daar ter plekke dood kunnen neervallen. Ik zuchtte. Het midden van de dag naderde, de tijd waarop het onmogelijk heet werd, de tijd waarop zelfs maar een paar meter lopen voelde als een olympisch nummer. Ik bleef je in de gaten houden.

Algauw strekte de verf zich uit van je voet naar je enkels en onderbenen. Je schilderde bladeren op je schenen en rode, puntige grassprieten op de achterkant van je kuiten. Toen je zag dat ik nog steeds zat te kijken, glimlachte je.

'Herinner je je die eerste keer dat we elkaar zagen niet meer?' vroeg je.

'Waarom zou ik?' zei ik. 'Die heeft nooit plaatsgevonden.'

Je maakte je grassprieten af en vulde de ruimte ertussen op met zwart houtskool.

'Het was met Pasen,' begon je. 'Lente, het zonlicht hing tussen de takken. Het was niet koud, de primula's bloeiden al. Je was met je ouders in het park.'

'Welk park?'

'Prince, aan het einde van jullie straat.'

Ik liet me langs de muur omlaag glijden, opnieuw geschokt door wat je van me wist. Je ogen zochten de mijne; je weigerde te geloven dat ik het me niet kon herinneren. Je praatte zacht, alsof je daarmee de herinnering aan mijn hoofd kon opdringen.

'Je ouders zaten de krant te lezen op een bankje, voor de rododendrons. Ze hadden een stepje voor je meegenomen, maar dat liet je in het gras liggen. Je ging naar de bloembedden verderop. Ik hoorde je praten tegen de narcissen en tulpen: je fluisterde tegen de elfjes die tussen de blaadjes woonden. In iedere bloem woonde een ander gezinnetje.'

Ik sloeg mijn armen om mijn benen heen en trok ze tegen me aan. Dit wist niemand. Ik had zelfs Anna nooit over deze spelletjes verteld. Je zag dat ik schrok en keek nogal zelfgenoegzaam toen je verder vertelde.

'Je liep voorzichtig door het bloembed en begroette alle bloemengezinnen... Moses, Patel, Smith. Later ontdekte ik dat het de achternamen waren van kinderen die bij je op school zaten. Maar goed, je liep door tot aan de dichte rododendronstruik, dook onder de bladeren door en kwam in de bosjes terecht... míjn bosjes. Daar trof je me aan, opgekruld met mijn hele hebben en houwen en met een halfvolle fles drank, waarschijnlijk half bezopen. Maar ik had naar je gekeken, naar je geluisterd. Ik genoot van je verhaaltjes.' Je glimlachte bij de herinnering. 'Je vroeg of ik paaseieren aan het zoeken was. We praatten met elkaar – je vertelde me over je elfjes en hun bloemenhuisjes. Ik vertelde jou over de Min Mins, de geesten die hier in de bomen wonen en die verdwaalde kinderen proberen mee te nemen. En je was niet bang, zoals de meeste kinderen toen bang voor me waren. Je keek naar me alsof ik een gewoon iemand was. Dat vond ik fijn.'

Je zweeg even terwijl je een eiervorm op je bovenbeen tekende en er bruine stippen in aanbracht.

'Het roodborstjeseitje dat ik je heb gegeven,' zei je, en je wees ernaar. 'Dat had ik onder een eik gevonden. Bovenin zat een gaatje waardoor ik eerder die dag de dooier eruit had gezogen. Ik weet niet waarom ik het had bewaard. Voor jou, denk ik.' Terwijl ik toekeek, kleurde je het ei in met een lichte zandtint. 'Felle beestjes, roodborstjes,' zei je. 'Ze verdedigen hun territorium tot de dood erop volgt.'

Ik voelde mijn hart bonken. Deze herinnering kende ik. Natuurlijk kende ik die. Maar hoe kon jij dit weten?

'Dat was een zwerver, daar in de bosjes,' zei ik. 'Een magere, oude, harige man, waarschijnlijk gestoord. Dat was jij niet.'

Je glimlachte. 'Je zei dat mijn dak van roze bloemen het mooiste plafond was dat je ooit had gezien.'

'Nee! Het was een zwerver die ik daar tegen het lijf liep. Dat was jij niet. Je hebt het mis.'

Je beet op de zijkant van je duim. 'Het is onvoorstelbaar wat een zwaar leven in de stad met iemand kan doen.' Je beet een stukje nagel af en spuugde het uit. 'Trouwens, je was toen nog een kind, logisch dat je me oud vond, ook al was ik zelf maar amper volwassen.'

Ik veegde met mijn handen over mijn T-shirt. Mijn hele lijf voelde klam. Je zag het, maar je praatte gewoon door, genietend van mijn verwarring.

'Je zei dat je nog nooit zo'n mooi paasei had gehad en je hield het in je hand alsof het iets heel kostbaars was. Het deed me denken aan hoe ik zelf was geweest, toen ik nog hier woonde. Het deed me denken aan hoe het was om iets te vinden in de natuur en te beseffen dat het belangrijk was... voor iets anders.' Je tekende een cirkel om je knie en vulde ook die in met spikkels. 'Daardoor besefte ik waar ik thuishoorde. Niet in een park met een fles goedkope drank, maar hier in het land dat ik kende, bij de geesten van de rotsen.' Je tekende nog meer cirkels op je knieschijf en keek me nog altijd niet aan. 'De volgende dag vond ik het nestje waar het roodborstjesei vandaan kwam. Het was verlaten en gehavend, maar ik wist dat jij het graag zou willen hebben. Dat ik het had gevonden, dat ik jou had gevonden... dat was een teken.'

'Hoe bedoel je, "een teken"?' Mijn keel voelde zo dichtgeknepen dat ik de woorden er bijna niet uit kreeg. Want ik herinnerde me wel degelijk een vogelnestje. Dat had ik op een ochtend in alle vroegte op mijn vensterbank aangetroffen. Ik had nooit geweten waar het vandaan kwam. Ik probeerde te slikken. Je keek naar me en gaf een knikje vanwege iets wat je in mijn gezichtsuitdrukking zag.

'Een teken dat mensen een andere weg kunnen inslaan...' ging je verder. 'Dat je verslaafd kunt raken aan een drug die sterker is dan alcohol. Ik begon na te denken over de vraag wat ik écht wilde in het leven. En dat is dit: het land schilderen, hier wonen, vrij zijn...' Je gebaarde om je heen. Er vloog een spettertje kleur van je kwast. 'Dus dat ik jou ontmoette, was volgens mij de eerste stap naar dit alles. Ik vond werk, leerde bouwen, deed onderzoek...'

Er kwam een verstikt geluidje uit mijn keel, waardoor je midden in je zin zweeg. Ik balde mijn vuist en begroef mijn knokkels in het hout van de vloer.

'Je bent gestoord,' beet ik je toe. 'Dus je raakte geobsedeerd door een meisje van tien en ontvoerde haar zes jaar later? Welke mafkees...?'

'Nee.' Je mond verstrakte. 'Zo is het niet gegaan. Ik was niet geobsedeerd.' Je gezicht was nu star en hard, het gezicht van een moordenaar. 'Je kent niet het hele verhaal.'

'Ik wil het niet weten.'

Je liet de verfkwast op de grond vallen en beende in drie passen het vertrek door. Ik kroop achteruit over de vloer, in de richting van de deur. Maar je bukte en pakte me bij mijn been.

'Laat me los!'

Je trok me naar je toe. 'Ik laat je niet gaan en je moet meer over me weten.' Je stem was toonloos en vlak, je kaak strak gespannen. Ik rook de zure aardegeur van je adem en voelde de stevige greep van je vingers. 'Ik ben geen monster,' gromde je. 'Je was toen nog een kind. Het moment waarop ik besefte dat ik je wilde, kwam pas later.' Je knipperde met je ogen en wendde je blik af, opeens aarzelend.

Ik probeerde me los te rukken. Schopte tegen je knieschijf.

Maar je klemde mijn armen tegen mijn zij alsof ik een vogel was die niet mocht vliegen.

'Ik heb je zien opgroeien,' zei je.

Ik probeerde mijn schouders te bewegen, maar je was zo sterk dat ik geen kant op kon.

'Je ouders probeerden je iedere dag precies zo te vormen als ze zelf zijn,' ging je verder. 'Ze dwongen je in het keurslijf van een zinloos leventje. Dat wilde je niet, en ik wist dat.'

'Wat weet jij nou van mijn ouders?' riep ik.

Je knipperde weer met je ogen. 'Alles.'

Er liep speeksel mijn mond in. Ik spuugde naar je. 'Leugenaar!'

Je kneep je ogen halfdicht toen je het spuug langs je wang voelde druipen. Je greep werd steviger. Je vingers omklemden me zo hard dat ik dacht dat mijn ribben zouden breken. Mijn ademhaling was zwaar en moeizaam. Maar je hield me vast, met een woeste blik op je gezicht.

'Ik lieg niet,' zei je. 'Zo is het nu eenmaal.'

Het spuug bereikte je kin en je liet me los om het weg te vegen. Onmiddellijk sprong ik op en liep achteruit naar de deur. Maar je had je omgedraaid en negeerde me volledig. Je pakte de kwast op en trok snelle, felle strepen op de rug van je hand. Op dat moment leken je ogen bovenmenselijk. Ze waren zo intens dat ik nog een stap dichter naar de deur liep. Maar ik was nog niet klaar. Er was nog iets wat ik moest weten. Ik dwong mijn benen om op te houden met trillen en balde mijn vuist om mijn angst te bedwingen.

'Hoe weet je dit allemaal?' Ik keek je woedend aan en wenste dat je dood zou neervallen, puur door de kracht van mijn blik. Toen draaide ik me om en ramde met mijn vuist tegen de muur. 'Dat kun jij helemaal niet weten!'

Ik voelde de tranen in mijn ogen, tranen die wilden ontsnappen. De stilte bleef hangen, net als de hitte. Toen stond je op en kwam naar me toe gelopen.

'Ik heb je lang in de gaten gehouden,' zei je. 'Uit nieuwsgierigheid, meer niet. Het kwam doordat... doordat je net zo was als ik, toen ik jonger was... je leek nooit echt bij de rest te passen.' Met een zucht streek je over je wenkbrauwen. 'Kun je je dan echt niet herinneren dat ik er was, geen enkele keer?'

'Natuurlijk niet! Het zijn allemaal stomme leugens.' Ik sloeg weer met mijn vuist tegen de muur en kromp ineen toen ik zag hoe rood en rauw mijn knokkels werden.

'Gem,' zei je rustig, 'ik ken jou. Ik zag je, iedere dag.'

Ik beet mijn tanden op elkaar en kon niet naar je kijken. Ik dacht aan de keren dat ik naakt door het huis had gelopen, in de wetenschap dat er niemand thuis was. Ik dacht aan die keer dat Matthew Rigoni met me mee was gegaan nadat we een beetje dronken waren geworden in het park.

'Wat heb je gezien?' mompelde ik. 'Hóé?'

Je haalde je schouders op. 'De eikenboom bij je slaapkamerraam, het raampje van de garage, het huis van de buren toen ze in Griekenland zaten, en ze waren vaak in Griekenland, en natuurlijk het park. Het is gemakkelijker dan je denkt.'

Je gezicht was heel dichtbij. Zo dichtbij dat ik je zou kunnen slaan. Jezus, wat wilde ik dat graag. Ik wilde je slaan en schoppen en stompen tot je als een levenloos vod op de vloer zou liggen. Ik wilde dat je je net zo zou voelen als ik me op dat moment voelde. Maar je kwam nog dichter bij me staan. Je stak je hand uit en schoof de mijne weg van de muur. Streek met je duim over de pijnlijke losse vellen. Mijn hand begon meteen te trillen en ik balde mijn vuist nog steviger.

'Blijf van me af,' snauwde ik.

Je deed een stap terug. 'Ik weet wie je bent, Gem.'

Toen begon ik te gillen, en ik ramde mijn vuist in je maag. Hard. Ik trok hem terug en sloeg nog een keer. Stortte me met mijn hele gewicht op je, keer op keer, vloog tegen je keiharde, stugge borst. Het kon me niet schelen wat je met me zou doen. Ik wilde je alleen maar pijn doen. Maar het was alsof je het niet eens merkte. Je pakte me alleen maar bij mijn arm en draaide die op mijn rug. Je bracht je lippen zo dicht bij mijn oor dat ik ze aanraakte als ik me bewoog.

'Ik weet hoe het was,' fluisterde je, 'die avonden dat je helemaal alleen in dat grote huis was omdat je ouders tot laat moesten werken. Dat je vrienden gingen zuipen in het park en je niet wist of je mee moest doen of niet. Josh Holmes die om één uur 's nachts op je slaapkamerraam klopte...' Je liet mijn arm langs mijn zij vallen. 'Was je echt gelukkig in de stad?'

'Rot op!'

Je deed nog een stapje terug. 'Ik vraag het alleen maar,' zei je. 'Had je echt een volmaakt leven? Mis je het echt, je ouders, je vrienden, wat dan ook?'

Je hield mijn blik vast. Ik knikte. 'Natuurlijk.' Maar het klonk als een kuchje.

Je liep terug naar de plek waar je had zitten schilderen. Ik legde mijn linkerhand over mijn zere knokkels en probeerde tot bedaren te komen. Ik besefte nu pas hoe erg ik trilde. Je doopte een kwast in een schoteltje groene verf en begon patronen aan te brengen op je tenen.

'Je weet dat het geen onzin is wat ik zeg,' zei je. 'Je ouders zijn waardeloos. Ze zijn alleen maar bezig met geld verdienen, hun huis inrichten als een showroom en proberen in de woonbijlage van de krant te komen. Zo probeerden ze jou ook te kneden, ze wilden dat je een jonge versie van hen werd. Daar heb ik je voor behoed.'

'Nee!' Ik klapte mijn kaak dicht en beet zo hard mijn kiezen op elkaar dat ik bang was dat ze zouden breken.

Je reageerde achteloos. 'Wat nou? Ik heb je het vaak genoeg horen zeggen.'

'Ik ben hun dochter.'

'En dus...?'

'Dan mag je die dingen zeggen.'

Je veegde de kwast schoon aan je korte broek. 'Geef het maar toe, Gem, ze hielden meer van hun werk en hun dure spullen en invloedrijke vrienden dan van jou. Ze hielden alleen van je als je je gedroeg zoals zij.'

'Dat is gelul.'

Je trok een wenkbrauw op. 'Ze konden niet naar de toneeluitvoering op school komen omdat ze hun nieuwe auto moesten ophalen.'

'Ik speelde niet mee in het stuk.'

'Maar je ging er wel naar kijken, en alle andere ouders kwamen ook.'

'En jij ook, zo te horen.'

'Natuurlijk,' zei je schouderophalend. Je tekende piepkleine stippeltjes op je grote teen. 'Maar ik begrijp wel waarom ze zo deden,' zei je. 'Ze wilden gewoon erkenning, erbij horen... dat willen de meeste mensen.'

'Behalve freaks zoals jij,' beet ik hem toe.

Je ogen spoten vuur. 'Ik wil vrijheid,' zei je alleen maar. 'In het leven van jouw ouders komt geen vrijheid voor, je raakt er alleen maar compleet verknipt door.' De aderen in je hals klopten. Je slikte traag en bleef naar me kijken. 'Ik heb dingen gezien die jij niet zag, weet je nog?' zei je zacht, je vingers gespannen rond de kwast. 'Ik heb gesprekken gehoord waar jij niks van weet.'

Ik sloeg mijn hand voor mijn ogen. 'Je probeert me tegen ze op te zetten,' fluisterde ik. 'Me wijs te maken dat je meer weet van mijn leven dan ikzelf.'

'Misschien is dat ook wel zo. Zal ik je erover vertellen?' Je stond op; je gezicht streng en strak. 'Om te beginnen weet ik dat je ouders willen verhuizen, zonder jou... Je moeder heeft het er met je vader over gehad. Ze zei dat jij wel naar een internaat kon.'

'Dat is niet waar,' fluisterde ik.

'Oké, en Ben dan?'

'Wat is er met Ben?'

'Anna wist wat je voor hem voelde en dat beviel haar niet, want ze vertrouwde je niet.'

'Nee.'

'En Josh Holmes?'

Ik hield verbaasd mijn adem in.

'Ik weet precies wat hij van je wilde, hoe ver hij wilde gaan. Ik heb hem achter je aan zien lopen, en die enge sms'jes van hem...'

'Je liegt.'

Je hield mijn blik vast. 'Had ik het tot nu toe soms niet bij het rechte eind?'

Ik liep naar achteren tot ik de muur in mijn rug voelde. Ik leunde ertegenaan. Dat was de tweede keer dat je over Josh begon.

'Hij vond je leuk, weet je dat? Ik bedoel, écht heel leuk. Hij heeft tegen Anna gezegd hoe graag hij met je wilde vrijen.'

'Heb je hem ook gevolgd?'

'Ik volgde iedereen.' Je wendde je blik af en ging door met schilderen. 'Maar je had je geen zorgen hoeven maken over Josh. Niet echt. Ik zou zijn hersenen ingeslagen hebben voordat hij zelfs maar zijn gulp kon opendoen.'

Ik schudde mijn hoofd, mijn gedachten schoten alle kanten op. Ik wenste dat je inderdaad Josh' hersenen had ingeslagen. Dan had jij in de gevangenis gezeten en Josh in het ziekenhuis gelegen en dan was ik nu thuis geweest. Perfect. Ik liet me langs de muur naar beneden glijden en probeerde het allemaal te bevatten. Ik wilde nog steeds denken dat je uit je nek kletste. Maar al die dingen die je wist... Het klopte wel. Ik deed mijn ogen dicht om je voorgoed buiten te sluiten.

Toen bedacht ik iets. Ik vroeg me af of ze Josh hadden verdacht toen ik was verdwenen. Het was waarschijnlijk een voor de hand liggende gedachte, al betwijfelde ik of iemand hem ervan zou verdenken net zo ver te gaan als jij was gegaan om me te stelen. Misschien was hij verhoord, misschien dacht de politie dat hij een vriend van me was, of zelfs mijn... vriendje. Misschien hadden ze hem gearresteerd. Ik huiverde, ook al was hij duizenden kilometers verderop, de gedachte aan Josh bezorgde me nog steeds de rillingen. Vooral het idee dat hij al die tijd de bezorgde vriend had uitgehangen.

'Waar woonde je dan?' vroeg ik.

'Kelvin Grove.'

'Het opvangcentrum?'

Je blik flitste naar de mijne. 'Misschien wel, ja, voor een tijdje.'

'Dat is vlak bij het huis van Josh.'

'Weet ik.' Je keek niet op toen je het zei, je concentreerde je op het schilderen. 'Had hij soms met me moeten samenwerken?' vroeg je lachend. 'Misschien zou hij je met mijn hulp wél te pakken gekregen hebben.'

'Hield je hem in de gaten?'

'Natuurlijk.'

'Heb je met hem gepraat?'

'Eén keer.'

'En...?'

Ik verstijfde, ondanks mezelf, bang voor wat je gezegd of gedaan zou kunnen hebben.

'Ik zei dat ik je beschermengel was.'

'Dus je hebt hem echt onder vier ogen gesproken?' Mijn gedachten maakten overuren. Als Josh je had gezien, als hij de politie een beschrijving van je zou kunnen geven, dan zouden ze een aanwijzing hebben. Dan konden ze zo'n politietekening laten maken en je gezicht tonen bij het opsporingsprogramma op televisie. Dan zouden ze je wel weten te vinden. Óns weten te vinden.

Ik dacht nog wat dieper na over Josh, probeerde hem te doorgronden. Het was een slappeling, maar ik had niet de indruk dat hij achterbaks was. Hij zou geen verdachte willen zijn. Maar zou hij zijn mond opendoen? Hij zou in ieder geval iets kunnen vertellen over jouw lengte en je stem en zo. Op dat moment leek hij mijn enige hoop te zijn. Het was vreemd om iemand die ik haatte op die manier als enige hoop te beschouwen.

'Ze vinden me heus wel,' zei ik. 'Uiteindelijk. Je kunt me hier niet eeuwig vasthouden.'

Je voorhoofd rimpelde een beetje en je hield op met schilderen.

'Of misschien laat je me gewoon gaan?' ging ik door. 'Misschien krijg je genoeg van dit alles?' Ik probeerde het zo nonchalant mogelijk over een andere boeg te gooien. 'Ik kan hulp voor je regelen, of geld. Mijn vader kent veel mensen, heel veel mensen. Artsen, advocaten...'

Je liet me niet uitpraten. Binnen een seconde kwam je overeind. 'Denk je dat ik dat wil?' Je stem brak. Toen richtte je de kwast op me. 'Beschilder je hand,' zei je dwingend. Het was geen verzoek. Je schoof een schoteltje met aardebruine verf naar me toe. Ik zag de ader in je hals kloppen en je kaak verstrakken. 'Beschilder jezelf. Nu meteen.'

Ik schudde heel licht mijn hoofd. 'Nee,' fluisterde ik.

Je drukte de kwast tegen mijn huid. 'Ik wil dat je je hand beschildert,' zei je langzaam, met nadruk op ieder woord. 'Net als ik.'

Toen ik geen aanstalten maakte, boog je je naar me toe en legde je rechterhand over de mijne, stevig en ruw. Mijn hand verschrompelde als een stuk vuil. Je kneep keihard, alsof mijn huid van drilpudding was. Je stopte de kwast in mijn linkerhand. Er viel een klodder koude, waterige verf op mijn huid.

'Nee,' zei ik nogmaals.

Ik rukte mijn hand los uit je greep. Gooide het schoteltje om. De bruine verf liep over je voet en bedekte het patroon dat je had geschilderd.

'Wat ben je toch een...'

Je hief je arm en slikte het scheldwoord in. Ik kromp ineen en hield je vuist in de gaten. Maar je trapte tegen het omgevallen schoteltje en schopte het tegen de muur. Je woedende ogen hadden alle kleuren van de regenboog. Je wilde me slaan. Maar in plaats daarvan glimlachte je. Of dat probeerde je. Het was alsof je ogen en je mond met elkaar streden. Woede versus beheersing. Je gebalde vuist trilde.

'Zullen we morgen een eindje gaan rijden?' Je stem klonk zangerig en overdreven opgewekt, maar je ogen stonden hard. 'Misschien kun je dit alles nog leren waarderen? Als je geluk hebt, vangen we een dromedaris.'

Je wachtte niet op antwoord. Je liet me alleen in je schilderschuur, met de gemorste verf om me heen. Ik zat daar maar, trillend in een zee van bruin. Het duurde heel lang voordat ik je volgde naar het huis.

Er is iets wat moordenaars in griezelfilms altijd doen: ze gaan een heel eind rijden met hun slachtoffer, naar een adembenemende locatie, voordat ze hem of haar op creatieve wijze afslachten. Dat zie je in alle beroemde films, in ieder geval in alle films met een moordenaar in *the middle of nowhere*. Daar moest ik aan denken toen je me die ochtend kwam wekken, de dag nadat je me bijna had geslagen.

'We gaan een eindje rijden,' zei je. 'Een dromedaris vangen.'

Het was nog heel vroeg. Dat kon ik opmaken uit het bleekroze-witte licht en de koele lucht. Ik kleedde me aan en stopte het mes in de zak van mijn korte broek. Ik hoorde het huis kraken waar je rondliep. Toen ging je naar buiten en startte de auto. Je omringde me met lawaai. Dat was ik niet gewend. Ik nam de tijd om me klaar te maken. Ik wist twee dingen: aan de ene kant kon een ritje als dit een grotere kans op ontsnapping betekenen, maar aan de andere kant zou ik misschien wel nooit meer terugkeren.

Je was de auto aan het inladen; de ene doos na de andere gevuld met eten en materiaal. Ik wilde niet dat je weer zou flippen, zoals de avond ervoor. Dus besloot ik mijn mond open te doen.

'Waar ga je naartoe?' vroeg ik.

'Naar the middle of nowhere.'

'Ik dacht dat we daar al waren.'

'Nee.' Je schudde je hoofd. 'Dit is de rand ervan.' Ik keek toe hoe je een touw strak oprolde en dat boven op een koelbox legde. Je pakte er nog een en begon ook dat op te rollen. 'Ik laat je hier niet achter.'

Je schoof drie enorme tanks met water in de kofferbak, puffend toen je ze optilde.

'Hoe lang blijf je weg?'

'Een dagje maar, al weet je het hier nooit. Er kan een zandstorm komen, brand, wat dan ook.' Je gaf een klopje op de laatste watertank. 'Bovendien moet de dromedaris ook drinken.'

'Ik dacht dat ze water meevoerden op hun rug.'

Je schudde je hoofd. 'Vet.'

'Hè?'

'In die bulten zit vet, krachtreserves. Ze hebben net als ieder ander dier water nodig.'

Je probeerde een emmer bij de andere spullen te proppen, maar dat lukte niet. Ik zag mezelf in gedachten onder al die spullen liggen, verkrampt, platgedrukt en snakkend naar adem. Ik werd er een beetje bibberig van. Maar ik liep om de auto heen naar de voorkant. Je stak je hoofd om de hoek om een oogje op me te houden.

'Deze keer mag je op de voorstoel zitten,' riep je.

Ik deed het portier open, maar stapte niet in. De auto rook muf; vies, bedompt en ongebruikt. Alles zat onder een laag fijn rood stof. Het leek wel alsof de auto vijftig jaar niet was gebruikt. Ik kreeg er de zenuwen van en vroeg me af of ik toch niet langer daar bij jou in dat huis zat dan ik dacht. Zelfs de opgefrommelde chocoladewikkels op de vloer waren bedekt met het stof. Als ik uitstapte, zou mijn korte broek ook onder zitten... áls ik nog zou uitstappen.

De sleutel zat niet in het contact. Ik vroeg me af of hij ergens anders in de auto verborgen lag, bedekt met zoveel stof dat je hem onmogelijk kon zien. Ik stak mijn hand naar binnen en verplaatste van alles in de vage hoop hem te vinden. Ik stelde de binnenspiegel zo af dat ik jou in de gaten kon houden. Je ging snel te werk: laadde spullen in de kofferbak en haalde ze er vervolgens weer uit, om ze er in een betere opstelling opnieuw in te leggen. Ik hoorde je toonloos een wijsje brommen. Je was tevreden, opgewonden zelfs.

Toen je klaar was, kwam je poolshoogte nemen. Met je lachende mond en rimpeltjes bij je ooghoeken zag je er ongeveer net zo uit als drie weken daarvoor op het vliegveld; je was bijna knap. Ik moest me omdraaien en naar de vloer kijken. Ik werd er beroerd van dat ik op die manier aan je dacht.

'Ik wil niet mee,' zei ik.

'Waarom niet? Ik dacht dat je hier weg wilde.'

'Niet met jou. Niet met al die spullen die je achterin hebt liggen.'

Je leunde tegen de auto. 'We kunnen ook gaan lopen, als je wilt, maar dan zijn we weken onderweg. Dan zouden we van het land moeten leven – dat betekent hagedissen eten voor de voedingsstoffen, en kikkers voor het vocht. Ben je daartoe bereid?'

Ik schudde mijn hoofd; dat was geen ontsnappingsmogelijkheid. Trouwens, het idee om met jou door de wildernis te moeten lopen was nog erger dan met je rondom het huis te zijn. Ik dacht terug aan wat we hadden geleerd op schoolkamp: *als je verdwaalt, blijf dan waar je bent. Uiteindelijk word je vanzelf gevonden*. Misschien was de kans om gered te worden hier groter.

'Ik dacht dat je wel een dromedaris zou willen vangen,' probeerde je nog een keer.

'Nee.'

'Nou, *ík* wel.'

'Ga jij dan maar.'

Je begon te lachen. 'Ik wil dat mooie gezichtje van je in de gaten houden. Kom mee.'

Ik bleef staan waar ik stond. Jij tikte met een zucht tegen de zijkant van de auto terwijl je me probeerde te doorgronden.

'Je bent toch niet nog steeds bang dat ik je iets zal aandoen?'

Ik gaf geen antwoord en bleef naar het zand kijken. Je liep om de auto heen en kwam naast me staan. 'Luister, ik dacht dat je het nu wel begreep. Ik doe je niets... niet zoiets.' Je ging op je hurken zitten en keek naar me op. 'Wat je ook van me mag denken, je lichaam is van jou. Jij kiest zelf wat je ermee doet.'

'Maar ik mocht mezelf niet van kant maken.'

'Dat is wat anders. Je wist niet wat je deed.'

'Omdat jij me had verdoofd!'

'Ik moest wel.' Je kreeg rimpels in je gezicht toen je tegen de zon in keek. 'Moet je horen, het spijt me. Ik had niet gedacht dat dit zo moeilijk zou worden.'

Je fronste naar de horizon. Ik wilde je vragen wat je met 'dit' bedoelde. Ik wilde je vragen of je had verwacht dat het een makkie zou zijn om mij te ontvoeren. Maar je draaide je snel om en staarde me aan.

'Ik beloof je dat ik je niks zal doen,' zei je.

'Hoe weet ik dat je niet liegt?'

'Je zult me moeten vertrouwen, denk ik. Je bent nu bij mij, dus je zult wel moeten.'

Ik ontweek je blik. 'Ik moet helemaal niks,' fluisterde ik.

'Dat weet ik,' zei je nors. 'Maar soms zou je het ook gewoon kunnen wíllen.' Je pakte een handje zand. 'Vooral als het iets leuks is.' Je opende je hand en liet me het zand zien. 'Ik zweer hierop dat ik je niks zal doen. Goed?'

'Dat schiet lekker op, zweren op een handje zand.'

'Dit zand is ouder en echter en eerlijker dan wat dan ook. Iets beters kun je niet kiezen om op te zweren.'

Ik snoof minachtend.

'Het is eerlijker dan wij,' zei je zacht. Je liet het zand vallen en wreef je handen over elkaar. Toen zette je ze in de aarde om overeind te komen. 'Kom mee,' zei je nog een keer. 'Dan gaan we een dromedaris zoeken.' Je trok je hemd omhoog om het zweet van je voorhoofd te wissen. Je hemd werd onmiddellijk rood.

'Kom je in de buurt van een stad?'

'Niet dichterbij dan we nu zijn.'

Ik sloeg een vlieg weg die rond mijn gezicht zoemde.

'Maar wel in de buurt van andere dingen.' Je leunde tegen de auto. 'Betere.'

Nu kroop er een vlieg over mijn knie, hij kriebelde op mijn huid. 'Dus je doet me niks,' zei ik zachtjes.

'Rustig maar, ik beloof het.'

Je hield het portier voor me open. Grinnikte dankbaar toen ik instapte. Deed het achter me dicht. Mijn hoofd tolde. Toen ik het raampje opendraaide, kreeg ik een laag stof over me heen. Jij stapte in en draaide ook je raampje open. Ik schuifelde zo ver bij je vandaan als ik kon zonder uit de auto te springen.

'Ik moet zeker mijn gordel omdoen? Of bind je me liever vast aan de stoel?'

Je haalde je schouders op. 'Da's ook best. Ik heb genoeg touw in de kofferbak liggen, als je wilt.'

Toen lachte je echt. Het was een geluid dat je niet vaak voortbracht en dat niet bij je paste. Het was te uitbundig. Misschien schrok je zelf ook van je ongeremdheid, want het duurde niet lang. Snel deed je je mond dicht en je staarde door de voorruit.

Toen schakelde je de motor in en reed weg van het huis; je vormde je eigen pad in het zand. Ik voelde dat ik zweet in mijn handpalmen kreeg, en in mijn nek. Met mijn hoofd tegen de rand van het open raam geleund ademde ik de langsrazende droge lucht in. Mijn mond vulde zich met stof.

De ruwe ondergrond schudde me door elkaar. Je reed niet hard; ik denk ook niet dat dat zou kunnen op die zachte ondergrond vol laag struikgewas. In de zanderige gedeelten slipten de banden, en je liet de motor gieren om los te komen. Een paar keer stopte je om gras uit de radiateur te trekken. Algauw kreeg ik hoofdpijn. Ik had stof in mijn ogen en oren. In mijn mond was een kleine woestijn ontstaan. Ik stak mijn hand uit naar de radio.

'Die doet het niet,' zei je meteen.

Toch zette ik hem aan. Er kwam alleen wat gekraak uit.

'Ik zei het toch? We zullen moeten zingen. Kun je zingen?' Je keek me oprecht geïnteresseerd aan.

'Ik heb op school een halfjaar bij het koor gezeten. Wist je dat dan nog niet?'

Je haalde je schouders op. 'Ik ben niet je hele leven bij je in de buurt geweest. Ik moest aan geld zien te komen. Soms was ik hier om dat daar af te maken.'

Je maakte een weids gebaar naar de verzameling bijgebouwen die achter ons verdween in een wolk opgewaaid zand.

'Heb je dat echt allemaal zelf gebouwd?'

'Nou en of,' zei je trots.

'Ik geloof er niks van. Er moet al iets gestaan hebben.'

'Echt niet.' Je fronste je wenkbrauwen. 'Ik heb alles zelf gebouwd.'

Ik kon het niet laten je een geringschattende blik toe te werpen.

'Goed dan, misschien stond er een vervallen boerderij of zo, maar de rest heb ik gebouwd.'

'Hoe dan?'

'Heel langzaam.'

'Hoe kwam je aan het geld voor de materialen?'

Je glimlachte geheimzinnig. 'Heel snel.'

'Hoe dan?'

'Dat vertel ik je een andere keer wel.'

Je draaide je weer om en speurde het landschap af.

'Weet jij hoe lang ik hier nu ben?' vroeg ik.

'Ik heb wel een vaag idee.'

De auto minderde weer vaart toen we opnieuw een zandvlakte naderden. Ik liet mijn hoofd hard tegen de rugleuning stuiteren, plotseling gefrustreerd door dit alles. 'Volgens mij is dit mijn eenentwintigste dag, maar ik weet niet eens...'

Ik slikte mijn woorden snel in toen ik je brede grijns zag en wenste meteen dat ik mijn mond had gehouden.

'Dat moeten we vieren,' riep je uit.

Ik slikte en kromp innerlijk ineen. 'Hoezo?'

De auto bereikte nu rotsachtiger terrein. Toen je de veranderde ondergrond voelde, gaf je plankgas en rukte wild aan het stuur. De auto zwiepte meteen opzij, de motor gierde en de banden verloren bijna hun grip. Je begon te lachen toen ik tegen je schouder werd geslingerd. In een waas zag ik zand en spinifex voorbijvliegen. Koortsachtig tastte ik naar iets om me aan vast te houden.

'Joehoeoe!' brulde je.

Toen de auto weer een draai maakte in het zand, zwiepte je het stuur de andere kant op. Deze keer werd ik tegen het portier geslingerd. Ik stak mijn arm door het open raampje naar buiten en hield me vast. Wolken opwaaiend stof vlogen in mijn gezicht en ik hoorde je nog lachen toen je de handrem aantrok en we met een ruk bleven staan. Met een stralende blik in je ogen legde je je wang op het stuur.

'Wat moest dat voorstellen?' gilde ik.

'Lol maken? Iets vieren?' Je keek grinnikend naar de open vlakte om ons heen. 'Ik bedoel, niemand zal ons tegenhouden, toch?'

Ik keek ook om me heen en zag de enorme slipsporen die het verder ongerepte land achter ons doorkruisten.

'Dan hoef je me nog niet te vermoorden,' zei ik, en ik had meteen spijt van mijn woordkeus. Toen ik weer naar je keek, was je blik peinzend en stonden je ogen treurig.

'Ik wil gewoon dat je het leuk hebt.'

Ik snoof. 'Dan had je me in Engeland moeten laten.'

Toen we weer wegreden, rustiger deze keer, keek ik naar je handelingen. Je drukte met je linkervoet de koppeling in en zette de pook aan jouw kant in de eerste versnelling. De andere pook raakte je niet aan. Toen liet je de koppeling opkomen en gaf gas. Mijn vader had ooit geprobeerd me te leren rijden, op een verlaten rangeerterrein achter de supermarkt, maar nadat ik langs een heg was gereden en krassen had gemaakt op zijn Mercedes, had hij het opgegeven. Je zag me kijken.

'Wil je het leren?'

Je lachte en schudde licht je hoofd, waarna je weer plankgas gaf. Mijn hoofd sloeg tegen de hoofdsteun en het zand spoot alle kanten op. Er kwam ook zand door het raam op mijn schoot terecht. Toen je veertig reed, riep je dat ik de handrem moest aantrekken. Er verscheen een gestoorde grijns op je gezicht op het moment dat de banden zigzagden en slipten in het zand. Ik gilde dat je moest stoppen.

'Trek dan aan de handrem!'

Ik pakte de handrem beet en trok hem aan. Onmiddellijk zwiepte de auto in een grote boog zijwaarts. Ik weet zeker dat hij een paar tellen op twee wielen reed. Ik werd zo hard tegen je aan geslingerd dat ik me niet kon terugtrekken. Je warme schouders ramden tegen mijn voorhoofd en je moest zo lachen dat ik het in je lijf voelde trillen.

We waren ruim twee uur onderweg. Ik had al die tijd uitgekeken naar tekenen van een stad, of van wat dan ook. Maar er was zelfs geen weg. Het leek idioot om zo lang te rijden en nog altijd nergens uit te komen. Oké, de omgeving was onderweg wel enigszins veranderd: van vlak met laag, dor struikgewas en stenen in meer zand, roder. In plaats van de kniehoge pollen spinifex groeiden er nu spichtige, zwart uitgeslagen bomen. Zo nu en dan was er de groene uitspatting van een eucalyptusboom, en grillige rotsen doorboorden het landschap als speren. Ik zag ook een ander soort bergen, als gekromde rode vingers in de lucht.

'Termietenheuvels,' zei je.

Het leek in niets op Engeland. Toen mijn vader die zomer een rit van twee uur met ons had gemaakt, waren we uitgekomen in Wales – een ander land. Daar in de woestijn betekende twee uur rijden dat het leek alsof je verder het vuur in reed. Hoe langer we reden, hoe heter en roder het werd en hoe banger ik was dat ik er nooit meer vandaan zou komen.

Je stopte rustig bij een groepje bomen. 'Zie je ze?' vroeg je.

'Wat moet ik zien?'

'Daar! Kijk dan!' Je wees naar de bomen. 'Als ze hun oren bewegen, kun je ze zien.'

Ik keek naar de bomen. Opeens bewoog er iets. Een oor. Ik volgde het naar beneden tot ik de kop en de lange neus zag. Ik zag de grote bruine ogen, die dichtgingen tegen de hitte.

'Kangoeroes,' zei ik.

Je knikte en begon te grijzen. 'Smakelijke dames.'

'Hè?'

Je richtte twee vingers als een pistool, leunde met je arm in de opening van het raam en deed alsof je schoot.

'Ga je ze doodschieten?'

'Zo'n beest zou best smaken in mijn stoofpot, denk je niet?'

Ik slikte. Ik wist niet dat je een geweer in de auto had. Je schoof over de zitting van de autostoel naar me toe; je dacht dat ik geschrokken was door je opmerking over de kangoeroes.

'Stil maar,' zei je. 'Ik zal ze niet neerschieten. We hebben eten genoeg.'

Ik keek om naar het drietal. De dichtstbijzijnde kangoeroe likte aan het haar op haar voorpoten.

'Dat doet ze om koel te blijven,' zei je. 'Hun bloedvaten zitten vlak onder de huid, en ze likt eraan om haar lichaamstemperatuur te verlagen. Goed gevonden, hè?'

Je likte aan de rug van je hand alsof je het zelf ook wilde proberen en trok toen een gezicht vanwege de smaak. Je grijnsde naar me. Net op dat moment kwam een van de kangoeroes omhoog om aan een laaghangend blaadje te knabbelen.

'Hebben ze geen dorst?' vroeg ik, omdat ik zelf zo'n droge mond had.

Je schudde je hoofd. 'Ze hebben geen water nodig, of niet veel, ze krijgen vocht binnen van de bomen.'

Glimlachend keek je toe, met een blik die ik van je kende. Het was alsof je ook van de kangoeroes iets wilde, iets van ze nodig had.

'Dag mooie dames,' zei je toen je langzaam optrok.

We reden zwijgend verder. Van tijd tot tijd keek ik naar je. Je ogen speurden voortdurend de omgeving af, nooit tevreden met de aanblik van alleen maar zand door de voorruit.

'Hoe weet je hoe we moeten rijden?' vroeg ik.

'Ik volg de richting waarin het zand wordt geblazen en zoek naar herkenningspunten.'

'Weet je de weg terug nog wel?'

Je knikte afwezig. 'Natuurlijk.'

'Hoe dan?'

'Het landschap bevat verhalen, het zingt.'

'Ik heb liever radio.'

'Nee Gem, ik meen het. Er bestaan hier liederen, de oldfella's kennen ze en ik ken er ook een paar, die zijn als plattegronden om je de weg te wijzen. Als je ze zingt, tonen ze je de aanknopingspunten. Hier speelt zwijgende muziek, de muziek van het zand.'

Ik ging er niet op in en staarde alleen maar naar de horizon. Je zei niets meer. Misschien dacht je aan de liederen van het land, maar het kon net zo goed iets veel duisterders zijn dat je bezighield. Je gezicht verraadde niets. Ik had me nooit eerder afgevraagd waar ontvoerders aan dachten. Ik bedoel, wie vraag zich zoiets nou af? Dacht je aan je familie? Aan de plekken die je had achtergelaten? Wat vond je eigenlijk precies van mij?

Mijn maag draaide om toen ik me dat probeerde voor te stellen en uitging van het ergste. Hoe langer we doorreden, en hoe meer ik me afvroeg wat je zou denken, hoe gespannener ik werd. Als je me daar in the middle of nowhere zou vermoorden, zou niemand er iets van weten. Niemand zou gaan graven op zoek naar een lijk in die eindeloosheid. Dat zou net zoiets zijn als zoeken naar een bepaald zandkorreltje.

Je bracht de auto slippend tot stilstand. 'Dromedarissen,' zei je, en je wees iets aan wat meer leek op een paar spikkeltjes op de voorruit dan op een stel grote dromedarissen. Ik hield mijn hand boven mijn ogen. Je boog voor me langs naar het handschoenenvakje en legde toen een verrekijker in mijn schoot. 'Hiermee kun je ze beter zien.'

Ik bracht de verrekijker naar mijn ogen. 'Het is wazig.'

Je boog je weer mijn kant op en draaide aan het wieltje dat bovenop zat. Je was te dichtbij om achteruit te deinzen. Je borst rook een beetje naar zweet.

'Dat kan ik zelf wel.' Ik nam de verrekijker van je over en draaide tot het beeld scherp was.

Vijf dromedarissen, vier grote en een kleintje, schreden traag voor de horizon langs. Door het hittewaas erachter leken ze meer op bewegende strepen zand die vervormden in de wind.

'Toen je zei dat hier dromedarissen zaten, geloofde ik je niet.'

'Ze zijn verwilderd,' zei je. 'Import, net als jij. Ze zijn hierheen gehaald voor de aanleg van de spoorlijn.'

'De spoorlijn?'

'Ja, een heel eind hier vandaan.' Je knikte. 'En hij is nauwelijks in gebruik. Bijna niets is hier nog in gebruik.'

'Hoe komt dat?'

'Alles is weg – de mijnen in de rotsen zijn ontgonnen, dieren zijn uitgestorven en zelfs de oldfella's zijn vertrokken. Daardoor is het stil geworden, te stil. Hoor je het niet?'

'Wat?'

Je zette de motor uit. 'De stilte.'

Je schermde je ogen af met je hand en keek naar de dromedarissen.

'Ga je niet proberen er een te vangen?' vroeg ik.

'Ze zijn te ver weg om ze op te jagen. Ze kunnen behoorlijk hard lopen, wist je dat? Hopelijk worden ze nieuwsgierig en komen ze naar ons toe. Anders zullen we er over wat steviger zand naartoe moeten rijden, zodat we genoeg vaart kunnen maken om ze in te halen. We moeten nu afwachten wat ze doen.'

'Hoe lang?'

Je haalde je schouders op. 'Zo lang als het duurt. Misschien een paar uur.' Je deed je portier open. 'Heb je honger?'

Ik schudde mijn hoofd. Eten was wel het laatste waar ik aan dacht.

'Dan ga ik de touwen klaarleggen.'

Je stapte uit en liep naar de kofferbak. Rommelde erin. Ik draaide me om op de voorstoel en keek toe hoe je een opgerold touw tevoorschijn haalde. Ik verstijfde toen ik me voorstelde dat dat touw om mijn lichaam gewikkeld zou worden.

De sleutels zaten nog in het contact.

Ik zou het kunnen doen. Ik kon bij de sleutel komen, als ik stilletjes deed. Ik kon over de handrem heen naar de bestuurderskant schuiven – makkelijk. Dan zou ik kunnen wegscheuren voordat je het in de gaten had. Zo moeilijk kon het niet zijn, autorijden. Ik had het al eerder gedaan en ik wist hoe je moest schakelen. Ik kon jou daar achterlaten, je misschien zelfs overrijden bij mijn vertrek.

Via de binnenspiegel keek ik naar je. Je hield je hoofd naar beneden en verplaatste spullen in de kofferbak. Ik verschoof mijn been zo dat mijn knie op de zitting lag, naast de handrem. Nu hoefde ik het alleen nog maar te strekken naar de chauffeurskant en dan de rest van mijn lichaam erachteraan te schuiven. Ik tilde mijn been over de handrem. Langzaam, heel langzaam, centimeter voor centimeter, verplaatste ik me naar jouw kant. Ik maakte geen enkel geluid, nog geen kraakje. Het enige wat ik hoorde, was mijn eigen hartslag. Ik liet me op je stoel zakken. Legde mijn handen op het stuur. Zelfs met gestrekte benen kon ik niet goed met mijn voeten bij de pedalen. Ik schuifelde naar voren, tot aan het puntje van de zitting. Bracht mijn hand naar het sleuteltje. Stilte. Toen besefte ik dat ik je al even niet had gehoord. Ik wierp een blik in de achteruitkijkspiegel.

Rechts van me bewoog iets. Ik hield geschrokken mijn adem in toen het tot me doordrong wat het was. De zilveren kop lag in de sponning van jouw open raampje, ongeveer een handbreedte bij me vandaan. Hooguit. De amberkleurige kraaloogjes staarden me aan en de tong flitste naar buiten en weer naar binnen. Hij rook de lucht – rook mij.

Ik liet het sleuteltje los en schoof achteruit op de zitting, zo ver bij hem vandaan als ik kon. De slang kwam niet dichterbij. Hij draaide zijn kop opzij. Hij stond op het punt me aan te vallen. Ik durfde niet te kijken. Snel klauterde ik terug over de handrem, maar mijn voet bleef haken. Ik viel op mijn stoel en raakte daarbij met mijn hoofd en schouders keihard het portier. Ik controleerde mijn lichaam. Nergens pijn. Had hij me te pakken gehad zonder dat ik het had gemerkt? Zijn zilverbruine kop was er nog, hij lag te kijken in het raampje.

Toen zag ik jouw handen. Die lagen ook in de sponning; ze

hielden de slang vast, net onder zijn kop. Je gezicht verscheen nu ook in de raamopening, op een paar centimeter van de slang.

'Mooi beest, hè? Zat tussen de wielen. We hadden hem bijna overreden, maar gelukkig is dat niet gebeurd.'

Ik weet niet of je de doodsbange blik zag die nog nagloeide in mijn ogen. Of je wist dat ik op jouw plaats had gezeten en had geprobeerd te ontkomen. Voor hetzelfde geld was dit jouw verknipte manier om me te straffen.

'Hij doet geen kwaad,' zei je. 'Niet veel, tenminste. Als je daar bang voor was... Dit is zo'n beetje de enige slang hier die niet gevaarlijk is.'

'Wat moet jij ermee?'

'Aan jou laten zien.'

'Om me bang te maken?'

'Neuh.' Je keek vol genegenheid naar het beest. 'Ik wilde hem eigenlijk meenemen. Als huisdier. Dan mag jij een naam verzinnen.'

'Ik ga niet met dat beest in één auto zitten.' Mijn stem klonk ademloos, de woorden kwamen haperend.

'Dan maken we hem vast aan de dromedaris.' Jij grijnsde. Je nam de slang mee. En weer hoorde ik je spullen verplaatsen in de kofferbak. Ik hoopte maar dat je de slang er niet in stopte. Ik moest hard slikken tegen het braaksel dat achter in mijn keel omhoogkwam. Ik haalde drie keer diep adem, zo diep als ik kon met die razendsnelle hartslag. Toen deed ik mijn ogen dicht en stelde me voor dat ik thuis was, dat ik in onze warme voorraadkast zat. Toen ik je weer hoorde instappen, hield ik mijn ogen gesloten.

'Het spijt me als ik je bang heb gemaakt,' zei je zacht. 'Ik wilde gewoon dat je hem zou zien. Ik was even vergeten dat je nog niet van slangen houdt.' Je startte de motor. 'Ik zal proberen het goed te maken.'

Toen begon je te rijden. Een tijdlang zei je niets. Mijn lichaam wiegde heen en weer en mijn hoofd lag tegen de hoofdsteun terwijl de motor brulde en zwoegde in het landschap.

Na weer een ruige rit zette je de auto stil. Ik hoorde het portier aan jouw kant dichtvallen en de kofferbak opengaan. Toen ik uiteindelijk mijn ogen opendeed, zag ik alleen de lucht: felblauw en wolkeloos, met een grote rondcirkelende vogel. Ik ging rechtop zitten. We stonden ergens hoog geparkeerd. Vanuit de auto zag ik de woestijn, die zich voor me uitstrekte als een landkaart: een eindeloze deken van bruin en oranje en uitgestrektheid. Er waren ook kleine vlekjes groen, spinifex, en kluitjes roestbruin, rotsblokken, en de lange donkere wormen van de droge rivierbedden.

Rondom de auto stonden bomen met een rood-zwarte stam, waar mieren tegenaan kropen. Ik hoorde zelfs vogels boven mijn hoofd; kleintjes, die kwetterden als kinderen op schoolreisje. Om ons heen waren ook rotsen, met wervelende patronen erin en holtes waar piepkleine bloemetjes in groeiden. Een briesje bewoog de blaadjes. In vergelijking met het barre land om ons heen was dit een soort oase.

Je had een picknick klaargezet links van de auto, onder een van de grotere bomen. Je ging aan de rand van een vale geruite deken zitten en sneed een of andere vrucht in stukken. De pitjes dropen eruit toen je mes het vruchtvlees doorboorde. Er zaten vliegen op de broodjes die je eerder die dag had gebakken. Je sloeg ze niet weg.

Er stond ook een fles mousserende wijn. Die leek misplaatst daar in het zand, maar ik kon mijn ogen er niet van afhouden. Ik stapte uit de benauwde auto, meer aangetrokken door het briesje buiten dan door iets anders. Je schonk een glas voor me in en een kleiner glaasje voor jezelf.

'Maar goed dat ik deze heb meegenomen.'

'Hoezo?'

'Je eenentwintigste dag! Dat is iets bijzonders. Dat moet jij ook vinden, anders had je het niet gezegd.'

Ook nu weer wenste ik dat ik die informatie voor me had gehouden. Ik keek naar het glas in mijn hand. 'Heb je hier iets ingedaan?'

Je dronk je glas in een geërgerde teug leeg. 'Dat zal ik nooit meer doen, dat heb ik je al gezegd.'

Ik bewoog het glas zachtjes heen en weer terwijl ik ernaar keek. Er kwam een beetje van de inhoud op mijn hand terecht. De wijn was warm. Thuis verborgen mijn ouders de alcohol in een afgesloten glazen kast en werd ik dronken met mijn vrienden in het park, of van de drank van anderen. Maar hier wilde ik niet drinken. Ik goot het glas leeg in het zand. Je schonk meteen twee nieuwe glazen voor ons in.

Je gaf me een broodje. Het was zo hard als een steen en het plakje tomaat dat ertussen zat zag eruit alsof het was gesmolten. Toen je mijn gezicht zag, haalde je je schouders op.

'Dat is het beste wat we hebben.'

'Als je indruk op me wilt maken met een picknick, kun je dat wel vergeten.'

'Ik weet het,' zei je op ernstige toon. 'Ik ben de aardbeien vergeten.'

Je trok je T-shirt uit en wiste je voorhoofd ermee. Toen goot je je tweede glas naar binnen en ging met je hoofd op het opgevouwen shirt naar de takken van de bomen liggen staren. Die werden ergens door heen en weer gezwiept en je probeerde fronsend te achterhalen wat het was. Er ontstonden zweetdruppeltjes op je borst, die zich verzamelden in de holtes van je spieren. Ik nam een klein slokje uit mijn glas. Het spul smaakte naar warme thee met prik. Ik pakte de trui die ik eerder die dag had gedragen en legde hem over mijn hoofd. De zon scheen fel door de takken en bladeren heen en legde een waas over het landschap.

'Hoor je dat?'

'Wat? Er is niks te horen.'

'Jawel. Misschien geen winkelcentra en auto's, maar wel andere dingen: gonzende insecten, rennende mieren, een zuchtje wind dat de bomen doet kraken, daarboven scharrelt een honingzuiger rond, en de dromedarissen komen deze kant op.'

'Hm?'

Je knikte naar het land daar beneden, met een zelfvoldane grijns op je gezicht. 'Ga maar kijken.'

Ik stond op en keek naar de vlakte. Inderdaad, daar zag ik een stel vage zwarte stipjes, die groter werden naarmate ze dichter bij ons heuveltje kwamen. Ik had geen verrekijker meer nodig om te kunnen zien dat het dromedarissen waren.

'Je hebt ze niet hóren aankomen, daar moet je het gehoor van Superman voor hebben,' zei ik cynisch.

'Wie zegt dat ik Superman niet ben?' Je keek me met één oog aan, het andere gesloten tegen de zon.

'Als je Superman was, had je me inmiddels wel gered,' zei ik zachtjes.

'Wie zegt dat ik je niet heb gered?'

'Iedereéén zou zeggen dat je me niet hebt gered.'

'Dan ziet iedereéén het verkeerd.' Je duwde je omhoog op je ellebogen. 'Trouwens, ik kan je niet redden en stelen tegelijk. Dan zou ik meerdere persoonlijkheden hebben.'

'Heb je die dan niet?' mompelde ik.

Ik at het broodje op en dronk met tegenzin nog wat van de mousserende wijn. Toen jij je ogen weer dichtdeed tegen de zon en ik niets anders had om naar te kijken, gluurde ik naar je borst. Uit nieuwsgierigheid. Zulke borstkassen kende ik alleen uit tijdschriften. Ik vroeg me af of je zo aan dat geld was gekomen, met modellenwerk. Ik keek omlaag naar mijn buik en probeerde hoeveel vet ik in een rol kon beetpakken.

'Maak je niet druk,' zei je, weer met één oog geopend als een krokodil. 'Je bent mooi.' Je deed je hoofd achterover. 'Heel mooi,' mompelde je. 'Volmaakt.'

'Dat moet jij zeggen. Je hebt zelf het figuur van een topmodel.' Ik beet op mijn lip en had spijt van het compliment. 'Of een stripper,' voegde ik eraan toe. 'Een prostitué.'

'Goh, toch fijn dat je me niet afstotelijk vindt,' zei je met een lachje.

'Wel dus.'

Je deed je andere oog open en gluurde mijn kant op. 'Kan het nou nooit eens wat vriendelijker?'

'Als je me de autosleutels geeft, vind ik je geweldig.'

'Vergeet het maar.' Je deed je ogen weer dicht en legde je hoofd opnieuw op je T-shirt. 'Je zou verdwalen en omkomen.'

'Laat me het ten minste proberen.'

'Misschien volgende week.'

Je bleef nog een paar minuten lui liggen. Het zag er bijna vredig uit, zo met je ogen dicht en je mond een beetje open. Een vlieg landde op je wang en kroop naar je onderlip. Halverwege bleef hij zitten en waste zich met speeksel.

Een poosje later ruimde je de picknick op en reden we de heuvel weer af. De auto dook op sommige stukken bijna verticaal naar beneden, en meerdere keren verloor je je greep op het stuur wanneer we een steen raakten. Het landschap kromp naarmate we verder afdaalden, en toen we weer beneden waren, was ik het eindeloze uitzicht dat zich vanaf de top voor me had uitgestrekt al bijna weer vergeten.

Je parkeerde in de schaduw van de heuvel. Het was te warm om in de auto te wachten, en je zei dat ik moest uitstappen en in de schaduw moest gaan staan. Uiteindelijk kwamen de dromedarissen. Nadat we minutenlang hadden toegekeken hoe ze langzaam op ons af hobbelden, gingen ze harder lopen. Ze namen in omvang toe naarmate ze dichterbij kwamen. Ze moesten snel gelopen hebben. Je richtte de verrekijker op de beesten.

Toen draaide je je om en riep: 'Instappen! Ze hebben ons gezien. Ze draaien dadelijk om voordat ze hier zijn.'

In de verte klonk het geroffel van hoeven op hard zand.

'Kom mee!' Je wenkte me. 'Schiet op of ik laat je hier achter.'

Het was verleidelijk. Maar ook al liet ik het niet merken, ik was toch wel opgewonden. Ik wilde zien hoe jij zo'n enorm beest zou vangen. Je scheurde al weg voordat ik mijn portier had dichtgetrokken en keek even opzij om te zien of ik wel in de auto zat.

'Ga zitten en hou je ergens aan vast!'

De snelheidsmeter sloeg flink uit toen we naar de dromedarissen raceten; de auto kon sneller op de hardere ondergrond. De spullen hotsten en botsten door de kofferbak. Ik hoopte maar dat de slang niet achterin zat, dat hij niet werd rondgeslingerd en ieder moment mijn kant op kon vliegen. Ik voelde de banden slippen. De auto zwiepte meerdere keren woest opzij. Je gezicht was vastberaden, supergeconcentreerd.

'Dit is gevaarlijk!' riep ik. Mijn hoofd klapte tegen het dak toen we over een zandbank vlogen.

Je keek om naar de verrekijker die over de achterbank vloog en tegen het portier knalde. 'Zou best kunnen.'

Lachend drukte je het gaspedaal helemaal in. Ik kneep in de portierhendel tot ik er stijve vingers van kreeg. De snelheidsmeter gaf ruim veertig kilometer per uur aan. We waren nu bijna op gelijke hoogte met de dromedarissen. Je had gelijk: ze waren omgedraaid voordat ze ons hadden bereikt. Nu renden ze op volle snelheid naar de horizon, hun nekken gestrekt en laag, hun passen onmogelijk groot. Ik had nog nooit een wilde dromedaris gezien. Het was eng dat ze zo hoog boven de auto uit torenden. Eén goedgemikte trap en zo'n poot zou dwars door mijn raampje heen gaan.

'Pak die paal van de achterbank!' riep je. 'Vlug!'

Ik draaide me om naar de lange houten paal met een lus van touw aan het uiteinde. Die probeerde ik je aan te geven, maar dat viel niet mee in de krappe ruimte. Ik wrikte hem tegen het portier, maar kreeg hem niet door het gat tussen de stoelen heen. Je keek naar de paal en toen weer naar de dromedarissen terwijl je intussen de auto recht probeerde te houden en naast de dromedarissen moest blijven rijden.

'Ik heb hem nú nodig!'

'Ik doe mijn best.'

Je stak je arm naar achteren en gaf een ruk aan de paal. Toen je hem naar je toe trok, kreeg je hem in je gezicht. De auto zwenkte vervaarlijk naar rechts, naar de dromedarissen toe. Ik gilde.

Je gaf een mep tegen mijn schouder. 'Hou op! Zo jaag je ze weg.'

Je trok de paal over je heen op schoot en stak hem uit je raampje, met de lus naar de dromedarissen toe. Je bekeek de dieren aandachtig. Het zweet gutste van je gezicht. Van dat van mij ook, ondanks de wind die erlangs streek.

'Ik ga voor het jonge wijfje,' riep je. 'Dat is de dromedaris die het dichtst bij ons is. Kun jij even rijden?'

Je leunde uit het open raam.

'Wat doe je nou?'

'Neem het stuur over!' beval je.

Ik had weinig keus. Zodra je het had geroepen, was je verdwenen en hing je gevaarlijk ver uit het raampje van de auto, die overhelde naar de dromedarissen. Als het zo doorging, zou je hoofd nog te pletter slaan tegen de kont van een van die beesten. Ik kwam in de verleiding om dat te laten gebeuren.

'Pak nú het stuur!'

Ik boog me ernaartoe. Buiten hoorde ik de dromedarissen grommen van inspanning en ook jij ademde heel zwaar. Ik pakte het stuur beet. Het was warm en plakkerig van je greep. Je linkervoet was niet langer vlak boven de rem, maar lag op het gaspedaal. Je rechterbeen steunde tegen het portier. De auto zou onmogelijk te stoppen zijn in geval van nood.

'Blijf in een rechte lijn rijden!'

Ik deed mijn best om niet naar jou of de dromedarissen te kijken, want telkens wanneer ik dat deed, zwenkte ik die kant op. Ik keek naar het zand voor me. Toen ik moest uitwijken voor een pol spinifex, vloog je bijna voorover het raam uit.

'Jezus! Je rijdt nog beroerder dan ik!' Je lachte in de wind.

Je haakte je rechterbeen achter je linker en leunde nog verder naar buiten. Toen stak je de paal verder door het raam, waardoor het stuk touw dat eraan hing langer werd. Je bovenbeen drukte tegen mijn arm; ik denk dat je dat expres deed, om je evenwicht te bewaren.

'Als ik de lus om de kop heen heb, moet je opzij gaan. Het touw zwiept dan de auto door. Duik weg als je kunt, want als je ertussen komt, word je doormidden gerukt. Ik meen het.'

Ik keek naar mijn lijf dat languit over de zitting en de versnellingspoken hing en vroeg me af hoe ik in vredesnaam opzij zou moeten duiken. De auto hotste en schokte toen je gas bijgaf. Je was klaar om de lus te werpen, je hele lichaam gespannen en geconcentreerd, en je been drukte nog harder tegen mijn arm.

Ik dwong mezelf om te blijven ademen. Je had je arm geheven, klaar om te gooien. Je leunde verder naar buiten, je lange torso maximaal uitgerekt, iedere spier gespannen. Als ik je nu een duw zou geven, zou je dan uit de auto vallen? Je draaide de paal rond boven je hoofd om vaart te maken.

Toen liet je hem los.

Ik zag in een flits de lus naar de kop van de dromedaris vliegen en het touw er snel achteraan zwaaien. Het uiteinde van het touw zwiepte door de auto, vlak langs mijn armen: het schroeide mijn huid. Het schuurde ook over jouw blote buik en brandmerkte je met een vuurrode streep. En toen helde de auto plotseling over en maakte hij uit zichzelf een bocht. Ik voelde de kofferbak naar links uitzwaaien. Wanhopig probeerde ik het stuur de andere kant op te draaien.

'Niet doen!' riep je. Je liet je weer op de bestuurdersstoel vallen, bijna boven op me. Met één hand pakte je het stuur beet en draaide het in de richting van de dromedaris.

'Hou je vast!'

Je linkervoet drukte niet langer het gaspedaal in en was weer boven de rem. En toen begon de auto echt te tollen. Ik zag de dromedaris langs de voorruit flitsen. Ik rolde over de zitting, probeerde me ergens aan vast te klampen en deed mijn ogen dicht.

Je stoof de auto uit. De dromedaris maakte een afschuwelijk geluid, een wanhopig gekerm. Het galmde de woestijn door.

Ik kwam kijken. 'Heb je haar pijn gedaan?' vroeg ik.

'Ik heb hooguit haar trots gekrenkt.'

Haar lange nek draaide telkens rond en haar ogen waren wit van angst. Ik stak mijn hand uit en streelde de haartjes op haar poot. 'Arm beestje.'

Snel bond je het touw rond haar poten. Toen pakte je een emmer uit de kofferbak, en een van de grote tanks met water. Die tilde je een beetje kreunend op, liet hem op je been rusten en goot zorgvuldig water in de emmer.

Je probeerde de dromedaris te laten drinken en mompelde: 'Toe maar. Voorzichtig, meisje.'

Je streelde haar hals en probeerde haar te kalmeren. Maar de dromedaris keek alleen maar over haar schouder naar de verdwijnende kudde. Ze kermde en kermde. Ze probeerde hun kant op te gaan, maar jij trok het touw om haar voorpoten strakker aan. Ze trapte met haar achterpoot en miste me op een paar centimeter.

'Pas op,' zei je waarschuwend. Met een sprong stond je naast me, en je wikkelde het touw nu tot boven de dromedarisknie. 'Ga maar aan de andere kant staan.'

Je gooide het touw over de bult van het beest. 'Trekken,' zei je. Ik trok. 'Harder.'

Ik trok, maar ik vond het verschrikkelijk. Bij iedere ruk gromde en rochelde de dromedaris en keek ze me met die wanhopige ogen aan. Jij trok ook, vanaf de andere kant. Uiteindelijk bogen de voorpoten van het beest door en knielde ze in het zand.

'Genoeg!' brulde je.

Je stortte je op haar bult en drukte er met je hele lichaamsgewicht op. Je leunde op haar tot ze ook door haar achterpoten zakte en je zeker wist dat ze niet meer omhoog zou komen. Toen wond je snel het touw om de knieën van de dromedaris, zo strak dat ze ze niet meer kon strekken.

'Wat gemeen,' zei ik.

'Wil je soms een hersenbloeding oplopen door een trap tegen je hoofd?' Je krabbelde aan de huid boven een van de knieën van het dier. 'Er zijn veel gemenere manieren, geloof me maar.'

Ik geloofde je. Je wist waarschijnlijk overal wel een gemenere manier voor. Het gekerm van de dromedaris was in volume en wanhoop toegenomen. Het klonk te luid om alleen van haar afkomstig te zijn, het leek wel of de hele woestijn meekermde. Ik vroeg me af of er nog iemand anders was die haar hoorde. De rest van de kudde was niet meer dan een paar stipjes aan de horizon, bijna niet meer te zien. De dromedaris probeerde nog steeds hun kant op te trekken.

'Als jij denkt dat je kunt ontsnappen, moet ik je uit je droom helpen, meid,' mompelde je.

Al haar poten waren ingesnoerd met touw en ze was vastgebonden aan de auto, dus ontsnappen leek me inderdaad onwaarschijnlijk. Maar ik wou dat ze het kon. Dat ze het touw zou losrukken en achter haar kudde aan zou galopperen, luid roepend.

'Zou je mij dan meenemen?' fluisterde ik tegen haar warme, hijgende lijf.

Ik liep om haar heen, zodat ik haar gezicht kon bekijken. Zelfs nu ze zo bang was, had ze mooie ogen. Donkerbruin, met wimpers die er zacht uitzagen. Ze hield op met zoeken naar haar kudde en keek me aan.

'Jij bent nu ook gevangen,' vertelde ik haar. 'Zet een ontsnapping maar uit je hoofd. Hij komt je toch weer halen.'

Ze liet haar kop zakken. Haar ogen bleven op me gericht. Het leek wel alsof ze het begreep. Ik knikte.

'Jij en ik,' fluisterde ik. 'Jij en ik, meisje.'

In dat moment van rust stapte je op haar af. Je stak je handen omhoog en pakte haar bij haar kop. Je had een soort halter in je hand. Zodra ze je zag, trok ze haar kop weg, ver buiten je bereik. Deze keer brulde ze. Het was een monsterlijk geluid dat achter uit haar keel kwam. Je legde je hand op haar hals en probeerde haar kop naar beneden te trekken.

'Kom nou, meisje,' zei je. 'Niet doen, schoonheid.'

De dromedaris vond het verschrikkelijk. Ze brulde en rochelde en zwaaide woest met haar kop. Je bleef haar naar je toe trekken, met jouw kracht kon je het zelfs van een dromedaris winnen. Ze keek me nog even aan en knipperde met die mooie lange wimpers. Toen draaide ze zich naar je om en braakte over je hoofd heen.

Dromedarissenkots is met niets te vergelijken. Het groenbruine, kledderige spul stinkt naar hondenpoep en riool vermengd met pis. Het is zonder twijfel het smerigste dat ik ooit heb geroken. Erger dan de scheten van mijn vader. Erger dan babypoep. Erger dan wat dan ook. En jouw hoofd zat helemaal onder. Terwijl ik stond te kijken, spuugde je een klodder uit die in je mond terechtgekomen was. Je veegde het spul weg met de rug van je hand en gebruikte je vingers om het uit je ogen te scheppen. Toen boog je voorover en begon zelf over te geven.

Ik stond niet ver achter je. Zodra ik ook maar een vleugje rook, leegde ik mijn maag. Ik ben een ramp op dat gebied: ik doe altijd mee als iemand moet overgeven. Ik moest in het zand gaan zitten en mijn hoofd tussen mijn knieën duwen, zo erg was het. En het geluid van je gebraak maakte het er niet beter op. Ik bleef een eeuwigheid overgeven, nog langer dan jij. Ergens halverwege hield de dromedaris op met kermen. Waarschijnlijk was ze tevreden over zichzelf, waarschijnlijk lachte ze ons uit. Ik zou het haar niet kwalijk nemen. Of misschien was dat gewoon het moment waarop ze de hoop opgaf, waarop ze besefte dat haar kudde voorgoed was verdwenen en het geen zin had om nog langer te kermen.

Ik rolde me om en ging tegen een boom zitten. De stank van rottend braaksel hing overal. De vliegen hadden er al lucht van gekregen; ze zoemden eindeloos rond, gingen eerst op het braaksel zitten en probeerden daarna op mijn gezicht te landen. De hitte maakte het alleen maar erger, ik werd er duizelig van. Ik keek naar het zand dat zich mijlenver uitstrekte, maar ik had moeite om mijn blik scherp te stellen.

De terugweg was de ergste rit van mijn leven. Erger nog dan de weg daarheen in de kofferbak, want die kan ik me niet herinneren. Zelfs met alle raampjes open bleef de lucht hangen, en ieder hoekje van de auto werd aangetast door de smerige stank.

Toen de kots die op ons zat opdroogde, werd de stank nog erger. Denk aan zweetvoeten vermengd met zure melk. En het werd er niet beter op toen die lucht zich voegde bij de geur van het verpletterde fruit van de picknick, waarmee de hele achterbank besmeurd was door jouw stuurmanskunsten. We reden met ons hoofd uit het raampje.

De dromedaris draafde mee achter de auto, nu gehoorzaam. Het was alsof ze op haar manier wraak had genomen en daar tevreden over was. Ik moest nog meerdere keren overgeven, langs het autoportier... Dunne, witte sliertjes gal.

De volgende dag ging je op pad met de dromedaris om haar te trainen, in een omheining van hout en touw die je de avond ervoor gemaakt moest hebben. Hij grensde aan het hek van gaas dat je om de Afgezonderden heen had aangebracht.

Ik ging kijken. Je had de kop van de dromedaris al in een halter met een touw eraan, en ze volgde je. Ze was nu braver, bijna berustend. Ze hield haar kop lager en kermde niet meer. Je praatte zacht en vriendelijk tegen haar, maar ik kon de woorden niet verstaan. Ze leek het prettig te vinden.

'Hoe wil je haar noemen?' vroeg je toen je me zag staan.

'Gestolen,' zei ik. Het was het eerste wat bij me opkwam.

'Dat is geen naam.'

'Maar ze is toch gestolen? Gestolen van haar kudde.' Ik voelde me rot dat ik daarbij had geholpen.

'Ze gaat vanzelf van ons houden,' zei je zacht. 'Vond je het ook zielig voor je kat toen je hem uit het asiel haalde?'

'Dat is wat anders.'

Je kwam naar me toe gelopen en trok aan het touw van de dromedaris. Ze liet haar kop zakken, zodat ik haar kon aaien. Jij legde peinzend je hand op haar buik. 'We zouden haar Braakbal moeten noemen,' zei je toen.

'Wat een flutnaam.'

'Maar wel toepasselijk. Ik ben uren bezig geweest om de zijkant van de auto schoon te maken.' Je ogen stonden mild en je keek me langer aan dan nodig was. Toen hield je me het touw voor. 'Hier, wil jij het eens proberen?'

Ik stapte voorzichtig de omheining binnen en nam het touw aan zonder dat ik jou daarbij hoefde aan te raken. Ik gaf een klopje op de schouder van de dromedaris om haar gerust te stellen. Ik dacht rustgevende woorden en probeerde daarmee op haar over te brengen dat ik haar niets zou doen. Ze torende boven me uit, een en al poten en spieren. Er hing nog steeds een vage braaksellucht om haar heen, vermengd met iets anders... iets van aarde en woestijn. Ze rook naar zand.

'Gewoon doorlopen, ze volgt je wel.'

Ik zette een paar stappen en de dromedaris liep met me mee. Ze liet haar kop zakken en snuffelde voorzichtig aan mijn schouder. Ik voelde haar lippen op de kraag van mijn T-shirt en haar warme adem in mijn nek. Haar poten dreunden zwaar naast mijn voeten.

'Brave meid,' fluisterde ik tegen haar. Haar onderkaak bewoog in een cirkel; ze kauwde ergens op. Het verbaasde me hoe braaf ze was, bereid zich over te geven. Je zou niet zeggen dat ze de vorige dag nog een wild dier was geweest.

'We moeten haar leren neerzoeven.'

'Leren wát?'

'Zitten. Hier, ga het hek maar weer door.'

Je nam het touw van me over en gaf me een duwtje naar het hek toe. Ik dook eronderdoor en toen gaf je me het touw terug.

'Hou het zo vast, tamelijk stevig. Als je aan de andere kant van het hek staat, kan ze je niet zo makkelijk trappen.'

Toen bond je weer een touw om haar voorpoten en haalde dat over de bult.

'We moeten samen trekken,' zei je. 'Ze snapt het gauw genoeg.'

Zodra we aan het touw trokken, begon de dromedaris weer te kermen. Ik schudde mijn hoofd naar je. 'Ik vind dit niks.'

'Dromedarissen doen graag moeilijk.' Je streelde haar hals en sprak haar weer zachtjes toe. Ze deed haar oren naar achteren om naar je te luisteren. 'Zodra ze begrijpt wat de bedoeling is, doet ze het wel. Zo zijn dromedarissen.'

Ik vroeg me af of je zo ook over mij dacht.

Mijn schedel begon te gloeien. Ik liep naar de veranda en ging op de bank liggen kijken hoe je de dromedaris liet gaan zitten en weer opstaan, telkens opnieuw. De zon was wel warm, maar niet te heet door het dak van de veranda; mijn oogleden werden zwaar. En zo, terwijl ik half sliep, doken de randen van herinneringen op: het gezicht van Anna toen ze me vertelde dat ze iets had met Ben, mijn moeder die binnenkwam met een afhaalmaaltijd, Josh die vroeg of ik met hem uit wilde.

Ik hoorde je valse gefluit. Mijn ogen vlogen open en ik dwong mijn lichaam om overeind te komen. Je kwam naar me toe gelopen.

Met een zucht leunde je tegen een paal van de veranda. Je wangen waren een beetje rood en er kleefden plukjes haar aan je voorhoofd. Je pakte je vloei en rolde een sigaret. Snel likte je de randjes dicht. Ik nam die dag de tijd om je gezicht te bekijken; mijn blik bleef rusten op je hoge jukbeenderen en je uitgesproken kaak, je littekentje en je halflange haar.

'Ik heb je écht al eerder gezien, hè?' zei ik. 'Ik bedoel, niet alleen toen ik tien was.'

Je nam een trek van je shagje. Op dat moment speelden er zoveel halve herinneringen door mijn hoofd: vage beelden van jou in de buurt, een keer ergens in het park... en nog iets anders. Ik wist nu ook weer dat je me op het vliegveld al bekend voorkwam.

'Waar ken ik jou van?'

'Dat heb ik je al verteld. Ik heb je gevolgd.'

'Dat is gewoon eng.'

Je haalde je schouders op.

Ik boog me naar voren op de bank. 'Maar ík ken jóú ook en dat is nog enger. Hoe kan dat?'

Je glimlachte. 'Ik woonde in de buurt.'

'Ja, maar er is iets anders... Zodra ik je zag op het vliegveld, wist ik... wist ik dat ik je eerder had gezien.'

Mijn hersenen kraakten van inspanning. Ik veegde het zweet van mijn voorhoofd en uit mijn ooghoeken. Ik trok mijn vastgekleefde bovenbeen los van de bank en verschoof het naar een koeler gedeelte. Je brede schouders blokkeerden de zon en je T-shirt slobberde over je onderrug. Je nam nog een trek.

'Ik heb je toch gesproken in het park.'

'Hoe vaak was je daar?'

'Altijd. Zoals je weet, heb ik er een tijdje gewoond. Rododendronstruik 1 was mijn adres.' Je glimlachte. 'Later werkte ik er ook.'

'In het park?'

'Ja. Nadat ik jou had ontmoet, besloot ik mijn leven te beteren. Ik vond een baantje bij de plantsoendienst. Onderhoud, graafwerk. Ik zag je daar met je vrienden.'

'Hoe lang geleden?'

'Een jaar of drie. Ik heb het een paar jaar gedaan... met tussenpozen. Ik vond het leuk werk.'

Ik dacht terug aan het park. Ik wist nog precies waar de bomen en bloembedden waren, en alle bankjes, en in de dichte struiken kon je ongezien roken. Soms dacht ik dat ik het park misschien wel beter kende dan ons eigen huis.

Maar jou herinnerde ik me daar niet. Of wel?

'Had je toen lang haar?'

Je knikte en lachte weer. Toen kwam het terug: de stille, magere jongen die altijd een beetje achteraf aan het werk was geweest, met zijn haar voor zijn gezicht; de jongen die helemaal opging in zijn werk in de borders.

'Was jij dat?'

'Misschien wel, soms.'

'We hebben het vaak over je gehad. Anna vond je er goed uitzien.'

Je lachte. 'Maar wat zei jíj over me? Jij was degene die ik in de gaten hield.'

Ik voelde mijn wangen gloeien. Daar heb ik een enorme

hekel aan, dat ik zo snel bloos. Ik trok mijn knieholtes los van de plakkerige bank en boog ze. Toen legde ik mijn hoofd op mijn knieën, zodat je mijn gezicht niet kon zien.

'Dat is idioot, dat je me volgde en bekeek.'

'Niet altijd. Soms was het maar goed dat ik het deed.'

De rode blos verdween en maakte plaats voor dat gevoel van misselijkheid in mijn maag dat altijd ontstond wanneer ik dacht aan wat je me had aangedaan. Ik wilde weten wat je in de loop der jaren in dat park had gezien – ik had genoeg stomme dingen gedaan – maar tegelijkertijd wilde ik het niet weten. Ik wilde er in ieder geval niet naar vragen.

Dus dacht ik in plaats daarvan aan het park zelf, aan de keren dat ik erheen was gegaan. Helemaal in het begin was dat met mijn ouders geweest. We gingen ongeveer een jaar lang bijna iedere zondag, in ieder geval wanneer het mooi weer was. Dan lazen mijn ouders de krant op het bankje terwijl ik om hen heen speelde. Mijn moeder nam speelgoed voor me mee, maar ik liep liever de bloembedden in en uit en verzon verhaaltjes over het rijk van de elfjes. Het was een fijne herinnering, een van de gelukkigste die ik heb aan mijn ouders. Mijn moeder was toen nog niet teruggekeerd naar haar fulltime baan en mijn vader leek op de een of andere manier relaxter. In mijn gedachten waren we een gewoon, gelukkig gezinnetje. Dat is fijn. Dat moet het jaar zijn geweest dat ik jou voor het eerst sprak, die zomer.

Had je dat allemaal gezien? Waren het juist die zeldzame heerlijke familiemomenten geweest die jou naar me toe hadden getrokken? Ik keek naar je om. Je pulkte aan een losse spijker in een van de palen van de veranda en probeerde hem uit het hout te trekken. Ik keek toe hoe je hem heen en weer wiebelde en je vinger erachter probeerde te krijgen. Het vergde al je concentratie. Zo voorovergebogen leek je kleiner dan je was. Ik leunde achterover in de bank en richtte mijn blik op de hemel. De blauwe, blauwe hemel, zo eindeloos en leeg. Maar die dag waren er een paar wolken, sliertjes suikerspin die het blauw onderbraken. Ik probeerde er gezichten in te ontdekken.

Hoe vaak had ik niet met Anna in het park gelegen en hetzelfde gedaan? We zagen altijd het gezicht van Ben: de grote wolk met de krul van een glimlach. Anne zei een keer dat ze Josh op me neer zag kijken.

Daarna had ik Josh in de gaten gehouden. Ik had zelfs met hem gepraat, omdat ik wilde weten of hij echt zo vreselijk was als ik dacht. Het had hem alleen maar aangemoedigd. Zo'n beetje vanaf dat moment was hij me gaan volgen, altijd ergens aan de rand van ons groepje. Anna vond het niet erg, en dat was raar omdat iedereen duidelijk kon zien dat Josh door me geobsedeerd was. Maar misschien wilde ze wel dat ik iets met hem kreeg. Dan zou ze Ben voor zichzelf hebben.

Ik kromp ineen. Samen met de wolken kwam er een gedachte aangedreven die ik niet wilde toelaten. Ik richtte mijn blik op iets anders en probeerde me op jou te concentreren. Maar de gedachte ging niet weg. Een tamelijk warme zomeravond. Bijna twee jaar geleden. Het park. Dé avond.

Je had nu je vinger achter de spijker en trok eraan.

Josh was er die avond geweest; hij had als een vleermuis net buiten ons groepje rondgehangen. Er was drank rondgegaan, sterk spul. Van iedereen een beetje alcohol, gemengd in een tweeliterfles. Anna lachte en Ben betastte haar daar midden in het park, waar iedereen bij was. Ik hoorde haar rits naar beneden gaan. Ik hoorde een knappend geluid van het elastiek van haar broek. Jay en Beth maakten een grapje over hun ontmaagding, daar voor onze ogen, maar eigenlijk waren we allemaal jaloers. We sloegen Anna en Ben over bij het doorgeven van de drank en dronken zelf allemaal méér. Na een tijdje hielden we op met praten. Toen verdwenen Jay en

Beth in de bosjes. En ik bleef achter met mijn beste vrienden, die pal naast me nog net niet lagen te neuken.

Maar Josh was er nog, in de schaduwen vlak achter ons. Ik dronk nog meer. Stom genoeg hoopte ik dat Anna en Ben er gauw mee zouden stoppen en dat we allemaal samen naar huis zouden lopen. Ik keek vluchtig naar hen. Anna keek me aan over Bens schouder en ik wist precies wat ze van me verlangde. Dus maakte ik dat ik wegkwam. Ik strompelde door het park en door de duisternis, op weg naar de uitgang. Ik weet niet waar Jay en Beth gebleven waren, maar ik zag ze nergens. Er hing een zware, aardse lucht in het park. Er dansten piepkleine muggetjes voor mijn ogen.

Josh volgde me.

Eerst zag ik hem niet, maar toen ik ongeveer halverwege de uitgang was, hoorde ik zijn voetstappen, aarzelend en snel. Ik hoorde het ruisen van zijn spijkerbroek tijdens het lopen. Ik draaide me om en toen zag ik hem, zo'n drie meter achter me. De blik in zijn ogen was... akelig. Alsof hij al die maanden had gewacht om me voor zich alleen te hebben – en hij was dronken. Dit was al die tijd zijn doel geweest. Terwijl ik naar hem keek, werd ik duizelig. Ik moest mijn evenwicht zoeken bij een boom.

Daardoor raakte ik de weg kwijt. Toen ik later het pad weer op liep, ging ik de verkeerde kant op. Ik had het niet meteen in de gaten. Dat kwam doordat Josh tegen me begon te praten, dichterbij kwam. Het enige waarop ik me kon concentreren, was harder lopen. Toen hoorde ik hem zachtjes lachen.

'Gemma, wacht,' zei hij. 'Ik wil alleen met je praten.'

Het was in een deel van het park waar ik niet vaak kwam, achterin bij de varens. Ergens voor me was een vijver, dat was het enige wat ik wist. Om op het juiste pad te komen, moest ik teruggaan zoals ik was gekomen. Maar daar liep

Josh. En hij kwam steeds dichterbij. Er waren zoveel donkere schaduwen dat ik niet kon zien hoe dichtbij hij was.

'Rot op, Josh,' zei ik. 'Een andere keer. Ga nou gewoon naar huis.'

'Maar het is nog vroeg.'

Ik keek om me heen op zoek naar een tak of iets stevigs dat ik tussen ons in kon houden. Ik probeerde me te herinneren waar de vijver precies was. Liep het pad eromheen? En kwam het daarna nog ergens uit?

'Kom op, Josh,' probeerde ik nogmaals. 'Wat moet je nou? Je weet dat ik niks met je wil.' Mijn stem trilde, mijn keel zat dicht en de woorden kwamen er met moeite uit. 'Laat me nou gewoon met rust.'

'Daar heb ik geen zin in.'

Josh was maar een paar passen bij me vandaan. Ik kon de vijver nu bijna zien, pal voor me. De planten eromheen staken als donkere speren de lucht in. Ik voelde de plotselinge vochtigheid en de grond werd zachter onder mijn voeten. Achter me hoorde ik het ruisen van Josh' spijkerbroek in het lage struikgewas. Ik zag het pad naar links afslaan, om de vijver heen.

Toen ik naar dat pad toe liep, gebeurde het.

Mijn ogen vlogen open toen me iets te binnen schoot. Je was nog met de spijker bezig; je had hem er nu bijna uit. Ik keek naar je gebogen rug. Luisterde naar je gebrom.

'Was jij dat die avond?' vroeg ik heel zacht. 'Die avond in het park met Josh?'

Ik zag een trekje bij je mond en je leek verder in elkaar te duiken, je schouders naar je borst toe gekromd. Ik deed mijn ogen weer dicht, heel even maar.

Het geluid was zo gemakkelijk terug te halen: de felle, snelle schuiver waarvan ik had gedacht dat het Josh was die uitgleed in het gras. En toen kwamen de schaduwen. Twee schaduwen achter de mijne die allebei over het pad vielen, een lange en een korte. Ik keek snel om. Er was nog iemand. Iemand in een donkergrijze hoodie. Iemand die zich op Josh stortte en hem bij me vandaan duwde. Ik hoorde Josh iets roepen voordat zijn stem werd gedempt door die van iemand anders: laag, zwaar en dwingend. Ik dacht toen dat het een van die rare vrienden van Josh was die een rotgeintje uithaalde, iemand die hem een duw gaf, hem liet struikelen of hem de bosjes in trok om een joint te roken of iets dergelijks. Of misschien was het Ben of Jay.

Ik nam niet de tijd om het uit te zoeken. Ik rende langs de struiken waarin Josh was verdwenen en bleef rennen tot ik thuis was. Ik stopte pas toen ik de sleutel in het slot had gestoken en de deur achter me had dichtgetrokken.

Je begon weer aan de spijker te wrikken, tot die eindelijk loskwam uit het hout. Je hield hem even in je handpalm. Toen keek je naar mij en op de een of andere manier wist ik je blik vast te houden.

'Ging Josh daarom weg?' vroeg ik. 'Jij was die jongen in de hoodie, hè?'

Je tuurde weer naar de spijker in je hand, hield toen je hoofd schuin en keek uit over het land. De zon begon al onder te gaan. Het licht verspreidde zich over de Afgezonderden en gaf de rotsen een gouden gloed.

'Wat heb je met hem gedaan? Nadat je hem de struiken in had geduwd?'

Toen keek je me wel aan. Een flits in je ogen zei me dat je heel goed wist waar ik het over had.

'Niks,' zei je. 'Ik heb niks gedaan.'

'Daarna liet hij me met rust.'

'Dat weet ik.'

Ik boog me dichter naar je toe. Ik zag de zweetdruppels in je hals, maar zelf voelde ik op dat moment alleen maar kou.

Vol ongeloof keek ik je aan. 'Denk je dat je me van hem hebt bevrijd?'

'Wat denk je zelf?' Je deed een stap in mijn richting en kwam op je hurken bij me zitten. Je blik gleed over mijn gezicht, je probeerde me te doorgronden. 'Ben je niet blij dat ik daar was?' Je legde je hand op de bank en raakte daarbij even mijn bovenbeen aan. Ik fronste verward.

'En mocht je het je afvragen,' begon je zacht, 'dat was inderdaad het moment.'

'Welk moment?'

'Het moment waarop ik voor het eerst besefte dat ik je wilde... het moment waarop ik wist dat ik je hierheen moest halen. Niet toen je tien was, maar díé avond. Daarna was alles hier gericht op jou. Ik werkte harder om het af te krijgen en probeerde je zo snel mogelijk te redden.'

De volgende dag zat ik in het zand naast de omheining. Je was lief voor de dromedaris en pakte het langzaam aan. Telkens wanneer ze iets goed deed, beloonde je haar met een handjevol bladeren, waar ze met haar zachte, elastische mond op knabbelde. Je praatte voortdurend tegen haar, mompelde lieve woordjes in haar hals. Wanneer ze niet deed wat je wilde, hief je eenvoudig je handen en liep op haar af alsof je haar wilde slaan. Haar angst voor jou was genoeg om haar iets te leren. Ze schuifelde onmiddellijk weg, zijwaarts. Maar algauw kwam ze naar je terug, met gebogen kop, traag kauwend. Het was een strijd, alleen zag het ernaar uit dat de dromedaris zich al gewonnen had gegeven.

Ik leunde achterover op mijn ellebogen. Mijn armen waren al heel bruin, bruiner dan ze ooit waren geweest. Als ik ze in het zand legde, hadden ze bijna dezelfde kleur als de ondergrond. Ik voelde een grote mier op mijn pink kriebelen. Het interesseerde me niet genoeg om hem weg te vegen, ondanks zijn grote scharen. Gek was dat: een paar weken daarvoor zou ik hem waarschijnlijk meteen doodgetrapt hebben. Hij kroop over mijn drie andere vingers en verdween toen ergens onder mijn rug. Ik verroerde me niet, uit angst hem te verpletteren.

Ik keek toe hoe je de dromedaris lokte met de takken. Toen ze dicht genoeg bij je was, legde je een stuk touw over haar rug. Eerst deinsde ze angstig achteruit, en je liet het touw weer van haar af glijden. Maar toen je volhield, raakte ze eraan gewend.

'Ik maak haar zadelmak,' riep je naar mij.

Ik richtte me een beetje op. De dromedaris zag mijn beweging en liep weer zijwaarts weg. Het touw viel met een plof in het zand. 'Wil je op haar gaan rijden dan?' vroeg ik.

'Ja.' Je wendde je af van de dromedaris en ontweek haar blik, en na een tijdje kwam ze naar je toe. 'Als de benzine op is, hebben we misschien vervoer nodig.'

'Wanneer raakt die op?'

'Voorlopig niet, nog lang niet, maar we moeten erop voorbereid zijn. Deze dame hier kan wel op meer manieren van pas komen dan alleen als vervoer. Veel meer manieren.'

Ik keek naar de bijgebouwen en mijn blik bleef rusten op de schuur naast de schilderschuur, waar ik nog niet binnen was geweest. Stond daar de benzine? Op dat moment zag ik in gedachten voor me hoe ik je opsloot in het huis, er benzine omheen sprenkelde en de veranda aanstak, om jou binnen te zien verbranden. Voor de duizendste keer liet ik mijn blik langs je kleding gaan. Als ik niet wist waar je je sleutels bewaarde, was mijn kans om te ontsnappen of om jou levend te laten verbranden nihil. Die tweede schuur was afgesloten. Ik had het hangslot op de deur gezien. Ik keek naar de lange nek van de dromedaris. Die zag er niet erg comfortabel uit.

'Wanneer kun je haar berijden?' vroeg ik. 'Vandaag nog?'

'Nee!' Je kriebelde aan haar nek. 'Echt niet. Maar zo gaat het altijd met dromedarissen... stap voor stap, met heel kleine stapjes. Eén piepklein dingetje tegelijk, tot ze het leert aanvaarden.'

Je probeerde het touw telkens een beetje langer tegen haar nek te houden. Ze ontweek het met gemak, maar soms liet ze het liggen.

'Dus je dwingt haar om te doen wat jij wilt? Je knakt haar wil.'

'Zo moet je dat niet zien.' Je klakte met je tong naar de dromedaris en liep recht op haar af. Toen je deze keer het touw over haar rug gooide, bleef ze staan. Ze draaide haar lange nek om en snuffelde eraan. 'Ik zorg dat ze vertrouwen in me krijgt,' zei je. 'Als ze me eenmaal vertrouwt en accepteert, heeft ze het zelfs liever zo. Dromedarissen zijn een kudde gewend, en ze zal zich veiliger voelen als ze iemand heeft die ze kan volgen, een leider. Dan hoeft ze niet meer bang te zijn.'

Je hield je blik op de dromedaris gericht toen je sprak. Je drukte je handen tegen haar zij, leunde met je volle gewicht tegen haar aan en haalde haar zo over je te accepteren. Ze liep niet weg en knabbelde op de blaadjes die je haar voorhield.

'Brave meid,' zei je. 'Mooie, brave meid. Zo willen we het hebben.'

Je stopte met duwen. Toen haalde je het touw van haar nek, pakte nog een tak met bladeren en begon weer van voren af aan. Nadat je dat een paar keer had herhaald, streek je met je handen over haar lijf, vanaf haar nek naar beneden, tot aan haar poten. Ze knorde zacht en je mompelde een antwoord.

'Zo is het wel even genoeg, liefje,' zei je. 'Morgen doen we het nog een keer.'

Terwijl de dromedaris op de tak kauwde, maakte jij een gat in het kippengaas tussen haar ren en de Afgezonderden, groot genoeg voor een dromedaris. Je wees haar het gat en probeerde haar zover te krijgen dat ze naar de rotsen liep.

'Je krijgt haar nooit meer gevangen als...' begon ik.

Maar de dromedaris liep al achter je aan, met haar kop vlak bij je schouder. Je dook tussen de touwen van de omheining door en kwam naar me toe. Je plofte naast me neer, languit in het zand, en sloot je ogen tegen de zon. Je was behoorlijk dichtbij, maar deze keer schoof ik niet weg. Ik was nog steeds bang dat ik de mier zou verpletteren, of dat hij me zou bijten. En ik had het warm en ik was lui. Je gluurde met één half geopend oog naar me.

'We komen er wel,' zei je. 'Met hele kleine stapjes.'

Na een tijdje kwam je overeind en wiste je je voorhoofd.

'Kom, we gaan wat drinken,' zei je. 'Het is hier te warm.'

Ik liep achter je aan naar de veranda, maar ik ging niet mee naar binnen. Ik wilde even nadenken over ons gesprek van de vorige dag, over de vraag of jij het echt was geweest die avond in het park. Soms leek het me logisch, maar andere keren weer niet.

Je had de deur opengelaten en ik hoorde je in de keuken gulzig uit de kraan drinken. Je kwam terug met twee volle glazen en gaf er een aan mij. Ik nam het aan, maar dronk er niet uit. Ik zag je schouders verkrampen toen ik het glas op de grond zette. Toen ging ik op het puntje van de bank zitten. Je had ongeveer de juiste lengte om de jongen met de grijze hoodie te kunnen zijn. Maar dat verhaal van je, over hoe goed je me kende... dat was overdreven, te vergezocht. En er waren nog te veel dingen die ik niet kon rijmen. Waaróm? Waarom zou je me al die jaren hebben gevolgd? En waarom uitgerekend mij?

'Waarom ben je destijds uit Australië weggegaan?' vroeg ik. 'Waarom ben je ooit naar Engeland vertrokken?'

Je gaf geen antwoord. Langzaam liep je naar een van de palen van de veranda en legde je voorhoofd ertegen. Je wilde je ogen dichtdoen, maar ik bleef aandringen. Ik wilde het weten.

'Waarom?'

Je schudde je hoofd en omklemde met je vingers het glas. Toen draaide je je ineens naar me om.

'Ik had een brief ontvangen,' zei je. 'Nou goed?'

'Wat voor brief?' Je vingertopjes werden wit van het knijpen. 'Wat stond erin?'

Je opende je mond alsof je het me wilde vertellen, maar in plaats daarvan haalde je diep adem. 'Ik weet niet...' Je kneep nu zo hard in het glas dat ik bang was dat het zou knappen. Je volgde mijn blik en keek er ook naar. 'Ik weet niet hoe ze me heeft gevonden.'

Ik ging verzitten, plotseling geïnteresseerd. 'Wie?'

Je zette het glas met een klap op de reling en het sloeg kapot in je hand. Met grote ogen keek je naar de scherven.

'Mijn moeder,' fluisterde je. 'Mijn moeder had me gevonden.'

Er liep een straaltje bloed langs je pols. Je keek ernaar, en de scherven belandden met een dof gerinkel op de grond. Ik keek naar de vier ongeveer even grote stukken glas en toen naar je hand. Die had je dichtgevouwen, maar het bloed sijpelde tussen je vingers door. Je had nog steeds grote, verbaasde ogen. Je bukte om de scherven op te rapen, maar toen je me zag kijken, kromp je ineen en draaide je weer om en hield snel je hand voor je, waar ik hem niet kon zien. Ook je gezicht wendde je af en je trok je schouders hoog op, gespannen.

Nog één woord en je zou uit je vel knappen. Ik wachtte even voordat ik weer iets zei, en toen ik dat deed, klonk het aarzelend.

'Ik dacht dat je had verteld dat je moeder na je geboorte was verdwenen?'

'Klopt.' Je boog je over je vuist, spreidde je vingers en bekeek de schade. 'Maar ze heeft me gevonden,' fluisterde je. 'Ik weet niet hoe. Vlak nadat ik zeventien was geworden, stuurde ze me een brief.'

'Waarom?' Het woord klonk zachter dan een ademhaling, maar het bleef tussen ons in hangen. Je rug was net zo kaarsrecht als de paal waar je tegenaan leunde. Niets aan jou verroerde zich.

'Ze zei dat ze me wilde zien. En ze gaf me haar adres: Elphington Street 31a in Londen.'

'Dat is vlak bij mij.'

'Dat weet ik.'

'Je ging naar haar toe.'

'Dat was de bedoeling. Het geld kon ik lenen van mijn pleegouders.'

'En toen?'

'Ze waren blij dat ze van me af waren.'

'Ik bedoelde hoe het verderging met je moeder.'

Je draaide je weer om, je gezicht vertrokken van de emoties waar je mee worstelde. 'Wil je dit echt horen?'

Ik knikte. In drie stappen was je de veranda over, en je smeet de deur achter je dicht. Toen hoorde ik je binnen in het huis: zware voetstappen, een la die openging. Gespannen wachtte ik af. De deur zwaaide weer open en knalde keihard tegen de muur. Je stopte iets in mijn handen: een envelop.

'Lees haar brief maar,' blafte je.

Ik friemelde aan de envelop, en mijn handen trilden opeens toen ik de dunne velletjes papier eruit haalde. Er viel ook een foto uit, die in mijn schoot terechtkwam. Ik raapte hem op.

Hij was vergeeld en oud, een beetje vergaan aan de randjes. Het was een foto van een meisje. Ze was ongeveer van mijn leeftijd en hield een baby tegen zich aan gedrukt. Ze staarde brutaal in de camera, alsof ze degene die de foto nam wilde uitdagen. Ik ademde scherp in toen ik haar lange donkere haar en groene ogen wat beter bekeek. Ze leek een beetje op mij. De baby die ze in haar armen hield was piepklein en was stevig in een ziekenhuisdekentje gewikkeld. Maar zijn ogen waren zo blauw als de oceaan, en het enige krulletje dat over zijn voorhoofd viel was goudblond.

Ik keek weer naar jou en mijn blik bleef even rusten op het blonde haar dat voor je ogen viel.

'... jij?'

Je sloeg met je hand tegen de paal van de veranda, waardoor die begon te trillen.

'Je moet hem lézen!' Je griste de brief van mijn schoot. 'Geef dan maar hier, als je hem toch niet leest.'

De foto pakte je ook, al paste je goed op dat er geen kreukels in kwamen. Heel voorzichtig stopte je hem in je borstzakje, gevolgd door de velletjes papier. Je sprak zacht, alsof je in jezelf praatte.

'Ze had me geschreven om te vragen of ik bij haar kwam wonen,' legde je uit. 'Zij was ook helemaal alleen, zei ze.'

'En wat gebeurde er toen?' Mijn stem was nauwelijks meer dan een fluistering.

Je boog je naar me toe. Voorzichtig vouwde je je hand open en strekte je vingers voor mijn gezicht. Ik zag het donkere bloed in je handpalm, dat al begon te stollen. Toen ik mijn hoofd afwendde, trok je me naar je toe en dwong me om te kijken. Je raakte met je vingertoppen mijn haar aan.

'Elphington Street 31a was een kraakpand,' zei je met een

zucht. 'Stront op de muren en dooie mussen in de open haard. Ik werd bijna vermoord door een dealer toen ik daar aanklopte.'

'En je moeder?' Ik moest de woorden er moeizaam uit persen, tussen de stevige greep van je vingers door.

'Die was er niet. Ze was blijkbaar de week ervoor vertrokken.' Je blik dwaalde af bij de herinnering. 'Ik probeerde haar nieuwe adres te achterhalen, maar niemand wilde het me geven... Ze zeiden dat ze te veel ellende veroorzaakte en dat ze haar niet meer wilden kennen.'

Ik probeerde aan je greep te ontsnappen. Je liet me niet los, je ging alleen maar harder knijpen en bracht je mond dichter naar mijn gezicht. Je adem rook net zo zuur als je zelfgedraaide sigaretten.

'Uiteindelijk kreeg ik een telefoonnummer waarop ik haar zou kunnen bereiken. Ik heb dagenlang met dat papiertje in mijn zak gelopen voordat ik het nummer durfde te bellen, op het laatst kende ik het uit mijn hoofd. Toen ik het nummer draaide, kreeg ik een vrouw aan de lijn die om geld vroeg, en toen ik zei dat ik dat niet had, beweerde ze dat ze niet wist wie ik bedoelde. Maar die stem van haar...' Je ademde diep in. 'Ze klonk halfdood, dronken en onder invloed van drugs... zoals mijn vader ook vaak had geklonken.' Je zweeg even. 'Weet je, ik heb me dikwijls afgevraagd of ze het niet zelf was, of dat niet háár stem was.'

Ik hield je blik vast. Ik probeerde heel langzaam mijn hoofd te bewegen, een beetje verder bij je vandaan.

'Maar ik bleef speuren,' ging je verder, zonder mijn poging op te merken. 'Ik bleef naar haar zoeken in kraakpanden en opvangcentra. Shit! Ik had nog nooit sneeuw gezien en al vanaf de eerste dag vond ik het daar verschrikkelijk. Ik had geen geld om naar huis te gaan of wat dan ook, ik had niemand, dus...'

Je stem stierf weg en je liet me eindelijk los. Ik bewoog mijn kaak heen en weer om de schade op te nemen. Je gezicht stond bezorgd toen ik naar je opkeek, en je stak je vinger uit naar mijn wang alsof je hem weer wilde aanraken.

Ik schudde mijn hoofd. Je gezicht betrok. Ik schoof achteruit op de bank. Je sloeg hard tegen het kussen naast me. We keken allebei naar je hand. Die lag zo'n dertig centimeter bij me vandaan en trilde. Na een tijdje trok je hem terug en stopte hem in je zak. Je liep weer naar de paal en staarde over het land.

'Heb je me toen gevonden?' vroeg ik zacht. 'In Londen, toen je tevergeefs naar je moeder zocht?'

Je gaf geen antwoord. Je beende de veranda over en sprong eraf, in het zand. Daar gaf je een stomp tegen je boksbal, en je kromde je rug en schouders en deelde nog een paar meppen uit. Toen je gewonde hand de zware bal raakte, gromde je. Daarna ramde je met twee armen tegen de boksbal en liep naar buiten, naar de Afgezonderden. Ik luisterde naar het ritme van de terugstuiterende boksbal, dat gestaag afnam en ten slotte helemaal ophield. Even later hoorde ik tussen de rotsen de echo van een geluid dat weleens jouw geschreeuw zou kunnen zijn.

Het werd laat die middag. Je was nog niet terug op het tijdstip waarop je normaal gesproken de kippen voerde. Ik pakte de doos met zaad en noten uit de serre en ging het zelf doen. Ik moest door de ren van de dromedaris om bij de Afgezonderden te komen. Het was de eerste keer dat ik daar zonder jou was. De dromedaris lag te rusten, met haar poten gebogen onder haar lijf. Ze tilde haar kop op toen ik eraan kwam.

'Rustig maar, meisje,' zei ik. Ik probeerde net zo te klinken als jij.

Ze was zo groot dat het moeilijk was om niet een tikkeltje nerveus van haar te worden. Ik liep behoedzaam over het pad naar de rotsen. Zou je er nog zijn? En zo ja, waar dan? Ik had het gevoel dat je naar me keek.

Bij de open plek was het minder stil, door de wilde vogels die aan hun middagroddels begonnen. Een hagedis die lag te zonnen op een rotsblok trok zich snel terug in de schaduw toen ik naar de kooien liep. Ik ging eerst naar de kippen en liet de haan tot het laatst wachten. Hij paradeerde door zijn kooi alsof hij zich voorbereidde op een gevecht. Ik trok het deksel van de kippenkooi en strooide het voer erin. Ze dromden rond mijn hand; hun warme, gevederde lijfjes voelden zacht tegen mijn huid. Ik vond hun getok en gekakel leuk. Ze klonken als de twee oude dametjes die weleens bij me in de bus van school naar huis zaten. Die kwetterden en mompelden ook, alleen ging het bij hen over hun favoriete televisieprogramma's. Ik miste die dametjes. Zouden ze hebben gemerkt dat ik nooit meer in de bus zat?

Ik besloot de kippen namen te geven. De twee dikke grijze noemde ik Ethel en Gwen, naar de oude vrouwtjes in de bus. De dunne rooie was Mam. De dikkere rode Anna. De grote oranjebruine noemde ik Ben (ja oké, dat is een jongensnaam!) en de ziekelijke witte was Alison, naar mijn oma. De haan noemde ik Eikel, naar jou.

Nadat ik de kippen een tijdje had geaaid, deed ik het deksel weer op hun kooi en liep naar de haan. Hij stak zijn snavel door het gaas en probeerde me te pikken. Ik gooide een handje zand naar hem toe en probeerde zijn kooi open te maken. Hij vloog meteen op me af en stak zijn scherpe snavel in mijn vingers. Ik schudde hem van me af en deinsde achteruit.

Toen hoorde ik je lachen, ergens bij de fruitbomen. Je stond tegen de rotsen geleund, met je benen tegen een boom. Zo bewegingloos als het zandsteen achter je.

'Je moet hem oppakken als hij dat doet,' zei je. 'Hem vasthouden tot hij rustig wordt. En anders kun je hem een tijdje op z'n kop houden.'

'Dat wil ik jou weleens zien proberen.'

Je kwam schouderophalend naar me toe gelopen. Toen je bij zijn kooi neerknielde, probeerde Eikel jou ook te pikken. Hij sprong de lucht in en haalde met zijn scherpe poten uit naar de grendel van de kooi.

'Gaan we de ninjahaan uithangen?' Je grinnikte naar me en rolde je mouwen op. 'Dat zullen we nog weleens zien.'

Je stak je arm in de kooi. Eikel dook meteen op je hand af, klauwde naar je en pikte stukjes uit je vel met zijn snavel.

'Klotebeest!'

Je probeerde hem van je af te gooien, maar Eikel liet niet los. Ik moest mijn gezicht afwenden om mijn grijns te verbergen. Je wapperde met je hand om hem van je af te schudden, maar de haan begroef zijn klauwen in je vel alsof zijn leven ervan afhing. Hij maakte een diepe snee dwars over je knokkels. Je probeerde hem met je andere hand los te trekken, maar Eikel vocht door. Hij krijste en kraste en genoot van het bloedbad. Je schreeuwde terug. Het was een echt gevecht, zoals je weleens ziet bij natuurprogramma's, tussen de dominante mannetjes van twee groepen dieren. Ik had het gevoel dat ik de haan moest aanmoedigen en ik genoot van iedere kras die hij je bezorgde.

Uiteindelijk slaagde je erin je andere hand op zijn vleugels te leggen. Zo pinde je hem vast. Ik wachtte af of je hem zou fijnknijpen, om wraak te nemen. Maar je liet hem gewoon in de kooi vallen, wierp hem wat voer toe en deed snel het deksel dicht. Toen gaf je met je zware schoen een trap tegen het gaas. Eikel vloog tegen het dak en viel met een smak terug, luid kakelend.

Je handen en armen bloedden en zaten vol zwellingen van de krassen. Je zette weer grote ogen op.

'Inderdaad, het is een *killer*,' zei je. 'Een probleemhaan.'

Je schudde je hoofd, waarschijnlijk verbaasd dat een ander levend wezen je zo te grazen kon nemen. Toen stak je je gewonde handen voor je uit, zoals een klein kind zou doen. Het bloed gutste uit de snee op je knokkels en liep over je pols. Er kleefden een paar kleine borstveertjes aan. Je probeerde met je andere hand het bloeden een beetje te stelpen, maar daarmee haalde je alleen maar een ander sneetje op de rug van je hand open.

'Au,' zei je. Toen keek je op en richtte die grote blauwe open strak op mij. 'Ik denk dat je me straks zult moeten helpen deze te verzorgen,' zei je.

Ik vulde een bak met water, flink heet. Je ging op de stoffige vloer in de huiskamer zitten wachten tot ik het kwam brengen. Je trok een pijnlijk gezicht toen je je hand erin stak. Ik lachte. Kleine genoegens, een eenvoudige vergeldingsactie. Ik viste een oud schuursponsje uit de gootsteen, dat je gebruikte om de afwas mee te doen.

'Is deze goed?' vroeg ik onschuldig.

'Wil je soms dat ik geen vel overhoud?' Je sloeg je ogen ten hemel. 'Laat maar, geef daar maar geen antwoord op.'

Ik nam het sponsje toch maar mee. Ging op mijn hurken aan de andere kant van de bak water zitten. Het water werd roder naarmate je er langer met je handen in rondkolkte.

'Doet dat geen pijn?' vroeg ik.

'Jawel.'

'Hoe hou je het zo lang vol?'

'Ik ben koppig.' Je grijnsde. 'Zo koppig als een kudde ezels. Bovendien wil pijn zeggen dat het geneest.'

'Niet altijd.'

Het bloed bleef stromen; het kolkte en krulde rond je vingers.

'Rothaan,' mompelde je.

Je was nog niet aan je armen begonnen. Daar zaten ook krassen op, sommige tot aan je ellebogen. Zuchtend haalde je je handen uit het water en legde ze naast de bak. Ze waren roze en dik als marshmallows.

'Je zult me toch moeten helpen,' zei je. 'Alsjeblieft?'

Ik keek je aan. 'Waarom zou ik?'

Je fronste. 'Als ik mijn handen niet kan gebruiken, gaan we allebei naar de kloten. Daarom.' Je ademde snel uit, gefrustreerd. 'En ik kan ze niet fatsoenlijk wassen.' Je mondhoek krulde tot een glimlach toen je me weer smekend aankeek. 'En het doet pijn, Gem.'

Stijfjes stak je je handen naar me uit, zoals je eerder had gedaan. Er droop roze water op de vloer. Een druppel kwam neer bij mijn knie en gleed er langzaam vanaf; hij liet een dofbruin spoor achter.

'Wat doe je dan voor mij?' fluisterde ik.

Jij keek ook naar de druppel die van mijn knie rolde en dacht zwijgend na. 'Wat wil je graag?'

'Dat weet je best.'

'Je gaat hier niet weg.' Je draaide je rechterhand om en keek naar het waterige bloed dat er in straaltjes vanaf liep. 'Ik bedoel, wat wil je híér van me, hier en nu?'

Je keek me weer aan. Door die kleine beweging viel je haar voor je ogen. De zongebleekte plukken kwamen bijna tot aan je mond. Je blies ernaar en ze plakten aan je lippen.

'Toe nou,' zei je. 'Je mag kiezen uit alles behalve hier weggaan. Vraag nou iets. Ik doe het graag voor je.' Je boog je nieuwsgierig naar me toe. Ik deinsde achteruit. 'Maar eerst...' fluisterde je. 'Wil je een handdoek voor me pakken? Ze liggen in het grote blik in de badkamer.'

'Dat weet ik.'

Ik maak de gedeukte blikken doos naast de badkamerdeur open en pakte een handdoek voor je. Toen ik terugliep, dacht ik aan alles wat ik van je wilde weten... honderden dingen. Maar ernaar vragen voelde misdadig, als een soort verraad. Dus knielde ik met de handdoek op schoot naast je neer en dacht erover na. Ik zat klaar om je de handdoek te geven zodra je ernaar vroeg, maar je legde je armen er gewoon op, op mijn knieën. Ik voelde de stof vochtig worden van je waterige bloed. Je gezicht was vlak bij het mijne, maar ik hield mijn blik op je armen gericht. Mijn benen waren gespannen, als van een dier dat ieder moment op de vlucht kan slaan.

'Ik wil weten hoe je dit alles hebt gebouwd,' zei ik na een hele tijd. 'Hoe je aan het geld kwam. Als jij het was, zoals je beweert, al die jaren terug in de bosjes... hoe heb je dan vanuit die positie kunnen bereiken wat je hier hebt bereikt?'

Ik keek om me heen in de kamer en zag de spinnenwebben aan het plafond. Ze liepen naar beneden, naar de gordijnen, in heel dunne draadjes, fragiele levenspaadjes. Je rolde met je armen over de handdoek en knikte naar het sponsje.

'Wil je alsjeblieft mijn armen wassen? Dan zal ik je het daarna vertellen.'

Ik doopte het sponsje in het water en wreef ermee over de schrammen. Ik haalde ze nog verder open en schuurde je huid kapot. Je kromp ineen toen je bruine vel plaatsmaakte voor een zachter roze laagje eronder. Ik schrobde nog wat harder. Er bleven stukjes spons in de wonden zitten. Je beet op je onderlip tegen de pijn.

'Ik had heel veel manieren om aan geld te komen,' zei je.

'Eerst door diefstal, ik was vrij goed in het weghalen van handtassen in pubs, dat soort dingen, maar toen werd ik betrapt en dreigden ze me de gevangenis in te gooien.'

Je ving mijn blik. Je wist dat als het aan mij lag, je binnenkort sowieso achter de tralies zou belanden. Je zei er niets over.

'Ik heb zelfs een tijdje gebedeld,' ging je verder. 'Dan zette ik mijn McDonald's-beker op de grond zoals al die anderen, en ik voelde me waardeloos.'

Ik stopte met schrobben. 'Met bedelen krijg je dit alles niet bij elkaar.' Ik keek weer om me heen in de kamer. Die was ruw en eenvoudig, maar hij moest toch meer gekost hebben dan wat kleingeld... heel wat meer.

Je knikte. 'Ik verkocht van alles.'

'Zoals?'

'Wat ik maar had.' Je trok een gekweld gezicht dat niet werd veroorzaakt door de pijn aan je armen. Op dat moment was ik niet eens aan het boenen. 'Ik heb mezelf verkocht voor dit huis.'

'Bedoel je... als prostitué?'

'Als iemand die zijn ziel verkoopt.' Je gezicht betrok bij een herinnering. Je schudde je hoofd om die van je af te zetten. 'Ik heb gewoon gedaan wat iedereen in de stad deed,' zei je, en je blik was ver weg. 'Ik holde achter geld aan en gaf me uit voor iemand die ik niet was om eraan te komen. Hoe langer ik dat deed, hoe gemakkelijker het werd. Maar dat is juist de valstrik, snap je? Als de doodsheid gemakkelijker wordt, weet je dat je dieper wegzinkt, dat je zelf doodgaat.' Je begon je arm droog te deppen met de handdoek en drukte op de schrammen om het bloeden te stelpen. 'En toen kwam het grotere werk.'

'Als dure hoer?' zei ik meesmuilend.

'Bijna. Ik ging bij Fantasyland werken.'

'Als een soort Disney-figuur?'

'Dat zou ik op verzoek ook gedaan hebben, ja.' Je lachte wrang. 'Ik was escort. Ging tegen betaling met mensen uit, met iedereen die me maar wilde, en dan was ik wie ze maar wilden dat ik was: James Bond, Brad Pitt, Superman...' Je zweeg even om mijn reactie te peilen. 'Ik zei toch dat ik Superman kan zijn.'

'Dat is verschrikkelijk.'

'Ja, maar zo gaat het in de stad: iedereen doet graag alsof. Vooral de rijken. Trouwens, het is heel makkelijk om te zijn wat anderen willen dat je bent. Geef ze iets om naar te staren, knik en glimlach en zeg dat ze prachtig zijn.' Je schonk me je allercharmantste lach voordat je eraan toevoegde: 'De drie stappen naar het grote geld.'

Weer glimlachte je, maar deze keer niet charmant. Deze lach was minder gul; triester.

'En dat geld, heb je dat nog?'

Je gebaarde om je heen naar het huis. 'Ik heb het allemaal in het hout gestoken, in dit alles hier... Wat heb je er anders aan?'

'Dus als je hier weggaat,' zei ik, 'heb je niks meer? Geen geld, geen familie, geen toekomst...?'

Je glimlach verdween. 'Ik ga hier niet weg. Nooit.'

Je stond op; het werken aan je genezing was voorbij.

Die nacht sliep ik weer niet. Ik was met te veel vragen in bed gestapt. Vlak voordat het licht werd hoorde ik je stem; je mompelde iets. Ik sloop de gang door en drukte me tegen je deur om te luisteren. Maar je maakte geen enkel geluid meer. Misschien lag je te dromen.

Ik trof je aan in de keuken, waar het ochtendlicht door het raam naar binnen stroomde en jouw huid bescheen. Je doopte doeken in een kom met daarin een donkerbruine brij die naar eucalyptus en aarde rook. Je handen zaten onder de korsten en waren gezwollen. Je pakte een van de doeken en vroeg me je te helpen. Toen ik de doek om je pols wikkelde, keek je door het raam naar buiten, vol ongeduld om ergens aan te beginnen.

'Het wordt heel warm,' zei je. 'Misschien krijgen we een dezer dagen wel regen, als we geluk hebben... als deze stijging doorzet.'

'Welke stijging?'

'Van de luchtdruk. Wanneer de lucht zo zwaar wordt als nu, komt het een keer tot een ontlading. Dat kan niet uitblijven.'

Ik had het ook gevoeld. De afgelopen dagen was het alsof de lucht leefde, alsof hij in mijn oren bleef hangen en erin probeerde te kruipen, zijn hitte aan me opdrong. Soms vroeg ik me af of de wind me helemaal naar huis zou blazen als ik buiten ging staan en mijn armen spreidde.

Je trok je hand terug en voelde aan het verband, om te zien hoe strak ik het had aangebracht.

'Goed zo,' mompelde je. Je trok een la open en rommelde erin.

'Hoe heb je het allemaal hier gekregen?' vroeg ik. 'Het hout en gereedschap en zo?'

Je pakte een metalen klemmetje uit de la. 'Ik had een truck.'

'Dat is alles?'

'En tijd genoeg.' Je gebaarde dat ik met het klemmetje het zojuist aangebrachte verband moest vastzetten.

'En verder?' Ik rekte het elastiekje van het klemmetje uit en stak de haakjes die aan de uiteinden zaten in het verband. Daarna hield ik je pols vast tot je me weer aankeek.

'Goed dan,' zei je met een zucht. 'Er is nog iets... niet ver hier vandaan, een oude mijn, een bouwval, eerder een geraamte. Daar bewaarde ik mijn spullen tot ik ze nodig had. Vervolgens ben ik gaan bouwen. Tien jaar geleden ben ik begonnen, toen ik pas op het idee was gekomen, nog voordat ik wist dat ik jou hierheen wilde brengen.'

'Kunnen we daar niet naartoe gaan?' vroeg ik snel. 'Naar die oude mijn?'

'Er is niks te zien.'

'Vast meer dan hier.'

Je schudde je hoofd. 'Het land is er aangetast en geplunderd, alles is dood.'

Ik deinsde achteruit bij die woorden.

'Ik meen het, Gem. Er is niet meer dan een gat in de grond dat alles heeft opgeslokt. Walgelijk.' Je deed de buitendeur open. 'Ga je mee?'

Ik schudde mijn hoofd. Door je woorden was mijn hart sneller gaan kloppen. Als ik maar bij je sleutels kon komen, dan zou ik die 'bouwval' misschien kunnen vinden. Als het een mijn was, moesten er toch mensen zijn... of in ieder geval iets. Voor de zoveelste keer doorzocht ik je keuken. Ik raakte er steeds meer van overtuigd dat je de autosleutel bij je moest dragen.

Ik ging naar het kleine kamertje en liet mijn vinger langs de ruggen van de boeken gaan. Trok er een paar uit de kast. Er stonden geen landkaarten in, niets wat me kon vertellen waar ik was. Ik keek naar het boek met de titel *The History of the Sandy Desert* en bekeek een paar plaatjes; de verschillende landschappen en foto's van de Aboriginals die hier volgens jou hadden gewoond. Ik volgde met mijn vinger de lijnen van hun gezichten en wenste dat ze niet waren vertrokken.

Ik pakte het volgende boek, een handboek over Australische bloemen en planten. Toen kreeg ik een ingeving. Misschien kon ik aan de hand van de begroeiing om me heen nagaan waar ik was. Ik bladerde het boek door. Sommige planten kwamen me bekend voor, zoals in het hoofdstuk over spinifex. Toen las ik: *Spinifex trioda overheerst in ruim 20% van Australië en komt voor in alle staten, met uitzondering van Tasmanië.* Fijn, dacht ik, ik kan dus eigenlijk overal zitten... behalve in Tasmanië.

Ik trok de kast open. Op de onderste plank lag een gitaar zonder snaren naast een half leeggelopen voetbal. Toen ik die opzijschoof, schoot er iets zwarts met veel poten weg, dat ergens achterin in een donker gat verdween. In een hoekje hing een spinnenweb. Ik zocht niet verder.

Op de middelste plank stond een vieze naaimachine die zo te zien ouder was dan ik. Ik draaide aan het wiel aan de zijkant en zag de naald langzaam omhoog en omlaag gaan. Ik zou willen dat hij op magische wijze een kaart zou naaien die me aantoonde hoe ik thuis moest komen. Ik drukte mijn vinger tegen het puntje van de naald. Die was roestig maar nog scherp, wat me verbaasde omdat de naaimachine er zo oud uitzag. Ik friemelde aan de naald tot hij afbrak en streek ermee over mijn hand, volgde de levenslijn. Halverwege mijn hand stopte ik om mezelf op de proef te stellen. Zou ik hem er dwars doorheen kunnen drukken? Hoeveel pijn zou dat doen? Hoeveel schade kon die naald eigenlijk aanrichten?

De keukendeur viel met een klap dicht en ik hoorde jou door het huis benen. Ik vouwde mijn hand om de naald en stopte hem in de zak van mijn korte broek, waarna ik snel de kast dichtdeed en terugliep naar de boekenplank. Ik pakte *Huckleberry Finn* en wachtte af. Je kwam binnen. De laatste tijd vroeg je me niet meer de hele tijd wat ik aan het doen was, en die dag was geen uitzondering. Je keek me alleen maar even aan en begon toen te ijsberen; je liep de kamer door alsof het een kooi was. Je hief je verbonden handen alsof je een of andere god aanriep.

'Ik kan hier niets mee,' zei je nors. 'Zullen we een eindje gaan lopen of zo?'

Ik knikte, want ik dacht aan de oude mijn. De naald nam ik mee.

Jij nam een mand mee. Het was een rood plastic supermarktmandje waar de naam van de winkel nog in fletse letters op stond. Je hield hem langs je zij en zwaaide ermee tijdens het lopen. Toen we de omheining door liepen, begroette je de dromedaris. In de schaduw van de rotsen bleef je staan en keek aandachtig naar de begroeiing aan de randen ervan. Je streek over de blaadjes van een struikje dat een beetje op spinifex leek. Ik dacht aan de plantengids die ik had doorgebladerd en vroeg me af of de grijsgroene sprieten een aanwijzing zouden kunnen vormen. Ik vroeg je hoe de plant heette.

'Melde,' zei je. 'Groeit overal.'

'Jammer.' Ik raakte de ruitvormige blaadjes aan. 'Ik dacht dat het misschien iets bijzonders was. Zeldzaam, zeg maar.'

'Het ís ook iets bijzonders.' Je tuurde met half dichtgeknepen ogen naar me. 'Je zou er boeken over kunnen volschrijven. Het is lekker spul, maar als je het op de juiste manier klaarmaakt, helpt het ook nog eens tegen zwellingen en kiespijn, het is goed voor de spijsvertering...' Je plukte wat van de smalle, geschubde blaadjes en stopte ze in je mandje. 'Dit is een van de planten die niet alleen tegen de zoute grond kunnen, maar er zelfs heel goed op gedijen,' voegde je eraan toe. 'Een behoorlijk nuttig plantje dus.'

'Waar ga je het voor gebruiken?' Ik streek met mijn vinger over het blad.

'Hiervoor!' Je hield je verbonden hand omhoog. 'En we kunnen ze ook door het eten doen.'

Ik probeerde een blaadje te plukken, maar het verpulverde in mijn hand. 'Het ziet er niet lekker uit. Eerder verdord.'

'Hoor je dat, Melde?' Je had het tegen de plant, niet tegen mij. 'Je bent verdord. Morsdood. Laat dat nou eens tot je doordringen!' Lachend stond je op en keek me aan. 'Hier in de woestijn houden planten zich dood, Gem. Dat is een overlevingsstrategie. Diep onder de grond bruisen ze van het leven. Bijna alle begroeiing in de woestijn zit onder de grond.' Je nam de verkruimelde blaadjes van me over en hield er een tegen het puntje van je tong. 'Vergelijk het maar met ons in de stad, of de stad zelf... dood om te zien, maar diep vanbinnen leeft het. Hier, moet je dit zien.' Je bleef staan om een plantenwortel aan te wijzen die in een spleet tussen de rotsen groeide. 'Dat lijkt toch weinig voor te stellen?'

'Net zo dood als de rest.'

'Het is een sluimerfase, hij is klaar om weer tot leven te komen.' Je streek er met je vinger langs. 'De volgende keer dat we regen krijgen, leeft deze helemaal op en gaat hij bloeien. En een paar weken later draagt hij vruchten, een soort woestijndruiven. Ongelooflijk toch, voor iets wat zich zo lang slapend heeft gehouden?'

Je ging niet de Afgezonderden in; je liep eromheen. Nadat je nog wat blaadjes in je mand had gestopt, leunde je tegen de ruwe zwarte stam van een niet al te grote boom. Je stak je hand naar achteren en streelde hem.

'En dit is de woestijneik,' mompelde je. 'De grootste en meest tragische van allemaal.'

Melde, woestijndruif, woestijneik... die namen moest ik onthouden. Ik herhaalde ze in stilte en probeerde ze in mijn hoofd te prenten. Ik raapte een afgevallen blad op, dor van de zon, en stopte dat in mijn zak bij de naald. Toen ging ik tegenover je zitten. De naald prikte een beetje in mijn been toen ik door mijn knieën ging. Ik stak mijn hand in mijn zak en drukte weer op het roestige puntje. Terwijl jij de boomstam streelde, rolde ik de naald heen en weer. Ik keek naar de bewegingen van je keel. Als je slikte, ging je adamsappel heen en weer als een doelwit. Je stak je hand omhoog en pakte wat van de fluisterende boomblaadjes beet.

'Sommige mensen zeggen dat de geest van de dingo in deze boom zit,' ging je verder. 'Of dat het een oeroud wezen is, met wapperend wit haar, en anderen beweren dat wanneer de wind goed staat, hij zijn wortels uit de grond kan halen en zich door het landschap kan bewegen. Maar om zich voort te planten, moet hij sterven.' Je verpulverde de blaadjes en rolde ze over je handpalm, alsof je een televisieprogramma presenteerde over graan of zaadjes. 'De zaadpeulen gaan namelijk pas open wanneer ze door brand verwoest worden. Na de brand verspreiden de zaadjes zich met piepkleine vleugeltjes, zodat het bereik groter wordt.' Je liet de blaadjes vallen en gaf een klopje op de boomstam. Je glimlachte, blij dat ik luisterde. Je dacht dat het me interesseerde. 'Ik heb bomen zoals deze in brand zien staan,' ging je op zachte toon verder. 'Ze branden als fakkels en verwoesten alles eromheen met hun chaos, maar ze zorgen ook voor nieuw leven.' Toen je tegen de stam leunde, gaf die zwart af op je nek en haren. Er viel een kevertje op je schouder.

De naald was zo klein dat ik hem amper voelde. Ik balde mijn vuist nog steviger, tot ik het dunne, harde staal weer voelde. Toen keek ik naar je gezicht, naar je boosaardige, mooie ogen. Ik wist wat ik zou willen doen. Ik boog me naar je toe om de afstand in te schatten. Een meter? Twee? Jij maakte eruit op dat ik geïnteresseerd was in je verhaal, dus praatte je door, grijnzend als een klein kind.

'Waar bij een brand de meeste begroeiing sneuvelt,' ging je verder, 'overleeft de woestijneik het... in zeker opzicht. Die profiteert juist van het vuur, of eigenlijk profiteren zijn kinderen ervan.'

'En de andere planten?' vroeg ik om tijd te rekken, zodat ik kon nadenken.

'Het vuur verwoest alles, om de eik te laten voortleven. Dat zit slim in elkaar, eigenlijk heel menselijk: je wacht tot alles is uitgeroeid en dan sla je je slag.'

Je kneep je ogen dicht en sloeg je armen stevig om de boom achter je, tegen je rug. Ik opende mijn vuist en keek omlaag. De naald glinsterde in de zon. Ik zag dat het zonlicht op je gezicht danste en je sloom maakte. Dat moment koos ik uit om me naar je toe te buigen. Mijn knie brak een twijgje doormidden. Ik verstarde als een geschrokken dier. Maar je bleef gewoon zitten.

'Misschien dat we op het allerlaatst overblijven met de woestijneiken,' mompelde je. 'Dan moeten we het samen uitvechten.'

Ik was op nog maar een paar centimeter afstand. Je moet me gehoord hebben, maar je hield je ogen dicht. Misschien dacht je dat ik mijn mening over je had bijgesteld. Misschien stelde je je voor dat ik pal naast je zou zitten wanneer je je ogen opendeed, dat ik met mijn gezicht dat van jou wilde aanraken. Je likte zelfs langs je lippen om de droge velletjes en holtes te bevochtigen, gretig.

Ik draaide de naald rond tussen duim en wijsvinger. Stak hem met trillende hand naar je uit. Bracht hem naar je ooglid. Ik hield mijn adem in en probeerde de naald stil te houden. Hield mijn hand op de juiste plek. Toen zette ik de punt tegen je tere huid.

Je verstarde onmiddellijk.

'Eén beweging en ik druk door,' zei ik. 'Dwars door je oog heen je hersenen in.'

'Wat is dat?' Je fronste. 'Het is van de naaimachine, hè?' Je mondhoeken bewogen en je begon te lachen. 'Betekent dit dat je me wilt naaien?'

Ik stak de naald in je oog, niet diep, maar diep genoeg om te laten merken dat het menens was... diep genoeg om je te laten ophouden met lachen. Je deinsde terug en knalde met je hoofd tegen de boomstam.

'Ik wil je autosleutels,' zei ik. 'Als je ze nu geeft, zal ik niet doorduwen.'

'Natuurlijk, je wilt ontsnappen. Ik dacht dat we dat nu wel hadden gehad.' Je zuchtte. 'Laat me dan met je meegaan.'

'Nee.'

Voorzichtig deed je je andere oog open. Je vond mijn blik. 'Je gaat daar dood, Gem. Laat me meegaan.'

'Waarom zou ik jou meenemen? Ik wil juist bij je weg.'

Je bleef me aankijken. Ik vroeg me af of je me bang wilde maken, of je zou gaan dreigen met wat je me allemaal zou aandoen als ik niet deed wat je wilde. Ik bleef op je ooglid drukken.

'Zeg me waar die oude mijn is.'

'Geloof me nou,' fluisterde je, 'dat werkt zo niet.'

'Jawel. Waar is de mijn, waar zijn de mensen?'

Met mijn andere arm klopte ik op je shirt, op de borstzakjes. Toen voelde ik aan je broek. Je verzette je niet. Misschien vond je het fijn dat ik je betastte, of misschien had je die dag de kracht niet om met me in discussie te gaan. Ik trof één autosleutel aan op je linkerbovenbeen, in het hoekje van je broekzak. Ik pakte hem stevig beet. Maar toen wist ik niet meer wat ik moest doen. De naald tegen je oog houden en je dwingen met me naar de auto te lopen? Je hard steken? Of moest ik gewoon maken dat ik wegkwam?

Uiteindelijk loste jij het voor me op. Je begon weer te lachen en pakte me bij mijn arm. Voordat ik het besefte had je de naald bij je oog vandaan getrokken. Je keek me aan, nu met beide ogen, en hield me stevig beet bij mijn pols.

'Doe niet zo dramatisch,' zei je. Je stem klonk helder en beheerst. 'Als je echt zo wanhopig bent, Gem, ga dan maar. Eens kijken hoe ver je komt.'

Ik was al weg voordat je de zin had afgemaakt. Ik hield de sleutel heel stevig vast, bang dat je ieder moment achter me aan kon komen, dat je me met die sterke armen tegen de grond zou drukken. Ik keek niet om en rende in een rechte lijn door de melde; de naaldachtige blaadjes krasten op mijn benen. Een takje bleef aan mijn broek haken en ik trok het mee. Ik merkte het amper. Ik sprong over een termietenheuveltje. Toen zag ik je auto staan, naast de schilderschuur, met de motorkap naar de woestijn gericht. Nu maar hopen dat je het een en ander in de kofferbak had laten liggen... water, proviand, benzine. Ik vloog door het gat naar de ren van de dromedaris. Die stond op en kwam naar me toe gedraafd. Maar ik stoof langs haar heen.

'Dag meisje,' zei ik hijgend. 'Sorry dat ik je niet kan meenemen.'

Ze rende een paar meter met me mee; haar passen waren drie keer zo groot als die van mij. Ik wilde haar vrijlaten, maar ik kon het risico niet nemen om nu tijd te verliezen.

Bij de auto aangekomen ramde ik de sleutel in het portierslot. Ik kreeg het niet omgedraaid. Te stijf. Of ik had de verkeerde sleutel. Ik wrikte hem heen en weer en hij brak bijna af. Toen drong het tot me door dat de auto niet op slot zat. Ik rukte het portier open; het kraakte luid door de stugge scharnieren.

Ik keek om. Slechte zet. Je kwam vanaf de Afgezonderden naar me toe gelopen, zwaaiend met je armen en met het rode mandje. Je haastte je niet. Ik denk dat je dacht dat ik toch niet kon autorijden, want je leek ervan overtuigd dat ik niet zou ontsnappen. Maar ik wist dat ik het kon. Ik hees mezelf in de bestuurdersstoel. Sloeg het portier dicht. Stak de sleutel in het contact. Mijn voeten zaten ver van de pedalen, maar er zat zoveel zand tussen de hendel waarmee ik hem naar voren moest schuiven, dat me dat niet lukte. Ik ging op het puntje van de stoel zitten. Het stuur was zo heet dat ik het niet lang kon vasthouden. Er was geen lucht in de auto. Alleen maar hitte. Ik probeerde me de instructies van mijn vader te herinneren: sleutel omdraaien, voet op de koppeling, in z'n vrij zetten. Of was het in z'n één? Ik keek om naar jou. Je liep nu harder en riep iets naar me, maar ik kon het niet verstaan. Je was al door de omheining van de dromedaris heen.

Ik draaide de contactsleutel om. De auto kwam tot leven en schoot met een ruk naar voren in het zand. En op dat moment, toen hij een sprong maakte, dacht ik dat het me was gelukt. Ik zou daar weggaan! Toen schoot mijn voet van de koppeling en stopte de auto. Hij haperde. Ik klapte met mijn borst tegen het stuur.

'Kom op, kom op!' riep ik, en ik stompte op het stuur. Je was nog maar tien meter bij me vandaan, misschien wel minder. 'Rijden!'

Jij riep ook iets. Ik pompte met mijn voet op het pedaal en bewoog mijn bovenlichaam heen en weer alsof ik de auto naar voren wilde dwingen. Er liep iets nats over mijn wangen, zweet of tranen, misschien zefs wel bloed. Je stak je armen naar me uit in een soort smeekbede.

'Waarom, Gemma?' zei je. 'Waarom doe je dit?'

Maar ík wist waarom. Omdat het mijn enige kans was, omdat ik niet wist wanneer ik hier vandaan zou gaan. Ik zette de versnellingspook weer in z'n vrij. Draaide de sleutel om. Ik snap niet dat ik nog wist hoe het allemaal moest. Het was alsof een andere Gemma het had overgenomen, een volwassener, logischer denkende Gemma die deze dingen had onthouden. Ik drukte het gaspedaal in, niet te diep. En deze keer haperde de auto niet; hij gromde alleen afwachtend. Toen ik jou die laatste keer had geobserveerd, had je de koppeling langzaam laten opkomen. Dat probeerde ik nu ook te doen, en tegelijkertijd drukte ik met mijn andere voet het gas verder in. De auto brulde. Ik greep het stuur stevig vast om in evenwicht te blijven op het puntje van de stoel. Je was er nu bijna.

Plotseling drong het tot je door dat ik het weleens echt zou kunnen doen. Je begon te rennen en je gezicht was vertrokken tot een boze kreet. Je smeet het rode winkelmandje naar de auto; het landde met een dreun op het dak. Sprieterige plantjes gleden over de voorruit. Maar de auto brulde nog steeds, stuiterend als een hond die aan zijn riem rukte om te ontsnappen. Ik liet de koppeling opkomen. Dat probeerde ik voorzichtig te doen, zoals jij het had gedaan, maar toen de auto optrok, gierden de banden zo woest dat mijn vrienden trots op me zouden zijn geweest. Ik gilde zo hard dat het me verbaast dat de zoekteams me niet hebben gehoord.

Maar jij hoorde het wel. Je gezicht was vlak voor het zijraampje, je drukte je handen tegen het glas en klauwde naar de portiergreep. Je ogen stonden hard. Ik trapte het gaspedaal verder in en de auto hopste over het zand. Ik voelde de banden draaien. Je dook achter de auto aan en graaide naar de buitenspiegel. Je kreeg hem te pakken en hield je vast.

'Gemma, doe dit nou niet,' riep je. Je stem klonk vastberaden en dwingend.

Ik zwenkte opzij, maar je verloor je greep niet. Je trok aan de hendel en het portier ging een stukje open. Ik reikte naar achteren en ramde het slot naar beneden. Gefrustreerd bonsde je op het raampje. Ik gaf weer gas en jij rende mee naast de auto, nog steeds met je hand om de spiegel heen. Je trok eraan alsof je puur op kracht de hele auto zou kunnen tegenhouden. Ik gaf plankgas. Dat was afdoende. Met een harde kreet viel je in het zand; de buitenspiegel hing nu aan een paar draadjes en klapperde tegen de auto. Ik hoorde je achter me schreeuwen, schor en wanhopig.

En toen lag er een uitgestrekte open vlakte voor me. Ik gaf een ruk aan het stuur en reed in de richting van de donkere heuvels aan de horizon. De auto slipte. De motor gierde door het rulle zand.

'Alsjeblieft,' fluisterde ik. 'Niet vast blijven zitten.'

Ter compensatie liet ik de motor loeien. Ik keek in de binnenspiegel. Je stond nog steeds te schreeuwen, met opgeheven armen. Toen begon je achter de auto aan te rennen; je stak als een bezetene je gebalde vuisten in de lucht.

'Nee!' riep je. 'Hier krijg je spijt van, Gemma!' Je nam je hoed af en smeet hem naar de auto, en daarna bukte je om stenen en stokken en alles wat je kon vinden op te rapen en ook die achter me aan te slingeren. Ik voelde ze op de kofferbak dreunen. Je geschreeuw klonk woest, als de kreten van een wild dier... alsof je al je zelfbeheersing had verloren. Ik bleef tandenknarsend het gaspedaal indrukken. Toen kwam er een kei tegen een van de banden aan en begon de auto te slingeren. Ik wierp een blik in de achteruitkijkspiegel. Je liep gebukt en mikte rechtstreeks op de banden, alsof je ze lek probeerde te gooien. Maar ik bleef plankgas geven, steeds verder bij je vandaan.

Ik liet me door jou niet tegenhouden.

De auto stuiterde door het landschap, over stenen en spinifexstruikjes. Op de een of andere manier lukte het me om hem recht te houden, op weg naar die verre schaduwen waarvan ik dacht dat de mijn er moest liggen. Ik moest eigenlijk doorschakelen, maar dat vertrouwde ik mezelf niet toe. Ik moest wachten tot het huis en de gebouwen heel ver achter me lagen. Dan kon ik doen wat ik wilde. De auto zuchtte en steunde. Jij moet het ook gehoord hebben; iedere wanhopige kreun van de koppeling moet je door merg en been zijn gegaan.

Het groepje gebouwen werd kleiner, en uiteindelijk kon ik jou zelfs niet meer zien in de spiegel. Toen begon ik te gillen, maar god weet wat ik allemaal uitkraamde. Het was me gelukt! Ik was ver weg, alleen... zonder jou. Zonder iemand. Ik was vrij. Ik reed in het niets, op weg naar alles.

Een paar keer wierpen de banden te veel stof op, en de auto minderde vaart. Ik liet de motor loeien en deed wat ik jou had zien doen om hem weer vooruit te krijgen. Iedere keer was de auto weer sterk genoeg om zich los te trekken. Ik schakelde door toen de motor begon te stinken. Het leek wel de snelste cursus autorijden ter wereld. Mijn vader zou een hartaanval hebben gekregen als hij naast me had gezeten. Ik keek naar de benzinemeter. Halfvol, het stipje in het midden; ook halfleeg dus. De temperatuurmeter zag er ook niet al te best uit: de naald stuiterde heen en weer en kwam steeds dichter bij het rode gedeelte. Waarschijnlijk betekende dat dat de auto oververhit raakte. Eén ding was zeker: ik was je wagen compleet aan gort aan het rijden.

Ik probeerde niet op het dashboard te letten en reed door. Ik keek strak voor me uit en richtte me op die schemerige schaduwen aan de horizon. Het landschap strekte zich oneindig voor me uit. Geen bandensporen, geen telegraafdraden. Er was niets wat erop duidde dat hier ooit mensen waren geweest. Alleen ik.

Uiteindelijk kwam ik bij de schaduwen. Alleen was daar niet de mijn waarop ik had gehoopt, of zelfs maar een paar vruchtbare heuvels. Nee, het waren langgerekte bergen zand. Duinen, gevormd door de wind en bij elkaar gehouden door lapjes begroeiing. Daar was ik al achter lang voordat de auto ze bereikte, maar ik bleef erheen rijden. Ik weet niet waarom, ik geloof dat het me beter leek dan het vlakke land aan alle andere kanten. Ik dacht dat er misschien aan de andere kant iets zou zijn, achter de duinen. Toen ik dichterbij kwam, torenden ze boven me uit. Ik kon er niet overheen rijden. De auto gierde en kreunde nu al en dreigde het elk moment te begeven. Ik zou eromheen moeten. Met mijn arm veegde ik over mijn gezicht, maar het werd er alleen maar natter van. Iedere centimeter van mijn lichaam voelde heet en klam, ook al stond het raampje open. De achterkant van mijn T-shirt was zo nat alsof ik in een zwembad was gesprongen.

Ik stak mijn hoofd door het raampje naar buiten en deed mijn best om de auto in beweging te houden. De ondergrond werd zachter. Ik liet de motor loeien en de banden wierpen zand in mijn gezicht. De auto worstelde en verzamelde steeds meer zand rondom de banden. Ik probeerde het stuur de andere kant op te draaien, in de hoop dat ik dan meer grip zou krijgen, maar dat was een vergissing. De banden vonden vers zand aan de andere kant van het spoor dat ik had gevormd en liepen nu echt vast. Ik draaide met een ruk het stuur terug en probeerde het nog een keer. Niks. Hoeveel gas ik ook gaf, de auto kwam niet meer vooruit. Hij zakte alleen maar dieper weg in het zand. Ik bleef het gaspedaal indrukken tot ik weer een brandlucht rook. Toen stapte ik uit en probeerde te duwen. Maar de auto was zwaarder dan een olifant. Ik zat vast.

Het landschap vervaagde voor mijn ogen, alsof ik het door water bekeek. De spinifex wiegde heen en weer als zeewier. Ik sloot mijn ogen, maar alles bleef draaien. Ik leunde achterover tegen de hete autozitting en liet me langs het portier glijden. Mijn hoofd bonsde en mijn tong was dik en droog. Ik krulde me op tegen een van de wielen; mijn armen tintelden van het hete zwarte rubber op mijn huid. De zon verschroeide me, kneep me fijn. De zweetdruppels liepen van mijn gezicht op de banden. Ik tastte naar de donkere ruimte onder de auto. Misschien moest ik daarheen kruipen. Ik wou dat ik een insectje was, iets wat zich door het hete zand kon graven naar een koel plekje daar beneden. Ik had water nodig.

Toen moest ik overgeven. Een dun straaltje niks liep langs de zijkant van de autoband. Ik wilde méér kwijt, maar er kwam niet meer. Alles daaide en draaide.

Toen ik mijn ogen opendeed, was de zon een stukje opgeschoven. Mijn zicht was minder wazig. Ik richtte me op de bomen vlak bij me; het waren er drie. Ik hoorde de droge bladeren tegen elkaar krassen en de vliegen rondom de stammen zoemen.

Ik sleepte me naar de kofferbak. Voordat ik die opendeed, vouwde ik letterlijk mijn handen om te bidden. Ik heb nooit zo in God geloofd, maar op dat moment beloofde ik Hem van alles. Ik zou de grootste God-aanbidder ter wereld worden als er maar water en voedsel in die kofferbak lagen, plus iets waarmee ik de auto uit het zand kon loskrijgen.

'Alstublieft,' fluisterde ik. 'Alstublieft.'

Ik tastte naar de sluiting en drukte de klep open. Er lag water achterin. Een plastic tweeliterfles, op z'n kant, midden in de kofferbak. Ik griste hem naar me toe, pulkte de dop eraf en goot het vocht in mijn keel. Het was warm, maar ik dronk met grote slokken. Er liep water langs mijn gezicht en hals. Ik zoog het op als een spons. Toen moest ik mezelf dwingen om te stoppen, ook al wilde ik nog meer. Ik had bijna de helft opgedronken.

Verder lag er weinig in de kofferbak. Een handdoek. Een blik met inhoud; benzine, zo te ruiken. En een van jouw grote hoeden van dierenhuid. Er lag ook gereedschap voor de auto. Maar geen eten. En niets waarmee ik de auto zou kunnen lostrekken. Ik besloot dat God toch niet bestond.

Ik stapte in en startte de motor weer. Maar de wielen groeven zich alleen maar dieper in het zand. Ik ramde met mijn vuist op het stuur. Toen kwam ik op het idee om bij de bomen te gaan zoeken naar stukken hout die ik onder de banden zou kunnen leggen. Als de auto maar ergens grip op kreeg, zou ik hem misschien los kunnen krijgen. Maar het waren hoge bomen en ik kon niet bij de takken. Toen ik aan de bast rukte, kwamen er alleen maar heel kleine stukjes schors los.

Dat was het moment waarop ik het bloed zag. Althans, dat dacht ik in eerste instantie... Bijna gestold, robijnrood bloed dat van de stam van de dichtstbijzijnde boom droop. Ik keek snel om me heen, maar er was niets te zien – niets en niemand. Het leek wel of de boom zelf bloedde. Toen ik met mijn nagels aan het spul pulkte, liet het in schilfers los en maakte vlekken op mijn vingers. Ik rook eraan. Eucalyptus. Het was dus gewoon plantensap.

Ik klom het duin op. Mijn voeten zakten weg in het zachte zand en mijn spieren spanden zich. Er ritselde van alles in de spinifex toen ik langsliep. Op de top bleef ik staan en keek om me heen, met mijn hand boven mijn ogen tegen de zon. Aan de andere kant van de duinen was niets nieuws te zien. Geen oude mijn, geen mensen. Alleen maar meer zand, meer stenen, meer bomen en ook weer donkere duinen in de verte. Voor zover ik het kon zien, was ik de enige persoon in de wijde omtrek. Ik sloeg mijn armen om mijn lichaam en blies koele lucht over mijn gloeiende huid. Als ik hier ter plekke op dat duin zou doodgaan, zou niemand er iets van weten. Zelfs jij niet. Ik liep terug naar de auto. Ik zou een dutje gaan doen. Het was te heet om na te denken.

Toen ik wakker werd, scheen de maan. Ik lag er op de achterbank door het raam naar te kijken. Hij was geel en rond, als zo'n grote kaas die mijn vader ieder jaar met Kerstmis kreeg op zijn werk. Ik zocht naar het mannengezicht erin: twee holle ogen en daaronder dat lome lachje, en de kraters die een beetje op een stoppelbaard leken. Het was een vriendelijke maan, maar hij stond zo ver weg. De hemel eromheen was een diep, helder meer; als er op dat moment een astronaut op de maan was geweest, had ik hem vast en zeker kunnen zien. Misschien zou hij dan ook naar mij kunnen kijken... De enige die me zag.

Ik lag onder de handdoek die ik in de kofferbak had gevonden, maar ik had het nog altijd steenkoud. Ik wreef over mijn armen. Ze waren roze van de zon, mijn bovenarmen verveld. Ik had het te koud om nog langer te slapen, dus kroop ik tussen de voorstoelen door naar de bestuurderskant. Vanaf daar pakte ik de handdoek van de achterbank en legde die over mijn benen.

Ik draaide het sleuteltje een slag om, ver genoeg om de koplampen aan te doen. Het zand strekte zich grijs en spookachtig verlicht voor me uit, als een lange zuil. Het leek wel zo'n tunnel die je schijnt te zien als je doodgaat: de weg naar de hemel. Ik zag iets bewegen aan de rand ervan. Daar zat een knaagdiertje met grote oren aan een boomwortel te knabbelen. Het beestje staarde in de lampen, tijdelijk verblind, en huppelde toen de duisternis in.

Ik draaide de contactsleutel nu helemaal om, tot de auto weer begon te kuchen, en toen pompte ik het gaspedaal heen en weer totdat de kuch een brul werd. Het lawaai was oorverdovend in die stille nacht. Er moest behalve ik toch nog wel íémand zijn die het hoorde? Ik liet de koppeling langzaam opkomen en probeerde de auto met mijn gedachten voorwaarts te dwingen. En hij bewoog inderdaad – een beetje. Zo'n twee tellen ploegden de banden door het zand en ze kregen bijna grip, maar toen zakten ze weer weg in de diepe kuil die ze zelf hadden gegraven.

'Klotewagen!'

Mijn stem klonk zo luid dat ik ervan schrok. Ik legde mijn hoofd op het stuur en neuriede een lied dat we op school hadden geleerd. Maar er neuriede niets terug. De stilte loerde overal om me heen, dreigend als een wolf. Ik vroeg me af wat zich allemaal daar in het donker ophield. Mijn lijf begon te trillen en er kwam een waas voor mijn ogen. Het duurde even tot het tot me doordrong dat ik huilde.

Ik verzamelde alle begroeiing die ik kon vinden of plukken zonder mijn handen al te erg open te halen en propte de plukken onder de banden, maar ik kreeg nog steeds geen beweging in de auto. De wielen groeven de planten alleen maar in het zand en kregen geen grip. Ik probeerde het nog een keer, nu met steentjes, maar het werd steeds erger en de banden groeven dieper. Als ik iemand had gehad die me kon aanduwen terwijl ik gas gaf, zou het me misschien gelukt zijn, maar in mijn eentje was het hopeloos. Ik stapte uit en gaf een paar trappen tegen de banden, maar ik wist dat het een verloren zaak was.

Tegen de tijd dat ik begon te lopen werd het al licht. Ik nam de fles water mee en zette jouw hoed op. Die viel ver over mijn ogen; hij was een beetje te groot. Ik wist dat het heet zou worden, lopen bij daglicht, maar ik had weinig keus. Als ik bij de auto bleef, zou ik nooit gevonden worden. Bovendien was het nog vroeg, en dus nog koel.

Ik sjokte door het zand en hield de duinen aan mijn rechterhand. Algauw voelde ik mijn bovenbenen. In het begin probeerde ik snel door te lopen, om zo ver mogelijk te komen voordat het echt heet zou worden. In de hitte werd het moeilijk om diep te ademen, en bij iedere stap voelde het alsof mijn schoenen van lood waren. Ik liet mijn hoofd hangen en concentreerde me op mijn voeten... eerst de ene naar voren, dan de andere. Ik begon te stinken; mijn verse zweet mengde zich met het oude, opgedroogde transpiratievocht van gisteren. Ik nam kleine slokjes van het water. Het was nooit genoeg, maar meer stond ik mezelf niet toe.

Ik was al een tijd aan het lopen toen het tot me doordrong dat ik geen bomen zag. Niet één. Het hoogste punt in dat roestbruine landschap was een kluitje spinifex. Ik bleef staan, draaide me om en keek naar de oneindigheid om me heen. Overal alleen maar zand. Hoe kon iemand hier iets vinden? Ik ging in het warme zand zitten, maakte me heel klein en wiegde heen en weer. Ik huilde, en tegelijkertijd kon ik het niet uitstaan van mezelf... dat ik water verspilde aan tranen. Harde zandkorrels plakten aan mijn wangen en schuurden eroverheen. Verderop hoorde ik de wind het zand beroeren en rondblazen. Ik kreeg stof in mijn mond, dat aan mijn tanden en tong plakte. Het land teisterde me, putte me uit zoals het de rotsen had uitgeput. Ik zou doodgaan. Wat was het stom van me geweest om te hopen dat ik ergens zou uitkomen.

Maar iets maakte dat ik het niet opgaf. Nog niet. Niet op dat moment. Ik sjorde mezelf overeind. Liep verder. Ik probeerde aan thuis te denken. Ik stelde me voor dat Anna naast me liep, dat ze me aanspoorde. Maar telkens wanneer ik naar haar wilde kijken, verdween ze. Haar stem was er wel, overal om me heen als de lichte wind.

Ik dronk met kleine slokjes het laatste bodempje water op. Toen likte ik de dop uit; mijn tong gleed door de groeven. De lege fles gooide ik in het zand. Ik zette de ene voet voor de andere. Doorlopen. Een tijdje ging het wel, maar toen steeg de zon nog verder aan de hemel, tot hij pal boven mijn hoofd stond. Ik begon te strompelen. Ik viel. Klauterde weer op. Begon weer te lopen; mijn tenen sleepten door het zand. Ik stak mijn armen voor me uit en graaide naar de lucht, in een poging mezelf vooruit te trekken. De aarde wilde me hebben, hield zijn armen al in de aanslag om me beet te pakken. Ik zou dit niet eeuwig volhouden. Weer viel ik. Deze keer kon ik niet meer overeind komen. Op handen en knieën kroop ik verder.

Ik trok aan mijn shirt en rukte het van mijn lijf, in de behoefte aan iets wat me zou verkoelen. Daarna waren mijn schoenen aan de beurt. Ik liet ze achter in het zand. En toen mijn korte broek. Het was beter om in mijn ondergoed verder te kruipen. Ik slaagde er zelfs in om op te staan en weer een paar passen te lopen, tot ik opnieuw omviel. Daar lag ik in het zand, met mijn gezicht naar de zon, en ik kreeg bijna geen lucht. Alles was heel helder en wit. Ik draaide me om. Ik moest in beweging blijven. Toen stak ik mijn vingers achter het elastiek van mijn onderbroek en trok hem over mijn benen. Een paar meter verder maakte ik mijn beha los.

Ik kroop voort. Het zand schuurde op mijn huid, maar

daar kon ik wel mee leven. Ik had het nu koeler. Ik hees me weer omhoog en ging staan. Dat lukte net. Mijn lichaam wankelde en mijn hoofd draaide cirkels in de lucht. Een vlieg vloog mijn neus in, wanhopig op zoek naar vocht. Ik voelde hem naar binnen kruipen. Toen kwamen er meer. Een hele zwerm daalde op me neer alsof ik al een kadaver was. Ze zaten in mijn oren en in mijn mond, en tussen mijn bovenbenen. Wegslaan zou te veel energie hebben gekost. In plaats daarvan zette ik nog een stap. De wereld tolde. Even was de lucht rood en het zand blauw. Ik deed mijn ogen dicht. Nog een stap. Ik concentreerde me op het gevoel van de zandkorrels onder mijn voetzolen: heet, maar niet scherp. Zo liep ik daar, naakt en nietsziend en bedekt met vliegen, op de tast. Ik wist niet meer waar ik naartoe ging. Ik wist sowieso niet veel meer. Alleen dat ik me voortbewoog.

Even later zakte ik weer in elkaar. En deze keer wist ik dat ik niet meer overeind zou kunnen komen, wat ik ook probeerde. Ik rolde door het zand en duwde mijn gezicht erin. Ik wilde een dier zijn, me diep begraven. Dus groef ik, en ik probeerde mijn lijf onder het zand te krijgen, op zoek naar koelte. Maar al mijn kracht was mijn lichaam uit gezweet. Weggestroomd. Het zand had het allemaal geabsorbeerd. Daar lag ik dan, half begraven. Ik sloot mijn ogen tegen de zon en zonk weg.

Eerst verdwenen mijn tenen, toen mijn benen, mijn romp en ten slotte mijn hoofd... dieper, dieper, dieper onder het zand. Ik viel dwars door de korrels heen, door aarde en steen, langs dierenholen en boomwortels en minuscule gravende insecten, verder en verder, tot ik aan de andere kant uitkwam.

Ik lag thuis op bed. Mijn ogen zaten dichtgeplakt, maar ik hoorde mensen praten. Mijn tv stond aan. Ik herkende de stem van een van de nieuwslezers.

'Het weer in Londen is vandaag onvoorstelbaar,' zei hij. 'Alweer zo'n krankzinnige hittegolf.'

Mijn dekbed was hoog opgetrokken tot aan mijn hals. Ik kon het niet van me af duwen. Het leek wel alsof het aan mijn kussen was vastgenaaid; het smoorde me als een deken van hitte. Ik voelde het zweet samenkomen op mijn onderrug en in mijn haar.

Toen rook ik iets. Koffie. Mijn moeder was thuis. Ik spitste mijn oren. Ze rommelde luidruchtig in de keuken en neuriede een stom deuntje. Ik wilde naar haar toe gaan, maar ik kreeg mijn benen niet onder het dekbed vandaan. Mijn voeten bleven tegen de zijkant trappen, opgesloten. En mijn ogen waren nog steeds gesloten, alsof ze dichtgelijmd waren. Ik begon te gillen.

'Mam! Kom eens hier!'

Maar ze kwam niet. Ze ging alleen maar harder neuriën. Toch wist ik dat ze me kon horen. De keuken was pal naast mijn kamer en de wanden waren dun. Ik riep nog een keer.

'Mam! Help!'

Ze hield even op met haar gerommel, bijna alsof ze stond te luisteren. Toen zette ze iets klassieks aan op de radio en overstemde me compleet. Ik spartelde wild en probeerde me uit bed te sjorren, maar ik kreeg nergens greep op. Mijn nachtkastje stond niet op de gebruikelijke plaats. Er stond niets naast mijn bed. Ik bleef maar roepen dat mijn moeder me moest helpen, maar ze zette gewoon de radio nog harder. En toen begreep ik plotseling waarom ze niet kwam. Zij had mijn ogen dichtgenaaid en mijn beddengoed dichtgestikt. Ze wilde me gevangen houden.

Toen voelde ik armen naar boven grijpen vanaf mijn matras. Ze werden van beide kanten om mijn buik geslagen en grepen elkaar in het midden beet. Het waren sterke, bruine armen, armen die onder de schrammen zaten. Ze trokken me door het matras heen, weg van de dichtgenaaide lakens. Ze sleurden me dwars door de vulling van het matras en daarna door de vloerplanken van mijn slaapkamer, door de betonnen fundering van het huis naar de zachte, donkere aarde eronder. Daar omhelsden ze me en wiegden me tegen de borst van de aarde.

Toen ik wakker werd, was het koel. Bijna te koel. Er lagen drijfnatte lappen over mijn lichaam. Aan weerskanten stond een ventilator te draaien. Er lag een washandje op mijn voorhoofd; het water droop langs mijn wangen. Ik keek opzij. Mijn lijf prikte toen ik me verroerde, en een van de lappen viel van mijn arm en onthulde hoe verschrikkelijk verbrand de huid eronder was: vuurood en gezwollen, met hier en daar blaren. Nu de lap eraf was, werd mijn arm meteen weer gloeiend heet. Jouw hand verscheen, pakte de lap, legde hem weer op mijn arm en kneep er zachtjes water over uit.

'Dankjewel,' fluisterde ik; mijn stem wist maar amper aan mijn dikke keel te ontsnappen. Dat ene woord was pijnlijker dan je je kunt voorstellen.

Je knikte en toen liet je je hoofd op de zijkant van het bed zakken, op een paar centimeter van mijn arm.

En ik viel weer in slaap.

De volgende keer dat ik wakker werd, hield je een bekertje aan mijn mond.

'Drinken,' drong je aan. 'Je moet drinken. Je lichaam heeft vocht nodig.'

Ik deinsde achteruit en hoestte. Een verzengende pijnscheut trok door mijn ledematen. Het leek wel alsof mijn huid openbarstte telkens wanneer ik bewoog, alsof ik open wonden had. Ik keek omlaag. Er lag een dun laken over me heen en daaronder was ik naakt. Althans, dat dacht ik. Mijn huid was te gevoelloos om het met zekerheid te kunnen zeggen. Maar ik voelde wel dat de koude lappen niet langer op mijn lichaam lagen. Ik probeerde mijn benen te bewegen, maar die staken schuin omhoog en waren met zachte stof aan het bed vastgemaakt. Ik trok eraan.

'Dat zou je niet doen, had je gezegd,' fluisterde ik.

Je kneep in een washandje en druppelde water op mijn voorhoofd. 'Je bent ernstig verbrand,' zei je. 'Ik moest je benen omhoog binden om de zwelling te verminderen. Ik weet dat ik had gezegd dat ik je niet zou vastbinden.' Je liep naar mijn voeten en tilde het laken een stukje op om ernaar te kijken. 'Ik kan ze losmaken, als je wilt. Je geneest goed.'

Ik knikte. Voorzichtig vouwde je je hand om mijn rechtervoet. Je maakte hem los en liet hem op het matras zakken. Toen deed je hetzelfde met mijn andere voet en dekte ze beide af met het laken.

'Wil je nog wat koude doeken?' vroeg je. 'Heb je pijn?'

Ik knikte weer. Je liep de kamer uit; je blote voeten plakten aan het hout. Ik keek naar het plafond en testte verschillende delen van mijn lichaam, om te kijken wat het meest pijn deed. Toen probeerde ik alles op een rijtje te krijgen. Ik had willen ontsnappen. Had me in het zand laten zakken. Maar daarna?

Jij was daar geweest. Ik had je armen om me heen gevoeld toen je me optilde en tegen je aan hield. Je had iets gefluisterd, ik had je adem in mijn hals gevoeld, je hand op mijn voorhoofd. Je had me zó voorzichtig opgetild, alsof ik een dor blaadje was dat je niet wilde vermorzelen. Je had me ergens naartoe gedragen. En ik had me in je armen opgekruld, klein als een steentje. Je had water over me heen gegoten. En toen, daarna: niets meer. Zwart, alleen maar zwart.

Je kwam weer binnen met een bak vol natte doeken.

'Wil je het zelf doen of zal ik het doen?' Je kneep een natte lap uit en wilde het laken optillen.

'Laat mij maar.' Ik griste het laken uit je hand. Tilde het op en gluurde naar mijn lichaam. Een groot deel van mijn huid was rood en glimmend, en de vellen hingen eraan. Ik raakte een blaar aan op mijn borst. De huid eromheen zag er nat uit. Ik legde de vochtige doeken die je had uitgewrongen over de ergste brandplekken en het voelde meteen beter. Het was alsof mijn huid uitademde op de plekken waar de doeken die aanraakten, om meteen weer in te ademen en het water te absorberen. Ik kon moeilijk bij de lagere stukken verbrande huid komen zonder dat jij me naakt zou zien, al neem ik aan dat je tegen die tijd toch al alles had gezien. Ik huiverde bij de herinnering dat jij me in je armen had gedragen. Hoe had je me aangeraakt toen ik er zo bij lag? Zou ik je dat durven vragen?

Na een tijdje liet ik de doeken voor wat ze waren. Ik ging achterover in het kussen liggen.

'Hoe lang lig ik hier al?' vroeg ik. 'In deze... toestand?'

'Een dag of wat. Het duurt nog wel een paar dagen voordat het helemaal beter is. Je boft dat ik je op tijd heb gevonden.'

'Hoe heb je me gevonden?'

'Ik heb je sporen gevolgd. Makkelijk zat.' Je leunde op je ellebogen op het matras, te dicht bij me. Maar het was te pijnlijk om op te schuiven. Je pakte het bekertje water en reikte het me aan. 'Ik heb de dromedaris meegenomen.'

'Hoe dan?'

'Ik heb haar bereden.' Je lachte even. 'Ze gaat behoorlijk snel.'

Er zaten korstjes in mijn mondhoeken. Ik likte eraan. Ik stond je toe om water in mijn mond te gieten.

'Je zult je wel gauw beter voelen,' zei je zacht. 'Met een beetje geluk hou je er geen littekens aan over.'

Het water tintelde in mijn keel. Ik nam nog een grote slok. Op dat moment was voor mij het water niet bruin en zat het niet vol gruis; het was de heerlijkste champagne. Er liep een stroompje langs mijn hals. Toen dacht ik aan de auto, die in diepe kuilen in het zand stond.

'Hoe zijn we teruggekomen?'

'Eerst heb ik je gedragen en daarna heb ik je op de dromedaris gezet. We hebben de hele nacht doorgelopen.' Je knikte naar het bekertje. 'Nog meer?'

Ik schudde mijn hoofd. 'En de auto?'

'Die heb ik niet gevonden. Je kwam deze kant op gelopen toen ik je vond.'

'Naar jou toe?'

Je knikte. 'Dus ik nam aan dat de auto was vastgelopen of het had begeven, dat je terug naar huis wilde lopen.'

'Naar huis?'

'Ja.' Je trok met je mondhoeken. 'Naar mij.'

Zoals je had voorspeld, voelde ik me al snel beter. De volgende dag gaf je me een handjevol noten en bessen. De bessen waren bitter en de noten bros en zoet, maar ze smaakten totaal anders dan alles waaraan ik gewend was. Toch at ik ze op. Daarna tastte ik tussen het matras en de bedbodem. Het mes lag er nog. Ik telde de streepjes in het hout. Vijfentwintig. Maar hoeveel dagen waren er verstreken sinds het laatste streepje? Ik kerfde er vier bij.

De volgende dag, nadat ik het dertigste streepje in het bed had gekerfd, dacht ik aan mijn menstruatie en waarom die uitbleef. Misschien was ik gewoon verdord, net als het land om me heen, omdat mijn lichaam al het vocht vasthield dat het kon krijgen.

Ik stond op en kleedde me aan, maar de stof van mijn kleren prikte op mijn verbrande huid. Ik beet op mijn tanden en hobbelde naar de veranda. Zelfs de vloerplanken deden pijn aan mijn voeten, en ik moest mijn T-shirt onder het lopen van mijn lijf af houden.

'Je had beter naakt kunnen rondlopen,' zei je toen je me zag. 'Dat doet niet zo'n pijn.'

Ik liet mijn T-shirt los. 'Het gaat prima.'

'Hier.' Je stak je glas water naar me uit.

Ik keek naar het half leeggedronken glas. 'Ik haal zelf wel.'

Ik liep naar de keuken. Nadat ik water had gepakt, liep ik door de keukendeur naar buiten, naar de andere kant van het huis van waar jij was. Ik leunde tegen de muur en bleef met mijn lichaam in de schaduw. Van daaruit kon ik de dromedaris zien, die in een hoekje van haar ren lag te rusten. Ze hield haar kop omlaag en het touw hing losjes rond haar oren. Wat zag ze er gedwee uit; alsof je haar van al haar wildheid had ontdaan. Ik schermde mijn ogen af en speurde de horizon af naar de donkere schaduwen van de duinen, de heuvels waarvan ik had gedacht dat de oude mijn er zou liggen. Ze leken nu heel ver weg.

Ik liet me op het krat voor de deur zakken toen het allemaal goed tot me doordrong. Ik had altijd een klein kiempje hoop in stand gehouden: de hoop dat ik hier levend vandaan zou komen. Maar plotseling was daar het besef. Dat uitzicht van zand en eindeloosheid... dat was alles, dat was mijn leven. Het was alles wat ik ooit nog zou zien – tenzij jij me meenam naar een stad. Geen ouders meer, of vrienden of school. Geen Londen meer. Alleen jij. Jij en de woestijn.

Ik liet het glas over mijn voorhoofd rollen en likte toen een druppeltje water van de zijkant. Ik hield mijn tong even tegen het koele glas. Misschien zou je uiteindelijk genoeg van me krijgen. Zou je me terugbrengen. Waren er geen gevallen bekend van ontvoerde meisjes die jaren later waren vrijgelaten? Waren er geen reddingen geweest? Maar hoe lang zou dat duren?

Links van me bewoog iets.

Jij zat in elkaar gedoken bij de hoek van het huis, onder het raam van mijn slaapkamer. Je had je armen uitgestoken en je stuiterde naar achteren en opzij. Toen ik beter keek, zag ik een slang. Je boog je naar voren om hem in bedwang te houden en dook naar achteren toen hij je te pakken wilde nemen, uitdagend met zijn kop omhoog. Het leek wel een soort paringsdans.

Maar jij was snel. Je dook op de slang af, waardoor die in verwarring raakte, en greep hem beet. Snel draaide je zijn kop de andere kant op. De slang spartelde en probeerde zijn roze, brede bek naar je toe te keren. Maar je hield hem stevig vast. Toen tilde je hem uit het zand en hield hem voor je. Je mond bewoog; je praatte ertegen, op een paar centimeter van zijn bek met de venijnige tanden. Toen liep je weg, met de slang in je handen.

Je liep langs me heen naar het tweede bijgebouw. Daar schuifelde je achteruit de deur door, en de slang probeerde zijn staart om je pols te slaan terwijl je naar binnen ging.

Ik doezelde wat op de bank in de huiskamer en werd pas wakker toen het licht van fel en wit overging naar gedempt en goudkleurig. Ik keek naar een baan zonlicht die over de donkere houten vloer viel en het hout een koperkleur gaf. Daarna doolde ik wat door het huis. Jij was nergens te bekennen. Ik trok andere kleren aan; in de kast in de gang vond ik een verfrommeld, ruimvallend T-shirt met de opdruk: *Save the earth, not yourselves.* Het was wijd genoeg om niet al te veel pijn te veroorzaken op mijn verbrande huid. Toen liep ik terug naar het krat voor de keukendeur en ging zitten wachten.

Er kroop een rij mieren over mijn enkel, en hoog boven mijn hoofd klonk het schelle gekrijs van een vogel. Mijn verbrande huid prikte in de hitte. Ik trok het T-shirt omhoog en probeerde mijn nek te bedekken. Ik strekte mijn benen. Na een tijdje slenterde ik naar het bijgebouw waar ik je voor het laatst had gezien. Toen ik dichterbij kwam, zag ik dat je de deur op een kier had laten staan; het hangslot was niet dicht. Ik probeerde in het donker naar binnen te gluren, maar ik zag alleen vage schaduwen. En er was niets te horen. Ik duwde de deur open om het zonlicht binnen te laten. De kamer stond vol dozen, allemaal keurig gestapeld. In het midden was een pad vrijgehouden.

'Ty?' riep ik.

Geen antwoord. Ik luisterde en meende ergens tussen de dozen geschuifel te horen.

'Ty? Ben jij dat?'

Ik deed een stap naar binnen. De koele duisternis voelde fijn op mijn huid. Ik deed nog een stapje, tot ik de opschriften van enkele dozen kon lezen: ETEN (BLIK), ETEN (GEDROOGT). GREEDSCHAP, ELECTRISITEITSNOER... Het was er in potlood opgeschreven, in een bibberig handschrift. Jouw handschrift, gokte ik. Je spelling was beroerd. Ik keek om naar het huis. Alles was roerloos, het leek eerder een filmset dan het ware leven.

Ik streek met mijn vinger over een paar dozen en veegde het stof eraf. MEDICEINEN, DEKENS, HANDSCHOENEN... Ik volgde het pad tussen de dozen door. Het was interessant om al die voorbereidingen te zien, om te zien wat in jouw ogen onmisbaar voor ons was. TOUW, TUINSPULEN, NAAIGERIJ, DAMESVERBAND... je had overal aan gedacht. Hoe verder ik doorliep, hoe dichterbij het geschuifel klonk. Het was zacht en aarzelend, eerder van een dier dan van jou.

'Hallo?' probeerde ik nog een keer. 'Ty?'

Het pad kwam uit in een grotere ruimte. Ik schuifelde ernaartoe, zijwaarts tussen de dozen door. Het geluid was luider geworden en leek nu overal om me heen te zijn. Ik draaide me om. Aan weerszijden stonden kasten, van de grond tot aan hoofdhoogte. Sommige waren van glas, andere van gaas. In die kasten bewoog iets, iets wat zacht ritselde. Beesten? Ik bukte om ernaar te kijken.

Kleine oogjes keken terug. Een opgerolde zwarte slang tilde lui zijn kop op, en een spin zo groot als mijn hand schoot zijn hok door. Ik deed een stap achteruit, terug in de richting van de dozen. Zwaar ademend bekeek ik vanaf daar aandachtig de kooien om na te gaan of de deurtjes wel goed dicht waren. Een schorpioen stak zijn staart omhoog en ratelde waarschuwend. Ik stond te trillen op mijn benen. Er stonden wel twintig van die kooien om me heen. Op z'n minst. Er zaten voornamelijk slangen en spinnen in, een paar schorpioenen, en er waren ook kooien bij waar zo te zien niets in zat. Waarom stonden ze daar? Waarom had je me er niets over verteld? Mijn blik bleef bleef rusten op een zilver-bruine slang die leek op het beest dat je die ochtend had gevangen. Hij sloeg kwaad met zijn staart terwijl hij naar me keek, en zijn tong flitste als een dolk zijn bek uit en weer terug.

Ik dwong mezelf om door te ademen. De deurtjes waren allemaal dicht en alles zat opgesloten. Deze beesten konden niet bij mij komen. Maar ik hoorde ze rondscharrelen, met hun staart klikken en schuifelen. Geluiden waar mijn hart van haperde. Ik zocht steun bij de dozen terwijl ik op de tast het pad af liep. TUINSPULEN, DEKENS, ALCOHOL...

Bij die laatste doos bleef ik staan, ging op mijn tenen staan en keek naar de bovenkant. Het plakband had losgelaten en hield de kartonnen flappen nauwelijks nog bij elkaar. Ik keek om naar de open deur, klaar om het zonlicht in te springen als het nodig was... als een van die beesten mijn kant op zou komen.

Toen ik de doos naar me toe trok, rammelden de flessen. Ik trok de flappen los, haalde diep adem en stak mijn hand in de doos. Mijn vingers trilden. Ik was bang voor wat er nog meer in zou kunnen zitten. Ik verwachtte ieder moment pootjes op mijn vingers te voelen. Toen greep ik de eerste fles die ik te pakken kreeg en trok hem eruit; ik moest niezen van het stof dat opdwarrelde.

Bundaberg Rum. Een glazen literfles. Daar kon ik wel schade mee aanrichten. Een van ons kon ermee uitgeschakeld worden, in meerdere opzichten. Ik nam de fles mee en liep het bijgebouw uit, blij om daar weg te zijn. Ik deed de deur weer op een kier zoals ik hem had aangetroffen, met het hangslot open. Halverwege het huis bleef ik staan om te kijken waar de dromedaris was. Ze stond niet in de omheining en ik zag haar ook niet in de buurt van de Afgezonderden. Misschien was ze achter de rotsen. De zon begon al te zakken en gaf alles een perzikkleurige gloed. Het zou niet lang meer duren voordat het donker werd.

Ik liep rechtstreeks naar mijn kamer en verstopte de fles onder mijn kussen. Toen bleef ik een tijdje zitten luisteren. Ik hoorde alleen het kraken van het hout doordat de hitte langzaam uit het huis trok. Ik liep nog een keer alle kamers langs op zoek naar jou en ging toen de veranda op. De zon ontsnapte net achter de horizon en toen werd het al snel (het ging altijd zo snel) donker. Met half dichtgeknepen ogen keek ik naar het afnemende licht en naar het zand dat verkleurde van paars naar grijs naar zwart. De meeste contouren rondom het huis kon ik nog onderscheiden: de bijgebouwen, de trailer en de Afgezonderden. Maar jij was nergens te zien, en de dromedaris evenmin.

Ik wist niet hoe ik de generator moest aanzetten, dus liep ik de serre in om een van de olielampen te pakken. Ik schroefde het glazen gedeelte los, zoals ik jou had zien doen, en rook aan de katoenen lont. Zo te ruiken had je de lont pas in de olie gedoopt, dus stak ik hem aan en deed het glas weer op de lamp. Licht! Ik was een beetje trots op mezelf dat het me was gelukt. Ik draaide aan het wieltje aan de zijkant om de vlam groter te maken en liep met de lamp naar de huiskamer.

Daar ging ik op de bank zitten; ik pulkte aan een gat waar de vulling doorheen kwam. Mijn hele lichaam was roerloos en gespannen en ik spitste mijn oren voor het minste geluidje. Een klein deeltje van mij vroeg zich af of dit het moment was waartoe alles had geleid; of je nu uiteindelijk je ultieme fantasie zou gaan uitvoeren: mij vermoorden. Misschien wachtte je tot het helemaal donker was voordat je zou toeslaan. Ik luisterde of ik je voetstappen op de veranda hoorde, of een kuchje in het donker. Als dit een horrorfilm was geweest, had er op dat moment een telefoon gerinkeld om me te laten weten dat je buiten op me wachtte.

Maar een ander deel van mij maakte zich zorgen over heel wat anders. Dat deel was bang dat jou daarginds iets was overkomen.

'Doe niet zo stom,' zei ik hardop tegen mezelf.

Ik wachtte voor mijn gevoel een eeuwigheid en ging toen terug naar mijn slaapkamer, met de flakkerende olielamp. Ik deed de deur dicht en schoof de ladekast ervoor. De gordijnen liet ik open, zodat ik eventuele schaduwen buiten zou kunnen zien. Maar de maan stond nog laag en alles was donkerder dan gebruikelijk. Ik stopte een kussen achter mijn rug en leunde ertegen. Zo keek ik naar de schaduwgezichten die de olielamp op de muur vormde, grillig en vervormd. Ik wiegde de fles rum in mijn armen. Toen pakte ik hem bij de hals en oefende hoe ik ermee zou kunnen uithalen als dat nodig was. Ik tikte ermee tegen mijn voorhoofd en stelde me voor wat een klap hij zou geven... Ik voelde hoe zwaar hij was. Vervolgens hield ik me een tijdje bezig met het open- en weer dichtschroeven van de dop, en ik snoof de geur op. Toen nam ik een slok.

Het was bitter spul, moeilijk door te slikken. Maar na al die avonden in het park was ik wel gewend aan heftige alcohol. Ik was er altijd tamelijk goed in geweest om net te doen alsof ik de drank lekker genoeg vond om nóg een grote slok te nemen. Ik nam nog een slok. Mijn keel gloeide alsof ik weer te lang in de zon had gezeten, maar deze keer aan de binnenkant. Toen de volgende slok naar binnen gleed, trok ik een vies gezicht, zoals ze in de film doen. Ik keek door het raam naar buiten. De woestijn was net zo roerloos en stil als altijd. Doodstil. Je staat ervan te kijken hoe eng totale stilte kan zijn, wat die in je hoofd kan aanrichten als je het laat gebeuren. In Londen was ik gewend geweest aan luidruchtige nachten, aan het getoeter en geschreeuw en gebrom van de grote stad. Londen kwetterde 's avonds laat als een aapje. De woestijn daarentegen glibberde als een slang om me heen. Zacht en stil en dodelijk... en zo geruisloos dat ik mijn ogen wijd openhield, altijd.

Mijn tanden tikten tegen de hals van de fles. Ik bleef drinken tot de kamer begon te draaien, totdat ik me niet langer af hoefde te vragen of het mijn laatste nacht op aarde zou zijn en of dit hier de enige plek was die ik ooit nog zou zien. Na een tijdje zocht ik niet langer naar schaduwen achter het raam. Het donker kon me niet meer schelen. En de stilte evenmin.

Toen wist ik weer waarom mijn vrienden zo graag dronken werden... omdat je dan alles kon vergeten. Heerlijk onwetend over de toekomst.

Ik werd wakker van een schrapend geluid. Ik deed mijn ogen open. De ladekast bewoog en werd met de deur naar voren geschoven. Er probeerde iemand binnen te komen. Ik wilde rechtop gaan zitten. Ik lag half naast het bed, met de fles nog in mijn hand. De rum was nog niet op, maar te oordelen naar de natte plek om me heen en de lucht van oude alcohol, was er een groot deel over het beddengoed gemorst. Ik kroop moeizaam over het bed, met de flessenhals stevig in mijn hand, klaar om uit te halen.

De kast schoof verder opzij en jouw geschramde arm kwam door de deuropening. Ik liet de fles zakken toen je je door het gat wurmde. Ik deinsde achteruit, te zwak en nog te dronken om iets anders te verzinnen. Het licht was grijs en schemerig; het was nog vroeg. Je bekeek me van top tot teen, zag toen de fles en haalde je neus op voor de geur. Ik wendde me af van je gefronste gezicht.

'Ik moest iets gaan halen,' zei je. 'Het duurde langer dan ik dacht.'

Toen probeerde je me op te tillen, maar ik gilde dat je van me af moest blijven en sloeg met de fles tegen je borst. Dus bleef je naast het bed naar me staan kijken. Na een tijdje wurmde je de fles tussen mijn vingers vandaan en legde het laken over me heen.

'Ik maak een ontbijt voor je,' zei je uiteindelijk.

Ik ging slapen.

'Het staat op de veranda,' zei je.

Ik schudde mijn hoofd; de pijn vlamde door mijn slapen. Zo ver lopen, dat leek die ochtend net zo haalbaar als ontsnappen. Maar ik wist dat ik wat moest eten.

'Kom maar, ik draag je wel.'

Weer schudde ik mijn hoofd, maar je had je armen al om me heen geslagen en tilde me op voordat ik er iets tegen kon doen. Ik sloot mijn ogen; mijn hoofd tolde en ik was misselijk. Je droeg me zoals je de takken droeg die je sprokkelde: voorzichtig, losjes in je gespreide armen. Ik voelde me net zo licht als die takken.

Op de veranda liet je me op de bank zakken. Toen je dat deed, zag ik dat je rode, vermoeide ogen had, en donkere, holle oogkassen. Maar het schemerlicht deed je huid stralen. Alles straalde in het eerste licht van die ochtend. De zon besloop het landschap en liet het zand glinsteren en sprankelen als knettersnoepjes.

Maar ik straalde niet. Ik had eerder het gevoel dat ik uitdoofde, alsof de wereld me al was vergeten. Terwijl ik naar het glinsterende zand staarde, vroeg ik me af of mijn verdwijning het nieuws zou halen. Was er nog iemand in geïnteresseerd? Ik wist dat de kranten een verhaal lieten vallen als er geen nieuws meer te melden was. En wat kon er nog nieuw zijn aan mijn verdwijning? Het enige wat hier ooit veranderde, was de windrichting.

Ik zat nu meer dan een maand bij jou in dat huis. Zocht er nog iemand naar me? Hoe toegewijd waren mijn ouders eigenlijk? Ze waren altijd nogal uitgekookt geweest. 'Zakelijk gezien verstandig,' waren de drie meest gebruikte woorden van mijn vader. En misschien vroeg hij zich nu wel af of het zakelijk gezien verstandig was om naar mij te zoeken. Was ik een goede investering? Ik geloof niet dat ik op dat moment geld zou hebben ingezet op de zoektocht naar mezelf.

Je gaf me een bordje met gele vruchten. Zelf pakte je er ook een, en je deed voor hoe ik ze met mijn nagels moest pellen en dat ik het binnenste eruit kon zuigen. Ik probeerde het. Eerst smaakte het zuur, maar nadat ik er even op had gekauwd, werd het zoeter. De pitjes bleven tussen mijn tanden zitten. Je zoog zelf nog een vrucht leeg voordat je het woord nam.

'Dus je hebt de beesten in de schuur gezien?' vroeg je.

Ik dacht aan al die priemende oogjes die me hadden aangestaard, aan de schubben en de pootjes. Ik huiverde. 'Wat moet je ermee?' vroeg ik.

'Ze houden ons in leven.' Je pakte nog zo'n gele vrucht. Ik gaf je het bordje. Mijn maag was er te zwak voor, ook al zou ik er best nog een lusten. Je smakte met je lippen bij het zure gedeelte en pulkte de zaadjes tussen je tanden uit. 'Ze helpen me om tegengif te maken.'

Ik schudde mijn hoofd. 'Een slang levert geen tegengif, alleen maar gif.'

Je mondhoek krulde omhoog. 'Jij bent net zo pienter als je eruitziet, slimmerik,' zei je. 'Ik wist het wel.' Je keek me bijna trots aan. 'Maar je hebt gelijk,' zei je toen, en je spuugde een paar pitten op de grond. 'Die beesten zijn allemaal giftig. En tegengif verkrijg je door een immuniteitsreactie tegen het gif uit te lokken. Nog een reden waarom we de dromedaris nodig hebben. Binnenkort ga ik die beesten melken en dan spuit ik hun gif in bij de dromedaris, om haar antistoffen te verzamelen, haar immuniteitsreactie. Die stoffen filter ik en daar maak ik tegengif van... althans, dat is de bedoeling. Het zal even duren en ik weet niet of ik het kan, maar ik ga het in ieder geval proberen. Op die manier hebben we altijd een verse voorraad.'

Ik fronste. 'Wordt de dromedaris dan niet ziek?'

'Nee, ze is immuun, zoals zoveel dieren hier. Wij mensen zijn de zwakkelingen.' Je trok het vel van een nieuwe vrucht en knabbelde aan het zachte vlees. 'Maar eerst, vóór dat alles, moeten we jou er minder gevoelig voor maken. Als we een beetje gif van die beesten in je lichaam spuiten, kun je je eigen immuniteit opbouwen.'

'Jij spuit mij helemaal niks in.'

Je haalde je schouders op. 'Je kunt het ook zelf doen, het is niet moeilijk. Gewoon een prikje in je huid waar je wat gif in doet. Ik doe het zo vaak.'

'En als ik dat nou niet wil?'

'Dan loop je risico.'

'Wat voor risico?'

'Om dood te gaan, verlamd te raken... Gif is niet leuk, snap je?' Je keek me aan, met één omhooggekrulde mondhoek. 'Maar ik neem aan dat je dat al wist... na alle rum die je gisteravond hebt gedronken. Dat was voor een heel jaar, die fles.'

Ik ontweek je blik. Het was de eerste keer dat je over de rum begon. Ik zette me schrap; ik verwachtte dat je kwaad op me was omdat ik tussen je spullen had gesnuffeld. Maar je reageerde nonchalant.

'Ach, risico loop je overal,' mompelde je. 'Het is allemaal één pot nat: gif, verwondingen, ziektes... alleen de oorzaak is anders. In de stad worden ze veroorzaakt door mensen en hier door het land. Ik weet wel wat ik zou kiezen.'

Mijn hoofd begon weer te tollen. Ik zag telkens die beesten voor me in hun kooien, met hun gif in de aanslag om me te doden – of te redden.

'Hoe lang zitten ze hier al?' vroeg ik. 'In die hokken?'

Je legde de vrucht neer en veegde je handen af aan je knieën. 'Ik vang ze al zo lang we hier zijn. De meeste heb ik nu wel bij elkaar, maar sommige van die krengen zijn heel lastig te vinden.'

'En zijn ze allemaal giftig?'

Je knikte. 'Natuurlijk, anders hield ik ze niet in kooien. Ze zijn niet allemaal dodelijk, maar toch zou je er niet door gepakt willen worden.'

'Waarom ben je nooit gebeten?'

'Ik ben wel gebeten, maar nooit ernstig. Ik heb met die beesten leren omgaan en ik weet zo'n beetje hoe ze in elkaar zitten. Als je dat begrijpt, zijn ze minder gevaarlijk.'

Je schoof het fruit weer naar me toe. 'Vooruit, eten.' Je grijnsde. 'Ik zou bijna zeggen dat je een kater hebt.'

Daarna was je heel lief voor me, écht lief, bedoel ik. Je bleef natte doeken aanslepen en zorgde voor me zoals mijn moeder in mijn stoutste dromen nog niet voor me had gezorgd. Je maakte zelfs eten klaar waarvan je dacht dat ik het lekker zou vinden... althans, dat probeerde je. (Het valt natuurlijk ook niet mee om ijs te maken wanneer de dichtstbijzijnde vriezer duizend kilometer verderop staat.) Maar je hield me ook voortdurend in de gaten. Het was alsof je constant probeerde in te schatten wat aanvaardbaar was, wat je kon zeggen of doen zonder dat ik van streek raakte. Dat kreeg ik al snel in de gaten, en ik ging uitproberen hoe ver ik kon gaan. En jij liet het gebeuren.

De volgende dag ging ik de kippen voeren. Je liep met me mee; je zei dat je bij de bron moest zijn. Toen we bijna bij de ingang van de ren van de dromedaris waren, minderde ik vaart en liet me door je inhalen. Ik wachtte tot je naast me liep. Je keek opzij om te zien of ik dat wel goed vond.

'Je moet wel een enorme hekel aan me hebben,' zei ik.

'Hoe bedoel je?'

'Je hebt zo'n hekel aan me dat het je niks kan schelen als ik doodga... anders zou je me wel laten gaan.'

Je draaide je met een ruk naar me om, zo snel dat je over een steen struikelde. 'Het is juist het tegenovergestelde.'

'Waarom laat je me dan niet gaan? Je weet dat ik hier weg wil.'

Vier of vijf passen lang zweeg je. 'Ik heb je wel laten gaan,' zei je toen. 'Het was bijna je dood geworden.'

'Omdat die auto van jou zo'n waardeloos wrak is en omdat ik hier de weg niet weet. Maar jíj weet de weg wel. Als je geen hekel aan me had, zou je me naar een stad brengen. Me laten gaan.'

'Begin nou niet weer. Alsjeblieft.'

'Het is toch waar? Je zou me kunnen laten gaan als je dat wilde, maar je wilt het niet. Dus dat wil zeggen dat je een hekel aan me hebt.'

Ik ploegde door een struikje en vertrapte het met mijn zware schoenen. Je bleef staan om het weer overeind te duwen.

'Zo simpel ligt het niet.'

'Zo simpel kan het zijn.' Ik bleef nu ook staan. Je hield op met het fatsoeneren van de struik en liep eromheen. Toen deed je aarzelend een stap in mijn richting.

'Geef me alsjeblieft wat tijd, Gemma. Binnen een paar maanden zul je dit alles weten te waarderen en dan...'

'Wat dan? Laat je me dan gaan? Ik geloof er niks van.'

'Geloof me alsjeblieft. Voor deze ene keer.' Je stak je armen naar me uit, bijna smekend.

'Wat doe je dan terug?' Ik stond daar met mijn handen in mijn zij en probeerde groter te lijken dan ik was. Maar zelfs zo kwam mijn hoofd niet boven jouw schouders uit. Je zuchtte.

'Oké,' fluisterde je ten slotte. 'Geef het een halfjaar. Een halfjaartje maar, meer heb je niet nodig. Als je het hier dan nog steeds verschrikkelijk vindt, breng ik je terug. Dat beloof ik. Dan zet ik je af in een stad.'

'Ik geloof je nog steeds niet.'

'Wacht maar af.'

Ik bleef je aanstaren. Na een tijdje wendde je je blik af en stak je handen in je zakken. 'Ik meen het,' zei je, en je stem brak een beetje. 'Wat is nou een halfjaar? Wat heb je te verliezen?'

Je schopte in het zand. De doffe plof van je hoge schoenen op de grond was het enige geluid in de wijde omtrek. Ik veegde het zweet van mijn voorhoofd. Ik wist nog altijd niet of ik je kon vertrouwen. Ik bedoel, wie gelooft er nou een ontvoerder, op welk vlak dan ook? Wat had jij ooit gedaan om ervoor te zorgen dat ik in je geloofde?

'Zelfs al zou je het menen,' daagde ik je uit, 'zelfs al zou je me terugbrengen, wie weerhoudt je er dan van om dit nog eens opnieuw uit te halen met een ander meisje?'

Je haalde je hand door je haar. 'Er is geen ander meisje. Zonder jou zou ik hier alleen wonen.'

'Wat ben jij een walgelijk mannetje.'

Je kromp in elkaar. Ik deed een stap in je richting. 'Je zit gewoon te slijmen om iets van me gedaan te krijgen. Je kunt het toch niet laten. Er zijn altijd andere meisjes. Wat zeggen ze ook alweer over honden? Als die de smaak eenmaal te pakken hebben, de smaak van het doden...'

'Ik ben geen moordenaar.'

'Maar wel een hond.'

Je keek me met grote ogen aan. Op dat moment was je echt net een hond. Je wachtte tot ik je een bot zou toewerpen, je wachtte op iets wat ik je nooit zou kunnen geven.

'Ik hou van je,' zei je toen. Doodeenvoudig. Zonder met je ogen te knipperen. Je wachtte tot je opmerking tot me zou doordringen. Dat gebeurde niet. Hij ketste gewoon af. Ik weigerde er hoe dan ook over na te denken.

'Klootzak,' zei ik.

Ik liep weg. Je praatte door tegen mijn rug, steeds harder naarmate ik verder bij je vandaan beende.

'Het land wil jou hier hebben. Ík wil je hier hebben,' riep je. 'Kan dat je dan helemaal niet schelen?'

Vol ongeloof draaide ik me om. 'Denk je nou echt dat ik ook maar iets om je geef, na alles wat je me hebt aangedaan? Ben je echt zo gestoord?'

'We hebben je nodig.'

'Het enige wat jij nodig hebt, is hulp.'

Je gaapte me aan. Terwijl ik toekeek, kreeg je tranen in je ogen, steeds meer, en je bleef me aankijken. Ik schudde mijn hoofd en weigerde me erdoor te laten meeslepen.

'Je bent helemaal verknipt,' zei ik. Ik praatte zacht, eerder tegen mezelf dan tegen jou. Je wilde iets zeggen, maar ik ging gewoon door, niet langer bang. 'Jij bent echt het spoor bijster, hè? En ik kan hier onmogelijk aan je ontkomen. Tenzij je me naar een stad brengt.'

'Dat wil ik niet.'

'Maar ik wel.'

Bij die woorden deinsde je terug alsof ik je er fysiek pijn mee deed. Je ontweek mijn blik, duidelijk opgelaten vanwege je eigen reactie.

'Maar nu ben je niet meer zo stoer,' zei ik zacht.

Ik draaide me om en liep met snelle pas naar de Afgezonderden. Ik voelde dat ik begon te trillen. Op dat moment was ik kwetsbaar, bijna net zo kwetsbaar als jij. Ik wilde je niet zien. Je kwam niet achter me aan; je bleef daar staan, met hangend hoofd. Ik strompelde tussen de rotsen door, blij dat je er niet was. Als je stoer deed, kon ik je bijna aan, dan wist ik wat ik van je kon verwachten. Maar als je je gedroeg zoals nu? Ik wist niet wat ik ervan moest denken.

Die avond was je stil, nadenkender. Je maakte lappen nat voor mijn verbrande lijf en deed er een plantenmengsel op dat naar ziekenhuis rook. Na het eten stond je aan het aanrecht de duisternis in te staren. Je lichaam was gespannen, als van een jager die op wacht staat. De olielamp wierp schaduwen op je huid. Ik ruimde de tafel af en bracht de borden naar je toe. Je draaide je om en greep me bij mijn pols, waardoor ik ze bijna liet vallen.

'Ik meende het, hoor,' zei je. 'Wat ik daarstraks zei... dat meende ik. Geef het hier alsjeblieft een kans, een halfjaar. Kun je zo lang wachten?'

Ik deed een stap achteruit en trok mijn pols los. De borden zette ik op het bankje. Er verscheen een diepe rimpel in je voorhoofd, als een diepe kloof in je huid. Daaronder stonden je blauwe ogen helder.

'Lukt dat?'

Je had weer die vertrouwde felheid, die ernst. Ik kon je bijna geloven. Als je iemand anders was geweest, zou ik niet geaarzeld hebben. Ik bewoog mijn hoofd. Het was geen knikje, maar ik schudde ook niet nee.

'Drie maanden,' zei ik toen.

'Vier.' Je trok een gekweld gezicht. 'Maar probeer alsjeblieft niet nog eens te ontsnappen. Niet in je eentje, zonder dat ik je kan wegbrengen. Je kent het hier nog niet.' Je pakte de borden en nam even de tijd om het verband los te maken dat nog altijd om je rechterpols zat, voordat je de kraan opendraaide. 'Om hier te overleven, moet je van het landschap houden. Dat kost tijd. Op dit moment heb je mij nodig.'

'Dat weet ik.'

Je staarde me aan, net zo verbaasd als ik door die drie

woorden. Maar ik had je inderdaad nodig, of niet soms? Ik had geprobeerd om in mijn eentje te ontkomen en dat was niet gelukt.

Met een zucht draaide je je weer om naar het donkere raam. 'Als je over vier maanden nog steeds weg wilt, breng ik je naar de rand van een stad. Maar vraag me niet om verder met je mee te gaan.'

'Dat zou ik niet willen,' zei ik, en ik fronste mijn wenkbrauwen. Alsof ik jou iets kon laten doen wat je zelf niet wilde.

Je begon aan de afwas, met hangende schouders. Je vingers tastten rond in het water. Ik zag de ader in je nek snel kloppen, dat kleine beetje leven onder je bruine, stugge huid. Je had sproetjes tot aan je sleutelbeen.

'Ik hoef je niet aan te geven.' Ik begon te praten zonder dat ik het echt van plan was geweest. 'Als je daar soms bang voor bent. Ik hoef je niet aan te geven. Je kunt me gewoon laten gaan en dan verdwijnen, terug de woestijn in. Ik zou kunnen zeggen dat ik me niets herinner, dat ik een zonnesteek heb opgelopen of aan geheugenverlies lijd of zoiets. Ik zal zelfs je naam niet noemen.'

Je ogen flitsten naar de mijne, maar ze waren vervuld van treurnis, nog net niet in tranen.

Het waaide die nacht. Ik hoorde de wind toen ik in bed lag: het zand werd tegen het hout en tegen de ramen gesmeten, knetterend als geweervuur. Of als regen. Als ik mijn ogen dichtdeed, kon ik me bijna voorstellen dat dit het geluid was van Engelse regen; striemende regen alsof het midden in de winter was, regen die de tuinen en akkers verzadigde en de

Theems en de goten rondom mijn huis vulde. Ik was vergeten hoe geruststellend dat was, het geluid van regen op de ramen. Het gevoel van geborgenheid.

Jij was die avond eerder naar je kamer gegaan dan ik. Je was heel stil geweest; teleurgesteld in mij, denk ik. Dit hele avontuur van je was niet gelopen zoals je had verwacht. Begon je er spijt van te krijgen? Dacht je zo langzamerhand dat je het verkeerde meisje had uitgekozen? Misschien besefte je nu pas dat ik maar gewoon was, niets bijzonders, voor jou net zo'n teleurstelling als voor alle anderen. Ik draaide me om en sloeg met mijn vuist in het kussen, gefrustreerd omdat ik nog wakker lag, gefrustreerd door al die gedachten.

Toen hoorde ik je schreeuwen. Het geluid doorkliefde de stilte en ik schoot rechtop in bed. Het was een wanhopig, dierlijk geluid, alsof het ergens diep uit je binnenste kwam. Zoiets luids had ik in dagen niet gehoord.

Mijn eerste gedachte was dat er iemand anders in huis was. Iemand die me kwam redden, die eerst jou uitschakelde. Die ander had een mes in je rug gestoken en draaide dat nu om. Maar dat sloeg nergens op. Zo zou geen mens een ander redden, behalve in de film. Zeker niet in de woestijn. Daar zouden de redders met het vliegtuig komen en ons eerst omringen met licht en lawaai. We konden iedereen al van kilometers afstand horen aankomen.

Toch luisterde ik of ik buiten iets hoorde, voetstappen op de veranda. Maar er klonk geen dreun of plof, niets wat erop duidde dat er iemand anders was. Alleen ik. Alleen jij. En het enige wat ik hoorde was jouw geschreeuw.

Je riep woorden en maakte andere geluiden, maar ik kon het niet verstaan. Tussendoor klonk het alsof je huilde. Ik stapte uit bed en pakte het mes. Op de ballen van mijn voeten sloop ik naar de deur, langzaam en geluidloos. Toen je weer gilde, duwde ik de klink naar beneden; ik gebruikte jouw lawaai om het piepen te overstemmen. Ik liep de gang in. Daar waren geen schaduwen, geen mensen. Maar je geschreeuw klonk luider en weerkaatste schor door het huis. Je deur stond op een kier. Ik hield mijn oor erbij en luisterde.

Een paar tellen was het stil, misschien zelfs wel een paar minuten. Mijn oren tuitten. Toen hoorde ik je snikken. Het werd al snel erger, tot je onbeheerst en wanhopig snikte, zoals kinderen wel eens doen. Ik gluurde door de kier in de deur de duisternis in. Op je bed lag iets te schudden: jij. Verder was er geen beweging. Ik deed een stap in je richting. Een reepje licht dat door het raam naar binnen viel bescheen je gezicht. Bescheen je natte wangen. Je kneep je ogen stevig dicht. Ik deed nog een stap naar je toe.

'Ty? Ben je wakker?'

Je had je vuisten gebald en kneep in de opgerolde trui die je als kussen gebruikte. Het laken was weggegleden en toonde je blote rug op het kale matras. Zo gestrekt leek je te groot voor het bed. Je had een heel lange, rechte rug; zo lang als een boomstam. Maar op dat moment trilde die als een jong boompje.

Ik liet de deur achter me wijd openstaan en keek om me heen in de kamer. Het raam was dicht en niets duidde erop dat er iemand anders binnen was geweest. Waar je ook om had gegild, je had het in je slaap gedaan.

Het gesnik werd gedempt toen je je gezicht in de trui begroef. Ik bleef naar je staan kijken. Je huilde zoals je had gehuild toen ik er pas was, snel en wanhopig, alsof je nooit meer zou ophouden. Het was gek, ik wilde bijna ook weer gaan huilen. Ik schudde mijn hoofd. Je was stoer en sterk en gevaarlijk. Misschien was dit gewoon een act.

Terwijl ik toekeek, trok je je benen op tegen je borst. Je begon heen en weer te wiegen. En toen schreeuwde je opnieuw. Het ging door merg en been. Ik moest mijn handen voor mijn oren houden. Ik deed een stap in je richting. Ik moest het laten ophouden. Zonder erbij na te denken pakte ik je bij je schouders. Schudde je door elkaar. Je huid was klam. Warm.

Je ogen vlogen open, maar je zag me niet meteen. Je zag iemand anders. Je duwde me opzij en schoof naar achteren over je matras, tot je de muur raakte. Je ogen stonden wild en schoten heen en weer terwijl je je blik scherp probeerde te stellen. Toen begon je woorden en geluiden te mompelen.

'Neem me niet mee,' zei je. 'Alsjeblieft, laat me met rust.'

Ik probeerde je blik te vangen, vast te houden. 'Ik ben het. Gemma,' zei ik. 'Ik neem je niet mee. Rustig maar.'

'Gemma?'

Je sprak mijn naam uit alsof je je die maar half herinnerde. Je pakte het laken en trok het om je heen.

'Je droomt, Ty,' zei ik.

Maar je luisterde niet. Je kroop naar voren en probeerde mijn T-shirt te grijpen. Ik deed een stap terug.

'Hou op, Ty!'

Ik sloeg naar je handen en duwde ze weg. Maar je gezicht stond wanhopig.

'Neem me niet mee,' snikte je met een kinderstemmetje. 'Mama was hier, de bomen, mijn sterren... Ik wil niet weg.'

Je pakte me bij mijn middel en sloeg je armen eromheen. Je drukte je snikkend tegen mijn buik. Hoewel je je ogen open had, zag je me niet. Je kneedde mijn rug met je vingers en trok aan mijn T-shirt. Toen ik je haar streelde, nam het snikken iets af.

'Ik ben het... Gemma,' zei ik. 'Wakker worden.'

Ik voelde het vocht van je tranen op mijn buik en je vingers stevig om mijn middel; je wilde niet loslaten. Ik liet je maar begaan tot het huilen helemaal ophield.

'Ik weet niet waar ik ben,' fluisterde je.

'Je bent hier. In de woestijn. Er is verder niemand.'

Je veegde je tranen weg met mijn T-shirt en keek toen naar me op. Die keer zag je me wel, je wist wie ik was. Je hele gezicht ontspande zich toen je je op mij focuste.

'Gemma,' zei je.

Ik knikte.

'Dankjewel.'

'Je lag te dromen, ik heb je alleen maar wakker gemaakt.'

'Dankjewel.'

Na een tijdje liet je me los. Je ging in kleermakerszit op het matras zitten en staarde naar de vloer, duimendraaiend; ik denk dat je je opgelaten voelde.

'Waar droomde je over?' vroeg ik.

Je schudde afwijzend je hoofd. Ik bleef zitten wachten. Om ons heen kraakte het hout en de wind beukte op het metalen dak. Je gluurde naar het raam alsof je wilde nagaan of het er nog wel was.

'Het kindertehuis,' zei je toen zacht. 'De rit erheen in dat busje, weg van de natuur.' Je keek naar de avondlucht en de sterren. Ik deed hetzelfde. Ik dacht dat ik misschien de rechte lijn van de horizon zou kunnen zien, de scheidslijn tussen het zwarte land en de grijzer wordende lucht. Jij streek zuchtend met je hand over je gezicht. 'Nu denk je natuurlijk dat ik knettergek ben.'

Ik keek naar je, zoals je daar zat, ineengedoken. 'We dromen allemaal wel eens.'

Je grote ogen glommen in het donker als die van een nachtdier, een dier dat er behoefte aan had opgetild te worden. 'Waar droom jij over?' fluisterde je.

'Meestal over thuis.'

'Londen?' Je dacht na over het woord, proefde wat het voor jou betekende. 'Hoe kun je daar nou over dromen?' Je blik ging weer naar het raam. 'Hoe kun je zo gek op die stad zijn?'

'Ik denk dat mensen het meest houden van datgene waaraan ze gewend zijn.'

'Niet waar.' Je schudde je hoofd. 'De mensen moeten houden van datgene wat liefde nodig heeft. Dan kunnen ze het beschermen.'

Daarna staarde je een hele tijd zwijgend uit het raam, peinzend. Ik liep zachtjes naar de deur.

'Het spijt me,' fluisterde je.

Je slaapkamer was verlaten toen ik opstond. Ik ging de kippen voeren. Toen ik terugliep, kwam de dromedaris naar me toe gesjokt. Ik kriebelde aan haar oren en trok aan de zachte haartjes erbinnenin, zoals jij me had voorgedaan. Dat vond ze fijn. Ze legde haar neus op mijn arm.

'Hij zal jou wel hier houden,' mompelde ik tegen haar. 'Als ik over een paar maanden vertrek, zal hij jou niet óók laten gaan.' Ik streelde de vacht van haar wang, die zo zacht was als een teddybeer. Ze kauwde in een cirkeltje en streek met haar rubberen lippen langs de rug van mijn hand. 'Hoe komt het toch dat je zo lief bent?' vroeg ik. 'Je hoort wild te zijn, erger dan hij.' Ik raakte met mijn vingertopjes haar lange, mooie wimpers aan. Ze knipperde met haar ogen.

Ik stapte een paar passen bij haar vandaan, maar ze kwam meteen achter me aan. Ik liep een rondje, op de voet gevolgd door de zachte plofjes van haar hoeven. Toen bleef ik staan en draaide me naar haar om, want ik wilde iets uitproberen.

'Zoef eens neer,' zei ik.

Ik stak mijn arm omhoog zoals jij dat deed, en met een zachte kreun kantelde ze naar voren. Haar poten knikten door onder haar lichaam. Toen haar romp de grond raakte, dwarrelde er een stofwolk op.

'Brave meid,' zei ik.

Ik knielde naast haar neer. Nu waren we ongeveer even groot. Ze had een enorme neus en rotte tanden. Haar scherpe, enigszins muffe geur drong sterk mijn neusgaten binnen. Ze draaide haar kop naar de bijgebouwen en sloot haar ogen tegen de zon. Ik schuifelde dichter naar haar toe en sloeg mijn arm om die brede, gespierde schouder. Ze legde haar hals tegen mijn zij. Zo zou ik op haar rug kunnen klimmen, tegen haar bult aan, en haar berijden. We zouden samen de zonsondergang tegemoet kunnen galopperen.

Ik liet mijn hoofd tegen haar vacht rusten en deed ook mijn ogen dicht. Er dansten vuurballetjes achter mijn oogleden. Op dat moment, heel even, was het genoeg om daar zo te zitten.

Je bracht de hele dag door in je schilderschuur. De middag was al half om toen ik genoeg moed had verzameld om naar je toe te gaan. Je was de vorige avond anders geweest. Bijna kwetsbaar... Ik wilde zien hoe je vandaag op me zou reageren.

De deur van de schuur stond op een kiertje. Ik duwde hem verder open.

Het was licht daarbinnen, en warm, en ik moest even wennen. De gordijnen die voor het raam hadden gehangen waren erafgerukt en lagen op een hoop op de grond. Het zonlicht stroomde naar binnen en ik zag dat de voorheen fletse wanden opnieuw beschilderd waren, met felgekleurde stippen en zwierige krullen; er liepen rode, zwarte en bruine vegen overheen. Op sommige van die kleuren zaten bladeren, zand en takken geplakt, waardoor de wand textuur kreeg. Als ik een stapje terug deed en naar het geheel keek, kon ik er patronen in zien. Er liep een golf gele stippen over de vloer, als zand, en de blauwe cirkels op de achterwand vormden plassen water. De schuur zag eruit als iets wilds en deed me denken aan een verhaal dat mijn moeder ooit had voorgelezen, heel lang geleden, waarin een kinderslaapkamer was veranderd in een wildernis.

Jij stond te midden van dat alles op een houten kruk achterovergebogen het plafond te beschilderen. Je droeg alleen een dunne boxershort; de stof was versleten en krulde om op je bovenbenen. Je huid had bijna dezelfde kleur als de aardebruine verf op de muur achter je. Je beschilderde het gedeelte boven je hoofd met duizenden oranje stippeltjes. Na een tijdje haalde je een andere kwast achter je oor vandaan en vulde de ruimte tussen de stippen op met witte krullen. Pas toen je verf op was, stopte je.

Je draaide je om. Je borst glinsterde van het zweet en zat vol aardebruine vegen. Ik keek naar je gezicht om te zien of er nog iets over was van de gekwelde blik van de vorige avond, maar je zag er ontspannen en tevreden uit. Je stapte van het krukje af en kwam naar me toe.

'Vind je het mooi?' vroeg je.

'Wat stelt het voor?'

'Alles om ons heen, het land.' Je grinnikte. 'Het is nog niet af. Elk plekje op de muur wordt erbij betrokken, en ik zelf ook.'

'Waarom?'

'Ik wil al deze schoonheid weergeven, contact maken met... Jij moet alles zien zoals het echt is voordat... voordat je weggaat...'

Je ogen glinsterden. Ik draaide me om om alle kleuren en kringels en texturen in me op te nemen. Mijn blik bleef hangen bij een bundel spierwitte stippen tegen een zwarte achtergrond in een hoek van het plafond. Het leken bijna sterren, balletjes glinsterend licht. Was dat ook je bedoeling? Toen je nog een stapje dichterbij kwam, zag ik de zandkorrels die aan je schouders en op je borst vastgeplakt zaten. Ik stak mijn hand ernaar uit. Je huid was net zo ruw en warm als het zand buiten.

'Jeukt dat niet?'

'Het is maar een basislaagje,' zei je. 'Als dat helemaal droog is, kan ik de patronen aanbrengen.'

'Wat voor patronen?'

Je glimlachte om mijn verwarring. Toen pakte je mijn hand, drukte die tegen je borst en hield hem daar. 'Patronen van het land.' Je knikte naar de rest van het vertrek. 'Wacht maar tot de zon ondergaat,' zei je. 'Dan komt deze hele ruimte tot leven.'

'Hoe bedoel je?'

'Wacht maar af.'

Mijn hand, onder de jouwe, voelde het diepe dreunen van je hartslag. Ik trok snel mijn vingers weg. Zelf liet je ook je borst los en je streek met je hand door je haar. Een waterval aan zand viel op de grond. Je schudde je hoofd om nog meer zand kwijt te raken.

'Zandstorm,' zei je. Je draaide snel met je hoofd, waardoor je goudkleurige haar danste en het zand alle kanten op vloog.

Ik liep achter je aan naar de deur. Mijn hoofd tolde door alles wat ik had gezien. Je legde mijn hand op je rug. Je huid was warm en vochtig, je ruggenwervel voelde als een boomwortel.

'Ik kan mijn voorkant zelf beschilderen, maar voor de achterkant heb ik iemand nodig,' zei je.

Ik trok snel mijn hand terug. 'Ik wil je niet beschilderen.'

'Dat hoeft ook niet.' Je draaide je naar me om. 'In de poel bij de Afgezonderden groeien bladeren, van die lange. Wil jij er een voor me halen? En als je er toch bent, breng dan meteen een kluitje mos voor me mee.'

Je liep terug de schuur in en liet mij in de deuropening staan. Ik balanceerde op het krat bij de deur, heen en weer wiebelend.

'Kom maar terug als de zon ondergaat,' riep je naar me. 'Dan ben ik zover.'

Je deed de deur dicht. Ik slenterde op mijn gemak naar de Afgezonderden en maakte mezelf wijs dat ik helemaal niet ging doen wat jij wilde. Ik liep langzaam en bleef zo nu en dan staan om iets te bekijken, alsof het paarse bloemetje dat ik tussen het zand zag de ware reden van mijn wandeling was. Bij het hogere gras aangekomen sloeg ik met een stok voor me uit zoals ik jou had zien doen, tegen de slangen.

Bij de poel dook ik onder de grote tak van de eucalyptus door en hurkte neer bij het water. Ik stak mijn vingers erin en genoot van de plotselinge kou op mijn huid. Even later kwam ik aan bij de overhangende rots achterin; de smalle, donkere spleet waar het mos groeide. Er ritselde van alles om me heen, maar ik bleef staan. Ik was eigenaardig kalm en genoot van de luie middagsfeer. De rots was koel en schaduwrijk en ik ging een poosje zitten, met mijn blote kuiten tegen het steen. Na een tijdje tastte ik naar het mos, dieper in de donkere spleet, en trok een kluitje los. Ik wachtte even toen er een spinnetje over mijn vingers liep.

Toen ik gebukt terugliep, om de poel heen, zag ik de bladeren die je bedoelde, groot en sappig. Ze leken misplaatst in die omgeving, tussen de drogere begroeiing. Toen ik er een plukte, kwam er melkachtig sap uit. Ik probeerde de stengel droog te deppen en zo de stroom te stoppen.

Op de terugweg ging ik even bij de kippen langs. Eikel zat helemaal achteraan in zijn hok, maar toen ik tegen hem praatte, kwam hij naar me toe geparadeerd. Hij stak zijn snavel door het gaas en pikte een driehoekje uit het blad dat ik zojuist had geplukt.

'Daar zal Ty niet blij mee zijn,' zei ik afkeurend.

Maar Eikel zette alleen maar trots zijn veren op en spuugde het stukje blad uit. Ik ging naast zijn kooi zitten en luisterde naar het afkeurende getok van de hennen. Algauw begonnen de kikkers schor te kwaken, steeds luider, tot er een woest crescendo klonk.

De zon begon te zakken. Het was tijd. Ik volgde het slingerpaadje terug naar je schilderschuur.

Ik duwde de deur open. Het oranje en roze van de ondergaande zon scheen door het raam en rustte op de wanden die jij had beschilderd. Het licht haalde de zandkorrels op en liet ze glinsteren en knipperen. Overal om me heen zag ik kleur en sprankeling, bijna te veel om te bevatten. Je had flink doorgewerkt; de ruimte had een gedaanteverwisseling ondergaan. Zelf stond je in het midden van dat alles, en ook je beschilderde lichaam reflecteerde het licht. Alleen je rug had je niet beschilderd. Er hing een sterke kruidengeur, zoals de lucht die van jouw zelfgedraaide sigaretten kwam: zwaar en bedwelmend.

Je kwam naar me toe om de planten van me over te nemen.

Je was naakt. Maar je was zo bedekt met verf en met zand, bloemen en bladeren dat ik dat niet meteen zag. De verf en texturen bedekten je als kleding. Je gezicht was lichtrood gekleurd, vol met oranje en gele stippen en kringels. Je lippen had je donkerbruin gemaakt. Je benen waren bedekt met grijs, granietachtig spul. Je penis was donker beschilderd, tegen een achtergrond van paars- en groentinten en sprieterige grijze blaadjes. Ik deed snel een stapje bij je vandaan en keek naar je voeten. Die waren okergeel met witte slierten, als adertjes. Ik liep achteruit naar de deur; ik wist niet of ik moest blijven. Je zag er gek uit, maar ook mooi.

'Dit is wat ik je wilde laten zien,' legde je uit. 'De schoonheid van het landschap. Je moet inzien dat je er deel van uitmaakt.' Je ogen glinsterden blauw tussen het oranje. Ze kwamen me misplaatst voor, leken te veel op de zee.

Je knielde neer op de vloer, naast een schaaltje rode bloemblaadjes. Die kneusde je en je voegde er water aan toe om er verf van te maken. Daarin doopte je de kluit mos, en daarna stak je je hand naar achteren om ermee over je rug te sponzen: overal waar je bij kon, maakte je grote rode afdrukken. Op sommige plekken liep de verf in lange, smalle riviertjes naar de grond.

Ik keek om me heen. Geen touw om me vast te binden, geen wapens. De open deur was achter me. Ik kon gemakkelijk wegkomen. Maar om de een of andere reden wilde ik niet weg.

'Het wordt gauw donker,' zei je.

Je pakte het blad en doopte de dikke stengel in een korrelige zwarte brij tot er een dikke laag op zat. Je stak je hand weer naar achteren en probeerde ook het blad op je huid te drukken. Toen het niet ging zoals je wilde, stak je met een zucht de stengel naar me uit.

'Kun jij de patronen op mijn rug tekenen?' vroeg je. 'Hiermee.'

'Dat wil ik niet.' Ik duwde je hand terug.

'Maar het schemert al. Ik wil dit doen voordat de zon ondergaat, zodat je kunt zien hoe het wordt.' Je stem klonk ongeduldig, vastberaden. Je pakte mijn hand en hield hem in je eigen warme hand; de uitgelopen kleuren gaven af. Ik kreeg rode en zwarte vegen op mijn vingers, en op mijn knokkels iets wat eruitzag als een blauwe plek.

'Alsjeblieft,' zei je zacht. 'Doe het voor mij. Je weet dat ik je terug zal brengen, dat heb ik beloofd.'

Je ogen glinsterden in het licht en je vingers grepen de mijne steviger beet. Ik maakte mijn hand los en pakte de steel van het blad. Toen knielde ik achter je rug neer en doopte de stengel in de zwarte drab.

'Wat moet ik tekenen?'

'Wat je maar wilt. Je gedachten over deze plek.'

Mijn hand trilde een beetje en er viel een kloddertje verf van het blaadje op mijn knie. Het uiteinde van de stengel was scherp en gekarteld. Ik zette het tegen je huid, drukte door en tekende een stip. Je kromp een beetje in elkaar. Er viel een straal zonlicht door het raam naar binnen, recht op je rug. Ik kneep mijn ogen tot spleetjes, want mijn zicht was wazig.

'Ik zie niks.'

'Dan teken je maar blindelings.'

Ik doopte de stengel weer in het zwarte spul. Toen trok ik een lange rechte lijn over je schouders; de stengel schramde je huid, omdat ik bang was dat de kleur niet zou houden. Ik tekende een hoop rommelige sprieten: spinifex. En daarna een persoon, met het lichaam van een poppetje zoals kinderen die tekenen en een scheve cirkel als hoofd. Daarin bracht ik oogjes aan en die kleurde ik in. Bovenop tekende ik haar als vlammen. Vervolgens maakte ik een donker hartje in het midden van de romp. Je stak je arm naar achteren en raakte mijn knie aan.

'Klaar?'

'Bijna.'

Ik tekende een vogel die over je schouderblad vloog, gevolgd door een zwarte zon onder in je nek, een zon die alles bescheen. Toen je je naar me omdraaide, raakten onze knieën elkaar en je gezicht was op nog geen halve meter afstand.

'Wil jij ook een beetje?' Je doopte je vinger in een bakje bloedrode klei en trok een streep over mijn voorhoofd. 'Ik zou je kunnen beschilderen.' Je raakte mijn wang aan en besmeurde ook die met klei. 'Rode oker,' fluisterde je. 'Versterkt alles.'

Je nam het blad uit mijn hand en duwde mijn hals ernaartoe, maar ik trok me terug.

'Nee,' zei ik.

Je haalde je schouders op. Je ogen stonden treurig. Toen pakte je mijn hand en trok me overeind. Ik verzette me maar een klein beetje. We liepen naar het midden van de ruimte.

'Even wachten,' zei je.

'Waarop?'

'De zon.'

Je trok me neer op een bed van zand en bladeren, precies in het midden van alle verf en kleur. De zon scheen zo fel door het raam dat ik er moeite mee had om mijn ogen zelfs maar half open te houden. En de geur was op die plek ook sterker: bladeren en kruiden, aards en toch fris.

'Deze kant op kijken,' zei je.

Je keerde je gezicht naar de achterwand, en ik deed hetzelfde. Nu ik de zon in de rug had, kon ik zien dat de stralen de lichtere kringels en stippen in het schilderwerk naar voren haalden, waardoor ze driedimensionaal leken. Je pakte een stapel dorre bladeren, verkruimelde die in je hand en haalde je vloeitjes onder een kei vandaan. Toen mengde je een beetje as van een andere hoop met de verkruimelde bladeren en strooide het mengsel op een vloeitje. Je plakte het strak dicht; je tong gleed snel over het papier. Zodra je de sigaret aanstak, rook ik die geur weer, de zware, grasachtige lucht van brandende woestijnbladeren, de lucht die die dag overal in de schilderschuur hing. Je nam een lange, diepe trek en gaf het shagje aan me door.

Het was net een piepklein boompje dat opbrandde tussen mijn vingers. Ik rolde het heen en weer en keek naar het gloeiende rode puntje. Deze keer nam ik een trek, ik weet niet waarom. Misschien omdat ik die dag minder gespannen was, meer hoop had dat je me zou laten gaan. De brandende blaadjes smaakten minder scherp dan tabak, maar waren ook minder geurig dan wiet. Al snel werd mijn mond gevuld met een subtiele, kruidige smaak, en toen ik mezelf langzaam voelde uitademen, liet ik mijn schouders een beetje zakken.

Jij leunde achterover op je ellebogen. Naarmate de zon lager aan de hemel stond, werden de kleuren levendiger. Alles werd rood, waardoor de donkerdere gedeelten van het schilderij helderder leken. Banen licht vielen over de vloer en haalden de duizenden geschilderde stippen en bloemblaadjes op. Rood-, oranje- en rozetinten maakten alles om ons heen intenser, tot ik het gevoel had dat we midden in een smeulend vuur zaten... of in het middelpunt van de zonsondergang zelf.

'Het is alsof we in het middelpunt van de aarde zitten, vind je niet?' fluisterde je. 'Of tussen de gloeiende kooltjes.'

Ik voelde de warmte op mijn rug; mijn T-shirt plakte aan mijn huid. Ik knipperde met mijn ogen toen de kleuren waziger werden. Zwarte strepen en vormen dansten voor mijn ogen, als de buitenste randen van vlammen. Toen zakte de zon nog verder. Het licht bereikte nu je beschilderde lichaam en kleurde je goud... je straalde. De zandkorrels op je armen glinsterden. Ik voelde zelf ook de zon op mijn huid, die lichtoranje kleurde en zacht werd. De hele ruimte baadde in het licht.

Toen je naar me keek, zweefden je blauwe ogen tussen het goud. Ik zag de zwarte plekjes op je linkerwang: piepkleine dierensporen op weg naar je haar, dwars over je litteken heen. Je stak je hand uit om de huid van mijn arm aan te raken; je zanderige vingers lichtjes tegen me aan. Dat was het plekje waar de zon me bescheen, waar mijn huid het warmst was. Je streek er met je vingertoppen overheen.

'Het licht komt ook uit jouw binnenste,' zei je. 'Je straalt.'

Ik keek opzij en probeerde alle schilderingen tegelijk te bekijken. Het werd een beetje draaierig in mijn hoofd; van de kleuren en het licht of misschien van je sigaret, dat weet ik niet. Die ruimte daar was totaal anders dan alle schilderijen die ik ooit had gezien met mijn moeder, veel echter, op de een of andere manier. En ja, ik geef het toe, het was heel mooi. Wild-mooi. Je tekende met je vingers patronen op mijn armen, cirkels en stippen. De aanraking maakte me niet meer bang.

Toen, heel snel, zakte de zon tot onder het raam en verdwenen de kleuren. Je gaf de sigaret aan me door terwijl de schaduwen over de wanden kropen. We bleven nog een poosje daar zitten, totdat de kleuren helemaal weg waren. Ik knipperde met mijn ogen en gaf je de sigaret terug. De ruimte was nu somber en donker en je kon de vormen op de vloer bijna niet meer zien. Ik stond op en schuifelde naar de deur.

'Kom maar, ik wijs je de weg wel,' zei je.

Je pakte me bij mijn arm en liep zelfverzekerd, met je nachtdierenogen. Toen we bij de deur kwamen, voelde ik de kilte van de avond al op mijn huid prikken. Ik sloeg mijn armen om mijn lichaam en jij ging terug naar binnen om je kleren te halen. Je gaf me de wollen trui vol gaten die je die ochtend had gedragen.

'Trek deze maar aan,' zei je. 'Dan word je vanzelf warm.'

Jouw geur van zweet, eucalyptus en zand vulde mijn neusgaten toen ik de trui over mijn hoofd trok. De wol kriebelde op mijn armen. Toen ik naar je omkeek, had je je korte broek aan. Je pakte me weer bij mijn arm, ter hoogte van mijn elleboog, en nam me mee naar buiten.

De sterren stonden al helder aan de schemergrijze lucht. De maan was een gekantelde glimlach. Ik liet me door je leiden. We zwegen. Het enige geluid kwam van mijn schoenen en jouw blote voeten in het zand. Ver, heel ver weg stootte iets een enkele spookachtige jammerkreet uit, als een dolende geest in het donker.

'Dingo,' fluisterde je.

Op dat moment gingen er zo veel gedachten door mijn hoofd, zo veel emoties. Je hand was dichtbij, stevig op mijn elleboog, je wees me de weg. Diep in mijn hart vond ik het daar bijna fijn. Ik knipperde met mijn ogen en schudde mijn hoofd, want ik wilde het niet toegeven. Maar het was wel waar, hè? Een deel van mij begon je te accepteren. Als ik daaraan toegaf, zo vroeg ik me af, als ik op mijn beurt tegen je aan zou leunen, waar zou dat dan op uitdraaien?

'Heb je honger?' vroeg je.

Ik schudde mijn hoofd. Ik bleef staan en keek naar de hemel. Het was fijn, op dat moment, om naar al dat zwart te kijken. Na de vele kleuren had het iets rustgevends.

'Ik wil gewoon even zitten,' zei ik. 'Hier buiten.'

'Alleen?'

'Ja.'

'Ik haal een deken.'

Je schuifelde naar het huis. Ik keek je verdwijnende rug na in het donker. Toen wreef ik over mijn ellebogen, die plotseling koud waren. Ik liep bij de schuur vandaan, verder het zand in. Toen ik een vlak stukje zonder planten of stenen had gevonden, ging ik zitten. Het zand was nog warm. Ik begroef mijn handen onder het bovenste laagje en voelde de warmte die in de korrels daaronder was opgeslagen naar me doorstralen. Ik drukte mijn polsen erin. Er echode weer een jammerkreet door het landschap en deze keer kwam er antwoord; nog een klaaglijke geest in het donker. Ik keek naar de sterren. Er verschenen er nu meer; ze bevolkten de zwarte lucht alsof het spitsuur was. Dat was het waarschijnlijk ook, voor de sterren. Het leek wel of er net zo veel sterren aan de hemel stonden als er zandkorrels om me heen lagen. Mijn vingers groeven dieper, terwijl de krekels hun schorre gezang aanhieven.

Ik voelde de trillingen van je voetstappen toen je terugkwam. Je had een grijze deken om je schouders geslagen en droeg er nog een over je arm. Je had het zand en de verf niet van je lijf gewassen, maar de verf was een beetje uitgelopen rond je mond, je ogen, op je armen...

Je sloeg een van de dekens om me heen en gaf me een beker.

'Wat is dat?'

'Gewoon wat kruiden met water. Om warm te blijven.'

'Ik heb het niet koud.'

'Dat komt nog wel.'

De stoom verspreidde de schone, frisse geur van *tea-tree*. De drank was te heet om meteen op te drinken, maar het was fijn om de beker in mijn handen te houden. Ik boog mijn hoofd eroverheen en snoof de geur van de bush op, die bleef hangen toen ik omhoogkeek naar de sterren. Jij keek ook en speurde de hemel af alsof je een kaart las. Toen gaf je een knikje, maar ik weet niet waarnaar.

'Heb je alles wat je wilt?' vroeg je. Je draaide je om naar het huis, maar aarzelde om weg te lopen. Even bleef je staan wachten tot ik iets zou zeggen. Je wílde dat ik iets zou zeggen. Je vlocht je vingers in elkaar en draaide met je duimen, nerveus. Ik gaf me gewonnen.

'Wat zie je daarboven?' vroeg ik. Ik wierp mijn handen in de lucht.

Je glimlachte dankbaar. 'Alles wat je maar wilt.'

'Ken je de patronen?'

'Van de sterrenbeelden? Ik ken mijn eigen patronen.'

'Hoe bedoel je?'

Je kwam snel naar me toe en hurkte neer. 'Ik weet wat ik er zelf in zie. Ik kan er gezichten uithalen, verschillende locaties hier... eigenlijk alles. Als je maar lang genoeg kijkt, vertellen de sterren je precies wat je wilt weten: routes, het weer, de tijd, verhalen...'

Je liep niet meer terug naar het huis. In plaats daarvan kwam je naast me zitten en begroef je handen in het zand. Je grinnikte toen je zag dat ik mijn schoenen ook had ingegraven. Je deed hetzelfde. Het deed me een beetje denken aan de manier waarop Anna en ik vroeger samen onder één dekbed kropen, bij elkaar in bed. Dat leek nu een eeuwigheid geleden.

We waren net zo stil als de donkere motten die om ons heen vlogen. Ik griste er een uit de lucht; hij fladderde in mijn dichte vuist. Toen ik mijn hand opende, bleef hij even zitten, met licht gekneusde vleugels. Hij had dezelfde kleur als mijn huid, bruinroze. Het maanlicht bescheen de tere patronen op zijn vleugels, met vage krullen. Hij had minuscule, donzige voelsprieten. Zijn spartelende pootjes kietelden op mijn hand. Hoe kon zo'n beestje hier in leven blijven? Het leek zo teer en kwetsbaar. Ik schudde hem van mijn hand in het zand. Toen ik hem een duwtje gaf, vloog hij weg, een beetje scheef, klaar om weer om ons heen te gaan dwarrelen.

'Dat is een vroege,' zei je. 'Normaal gesproken komen de motten pas over een paar weken uit. Je hebt geluk.'

Er verschenen lachrimpeltjes rond je ogen. Ik wendde snel mijn blik af; het liefst was ik je blijven aankijken, maar ik wist dat dat niet verstandig zou zijn. Een paar sterren knipoogden naar me, andere deden niets. Ik hoorde het hoge *tsjiep-tsjiep* van de donkere vleermuissilhouetten; de vleugels zwiepten geluidloos door de fluwelen hemel. Op dat moment was het alsof er nog maar twee mensen op de hele wereld waren. Dat bedoel ik niet zoetsappig, het voelde echt zo. De enige geluiden waren het getjirp van de krekels en het *tsjiep-tsjiep* van de vleermuizen, de verre wind in het zand en zo nu en dan de vage jammerklacht van een dingo. Geen claxons. Geen treinen. Geen stoplichtbliepjes. Geen grasmaaiers. Geen vliegtuigen. Geen sirenes. Geen alarm. Niets wat met mensen te maken had. Als jij me op dat moment verteld zou hebben dat je me had gered na een nucleaire ramp, had ik je misschien wel geloofd.

Je ging in het zand liggen, met je gezicht naar de sterren. Je lag zo stil en roerloos dat het leek alsof je sliep, of alsof je dood was. Ik gaf je een por.

'Wat is er?' Een lachje. 'Ik lig aan de sterren te denken.'

'Wat dan?'

'Ik dacht net dat alles eeuwig is en toch kortstondig.'

'Hoe bedoel je?'

Je praatte tegen de nachtelijke hemel. 'Ik bedoel, die ster daar helemaal rechtsboven knippert nu als een gek naar me, maar hoe lang nog? Een uur of twee, of nog een miljoen jaar? En hoe lang blijven wij hier zitten? Nog heel even of de rest van ons leven? Jij weet wel wat ik het liefst zou willen...'

Daar ging ik niet op in; ik keek zelf ook naar de sterren. 'Mocht je het vergeten zijn: ik ben degene die hier is gaan zitten. Jij bent me gewoon gevolgd.'

Je kwam overeind op je ellebogen. 'Wil je dat ik wegga?'

Je gezicht was op nog geen armbreedte afstand van het mijne. Ik zou me naar je toe kunnen buigen, of jij naar mij. We zouden kunnen zoenen. Je keek naar me en ik voelde je warme sigarettenadem op mijn huid. Je mond stond een beetje open; je lippen waren droog en een tikkeltje schraal. Ze hadden vocht nodig om zacht te worden. Ik veegde een klodder-tje verf uit je baardje. Je drukte mijn vingers tegen je kin. Ik verstarde toen ik de warmte van je hand voelde, met aan de andere kant je baardstoppels onder mijn vingertoppen. Waar was ik mee bezig? Ik keerde me weer naar de sterren. Na een tijdje liet je mijn vingers uit je hand glijden.

'Ik wil hier gewoon blijven zitten,' zei ik met trillende stem. 'Jij mag doen wat je wilt.'

'Ik wil ook graag blijven.'

Ik hield mijn blik strak op de hemel gericht; ik durfde niet meer naar jou te kijken. Ik zag een groepje bijzonder heldere sterren die langzaam naar de horizon verschoven. Het was een soort stadje van knipperende lichtjes, waar een snelweg van felle sterren naartoe liep. Je zag me kijken.

'De zusters,' zei je. 'Zo noemen sommige mensen ze.'

'Waarom?'

Je ging rechtop zitten, verbaasd dat ik bereid was om te praten. 'Die sterren zijn eens mooie vrouwen geweest,' zei je. 'De eerste vrouwen in dit gebied. Toen ze over het land liepen, schoten achter hen de bomen en bloemen uit de grond, en er verschenen rotsen. Een rivier vulde hun voetstappen. Maar toen de vrouwen aan het baden waren in hun rivier, werden ze gadegeslagen door een mannelijke geest. Hij besloot dat hij hen wilde houden, als zijn echtgenotes. Hij wilde ze pakken en de vrouwen gingen ervandoor. Ze vluchtten naar de enige plek waarvan ze dachten dat ze er veilig waren: de hemel. Ze veranderden in sterren. Maar zelfs daar joeg hij hen achterna en hij veranderde ook zichzelf in een ster, om ze altijd te volgen.'

Je hief je arm en wees naar een van de helderste sterren. 'Zie je hem? Daar staat hij.' Toen trok je een denkbeeldige lijn tussen die ster en het groepje dat jij 'de zusters' noemde. 'Zie je dat?' vroeg je me. 'Hij is er altijd, hij volgt de zusters tot in de eeuwigheid, maar hij haalt ze nooit in.'

Ik huiverde plotseling. 'Dus de zusters kunnen nooit aan hem ontkomen?'

'Nee.' Je trok de deken steviger om mijn schouders. 'Maar hij krijgt ze ook nooit te pakken. Hij is gewoon achter hen en houdt hen in de gaten... verlangend. Hij volgt hen over de hele wereld. Je had hem zelfs vanuit Londen achter hen aan kunnen zien jagen, als je erop had gelet.'

'In Londen kun je de sterren niet zien. Niet echt,' zei ik.

Je liet je weer in het zand vallen. 'Misschien niet, maar hij is er evengoed. Achter de wolken, achter alle lichten... en hij kijkt toe.'

We bleven daar zitten. Ik dronk van de thee die je voor me had gehaald en jij vertelde nog wat meer over de sterren. Je had gelijk gehad over de thee: het leek wel alsof de vloeistof zich onder mijn huid verspreidde om me te verwarmen. Je vroeg of je een vuurtje voor me moest maken, maar ik schudde mijn hoofd. Ik wilde de lichtshow daarboven niet verstoren. Je toonde me enkele van de beeltenissen die je aan de hemel zag. Je wees me op een groepje sterren die je op de stenen van de Afgezonderden vond lijken, en daarna trok je een lijn door naar twee fellere sterren die de bijgebouwen voorstelden, en tot slot twee blauw getinte sterretjes waarvan je zei dat wij het waren. Maar ik zag alleen maar sterren.

'Zie je Londen ook ergens?' vroeg je. 'Daarboven?'

'Hoe bedoel je?'

'Kun je de stad zien? De skyline? De bruggen? Kun je die uit de sterren halen?'

Ik speurde de hemel af. Er stonden ontzettend veel sterren, en er kwamen er met de seconde meer bij. Er waren zo veel sterren dat niets eruit sprong. Ik volgde er een paar in een lijn en probeerde er de Big Ben in te zien zoals jij de vorm van de Afgezonderden had gezien. Je draaide je naar me toe en keek me aan.

'Gek, hè?' zei je zacht. 'Als jij naar boven kijkt, zie je een stad, en als ik naar Londen kijk, zie ik een landschap.'

Ik keek je fronsend aan. 'Hoe bedoel je, "een landschap"?'

'Gewoon alles erónder, zal ik maar zeggen.' Je wreef nadenkend over je baardje. 'Het zand en het leven onder al dat beton, klaar om zich ieder moment naar boven te werken, door de bestrating heen, en de stad over te nemen. Al dat leven onder het dode materiaal.'

'Londen is echt wel meer dan een hoop beton,' zei ik.

'Misschien.' Je ogen glinsterden in het donker. 'Maar zonder mensen zou de wildernis het overnemen. Het zou maar honderd jaar duren voordat de natuur weer de winnaar was. Wij zijn hier maar tijdelijk.'

'Maar we zijn er wél,' zei ik. 'Je kunt niet om de mensen heen, en de gebouwen, de kunst en al het andere in een stad. Dat kun je niet wegdenken. Dan zou er niets overbl–'

Mijn stem stierf weg toen ik dacht aan alles wat ik had achtergelaten: mijn route naar school in de dubbeldekker, langs de musea en de ijzeren hekken van het park. Ik dacht aan de twee oude dametjes voor me die *Eastenders* hadden besproken. Met mijn armen stevig om mijn onderbenen geslagen probeerde ik me voor te stellen wat er nu thuis gebeurde. De school zou weer beginnen, Anna en Ben waren terug van vakantie en de zomer was voorbij. De blaadjes verdorden van groen naar bruin en vielen in het speeltuintje. Op de gangen op school zou de verwarming nog niet aan zijn, waardoor de hoge, galmende ruimtes 's morgens ijskoud waren. Misten ze me daar? Hield er wel iemand aantekeningen voor me bij? Of hadden ze dat al opgegeven? Ik drukte mijn mond tegen mijn knieën en de tranen liepen al over mijn wangen. Snel duwde ik mijn gezicht naar beneden, zodat jij het niet zou zien. Maar je ging al rechtop zitten en schoof dichter naar me toe.

Je legde je hand op mijn trillende rug. Hij was warm en stevig.

'Je hebt gelijk,' fluisterde je, en je adem voelde warm in mijn nek. 'Misschien heeft de stad soms ook goede kanten... mooie kanten.'

Toen trok je me naar je toe. Dat deed je lief en voorzichtig; je pakte me bij mijn schouders en drukte me zachtjes naar beneden. Ik liet me tegen je aan zakken en het voelde alsof ik in slow motion bewoog. Je sloeg je warme armen en de dekens om me heen en vormde zo een knus, donker coconnetje. Ik dacht aan de mot die ik in mijn hand had gevangen: veilig, maar toch opgesloten, in het donker tussen mijn vingers.

'Het spijt me,' zei je. 'Het was niet mijn bedoeling je van streek te maken.'

Ik voelde dat jij ook trilde. Je hield me steviger vast, drukte me tegen je huiverende lijf, tegen het zand en de verf die erop zaten. Ik begroef me in jou; voor deze ene keer wilde ik iets van je terug. Je aardse geur gaf op me af. Je depte mijn wangen droog en veegde de natte verf opzij, mijn haar in. Zo bleef ik zitten, opgekruld in de warmte van je lijf, onder de dekens, als iets zachts in een schelp. Je armen waren sterk en stevig. Ik voelde je lippen langs mijn haar strijken. Ik voelde je warme adem op mijn oorlelletjes en verstijfde, maar ik bleef wel zitten. En ik dacht heel goed na over de woorden die ik wilde zeggen.

'Als we nu in Londen waren,' begon ik, 'vóór dit alles, en je zou me kennen zoals je me nu kent... zou je me dan nog steeds stelen?'

Je bleef heel lang zwijgen; je lichaam verstijfde om me heen. 'Ja,' fluisterde je toen. Je streek mijn haren achter mijn oren. 'Ik kan je nooit laten gaan.'

Je trok de dekens steviger om me heen. Ik voelde je warme, droge handen op mijn schouders, de greep van je vingers op mijn huid. Na een tijdje leunde je achterover in het zand en nam mij mee in die beweging. Ik had de energie niet meer om me te verzetten. En je was warm, zo warm. Je lag achterover in het zand en ik bleef met mijn hoofd tegen je aan liggen, met mijn jukbeen tegen je borst. Ik voelde je lijf ontspannen en zacht worden. Zelf drukte ik ook mijn zij in het zand. Dat had nog warmte in zich, zelfs nu nog. Je wiegde me met één arm en streelde mijn haar met de andere. En je praatte. Je fluisterde verhalen over het ontstaan van de woestijn, die in het leven geroepen zou zijn door het gezang van de landgeesten. Je vertelde me dat alles met elkaar verweven was, dat de hele wereld om me heen op een mottenvleugel balanceerde. Ik deed mijn ogen dicht en liet me sussen door je stem. Het ritme was als een kabbelend beekje. Ik voelde je lippen weer, lichtjes op mijn voorhoofd. Ze waren zacht, niet droog. En je armen trokken me tegen je aan, diep in het zand.

En zo vielen we in slaap.

Ik werd gewekt door een koel roze. Zonsopkomst. Ik voelde het ontbreken van je warmte naast me en toen ik mijn ogen opendeed, was je verdwenen. Ik miste je warmte. Ik stak mijn hand uit in het zand; de plek waar je had gelegen was nog warm. Misschien was je nog niet zo lang weg en hield het zand je warmte vast. Er zat een deuk in, in jouw vorm. Ik volgde met mijn vingers de holte waar je hoofd had gelegen en daarna die van je brede schouders, je rug en je benen. Het zand was stevig en compact waar je had geslapen. Op sommige korreltjes zaten restjes verf die hadden afgegeven.

Ik trok de dekens om me heen om de koele frisheid van de ochtend buiten te sluiten. Maar het licht was al te fel. Mijn oogleden gloeiden oranje toen ik mijn ogen dichtdeed. Ik ging rechtop zitten. Ik zat helemaal onder het zand. Het moest die nacht gewaaid hebben. Gek, dat had ik niet eens gemerkt. Ik schudde het zand van me af. Er lag een rij stenen, die naar een gladder stuk zand een paar meter verderop liep. Ik volgde de stenen.

Er waren woorden in het zand geschreven. Ik bleef aan de voet ervan staan om ze te lezen.

*Ben een slang vangen. Zie je straks. Ty x*

Ik knielde erbij neer en streek met mijn vinger over de x. Veegde hem uit en tekende hem opnieuw. Jij leek me niet het type om een x in het zand te schrijven, een kusje. Mijn maag draaide even toen ik eraan dacht, maar deze keer was het niet van angst.

Ik stond op. Mijn lijf was koud en had beweging nodig. Ik keek naar het houten huis, maar ik wilde er niet naar binnen gaan. Nog niet. Wat ik wel graag wilde was jouw stevige, warme armen weer om me heen voelen. Ik snakte naar je warmte. Ik sloeg mijn armen om me heen en wreef over mijn eigen lijf. Eigenlijk zijn mensen soms net insecten: ze worden aangetrokken door warmte. Een soort infraroodverlangen. Mijn ogen speurden het landschap af, op zoek naar de warmte van een mens. Eén mens in het bijzonder.

Ik knipperde met mijn ogen en wreef erin. Het was stom van me, zoals ik me gedroeg. Maar ik kwam er niet uit. Ik wilde bij je zijn, en toch weer niet. Het sloeg nergens op. Zonder er echt bij na te denken liep ik in de richting van de Afgezonderden.

Bij de dromedaris bleef ik staan. Ze lag op de grond, slaperig. Ik stak mijn hand uit naar haar voorhoofd en wreef tussen haar ogen. Haar wimpers knipperden tegen mijn pols. Ik ging naast haar zitten, stak mijn neus even in haar warme, stoffige vacht en keek naar het roze en grijs van de opkomende zon. Het was een volmaakte ochtend, roerloos. In de verte hoorde ik het gekrijs van een zwerm vogels die bij de Afgezonderden aankwamen voor hun ochtendbad. Ik trok mijn schoenen uit, stak mijn tenen in het zand en wreef ermee over de korrels om te krabben. Toen probeerde ik even stil te blijven zitten, me te ontspannen en te genieten van de dromedaris en de ochtend. Maar ik wilde jou gaan zoeken.

Ik ging op blote voeten. Voorzichtig liep ik op mijn tenen tussen de stekende planten door, en ik maakte er een spelletje van om over de stenen te springen. Toen zag ik verse voetafdrukken in het zand. Van jou. Ik zette mijn voet in een ervan; de afdruk van je tenen en je hak omsloten de mijne volledig.

Ik streek met mijn vingers langs de rotsen en de bomen terwijl ik er langzaam omheen liep. Het oppervlak van de rotsen veranderde van textuur naarmate ik verder kwam: van glad naar ruw. Ik raakte de golvende strepen aan die erin achtergelaten waren door oeroude stroompjes. Hoog in een boom kraste een zwarte vogel naar me; een schorre waarschuwingskreet in de stilte. Misschien waarschuwde hij zijn vrienden voor mij, een onhandig mens dat door zijn territorium doolde.

Ik liep door. Verderop was een grillig stuk rots, dat naar voren stak vanaf de voet van de Afgezonderden. Ik kon er niet omheen kijken, maar ik zag er wel een soort pad langs lopen: een verzameling grote, gladde stenen waar je overheen kon stappen. Met mijn arm tegen de rotswand om mijn evenwicht te bewaren stapte ik van steen naar steen. Ze voelden lekker koel aan onder mijn voeten. Tussen de rotsen groeiden piepkleine witte bloemetjes, een soort slordige madeliefjes.

Toen ik bijna om het grillige deel van de rotswand heen was, hoorde ik aan de andere kant iets bewegen. En kort gekreun. Toen was het stil. Dat moest jij zijn. Ik wachtte even; ik klampte me vast aan de rotsen en mijn ademhaling versnelde plotseling. Moest ik om de punt heen lopen en laten merken dat ik er was? Of zou ik daar blijven wachten en luisteren? Ik spitste mijn oren en hoorde vaag geritsel van bladeren. Een gedempte vloek. Toen was het weer stil. Ik drukte me tegen de rotsen en schuifelde erlangs.

'Gemma?'

Ik schrok zo van je stem dat ik bijna van de richel viel. Maar ik wist me vast te houden en schuifelde de hoek om. Daar stond je, met je gezicht naar me toe en je armen uitgestoken. Heel even dacht ik dat je zo op me had staan wachten, dat je me wilde omhelzen, me in je armen nemen zoals je de vorige avond had gedaan. De zon weerkaatste vol op je borst en lichtte je huid op. Er zaten nog steeds restjes verf op, net als in je haar. Het liefst was ik naar je toe gehold, maar iets in je ogen hield me tegen.

'Waar zijn je schoenen?' fluisterde je.

Ik fronste. Ineens begreep ik het. 'De slang.'

Je knikte. 'Ik had hem bijna, maar toen hoorde ik jou aankomen. Ik had niet verwacht dat je me zou volgen.' Je blik was mild toen je me aankeek, nieuwsgierig. Je glimlachte even. 'Geeft niks,' fluisterde je. 'Deze slang is niet agressief, die zal je niet bijten. Je moet gewoon heel stil blijven staan... Blijf daar wachten en loop niet door het zand, oké?'

'O?' Mijn stem trilde plotseling. Ik kuchte; ik wilde niet nerveus klinken. 'Kan ik misschien beter teruggaan naar het huis?'

'Nee, het is beter als je je niet verroert. Ik wil niet dat je hem afleidt.' Je bekeek me van top tot teen. 'Ga maar op die rots daar zitten. Alleen kijken, niet bewegen. Dan ga ik weer naar hem op zoek.' Je streek een lok haar uit je ogen. 'Wees maar niet bang, Gem, ik heb al honderden van die beesten gevangen.'

Ik deed wat je had gezegd en knielde voorzichtig neer op de rotsen. Jij schuifelde langzaam verder, als een krab. Je zette eerst één voet voorzichtig in het zand, aftastend, voordat de rest van je lichaam volgde.

'Wat doe je nou?'

'Deze slang verstopt zich. Hij begraaft zich in het zand, zodat niets hem kan zien. Hij is schuw en slim. Zijn prooi komt naar hem toe, hij hoeft nooit echt te jagen.'

Toen je dichter naar me toe kwam, schoot uit een hoopje dorre bladeren vlak bij de rots waar ik zat het zwarte puntje van een staart tevoorschijn. Geschrokken deinsde ik achteruit.

'Hij zit hier,' fluisterde ik.

'Verroer je niet.'

Mijn lijf verstarde en wilde niets liever dan terugrennen naar het huis. Ik keek naar de plek waar ik de staart had gezien. Om de bladeren heen lag een gladde berg zand. Daaronder zat de slang. Jij kroop gebukt naar me toe, als een ninja, met je blik strak op het zand voor me gericht. 'Niks aan de hand, hij kijkt naar mij,' zei je. 'Hij weet dat ik de bedreiging vorm.'

Je schuifelde naar dat hoopje zand, tot op minder dan een meter afstand. Toen richtte de slang zijn kop op en ontdeed zich van zijn camouflage. Ik hield mijn adem in. Het beest was zo lang als mijn arm en had dezelfde kleur als het zand, met smalle gele strepen over zijn lijf. Ineengedoken bleef ik naar je zitten kijken. Je verstarde terwijl je de slang in de gaten hield... Jullie wachtten allebei af wat de ander ging doen.

'Voorzichtig,' fluisterde ik.

Door die woorden keek je naar me op. De slang zag het, en hij koos dat moment uit voor zijn ontsnapping. Helaas liep zijn vluchtroute naar de rotsen waar ik zat, en hij gleed snel mijn kant op. Ik zag zijn platte gezicht en zijn grote, driehoekige kop met de flitsende tong. Nu de slang naar mij keek, greep jij je kans om twee passen in zijn richting te zetten. Maar hij voelde de trillingen en keerde terug. Zijn tong flitste voortdurend naar binnen en naar buiten, op zoek naar de dreiging. Toen hij je weer had gevonden, richtte hij zich op, klaar om toe te slaan. Jij bleef met uitgestoken armen staan. Er was nu nog maar één stapje tussen jullie in. Eén beweging zou genoeg zijn. De slang aarzelde even en bleef kijken. Jij stond klaar om te springen. Maar de slang verraste ons allebei. Hij draaide zich om, bij jou vandaan, en kwam weer razendsnel op mij af gegleden. Jij dook eropaf en pakte hem bij zijn staart. Maar hij glipte je met gemak door de vingers. De slang ging nu sneller, van links naar rechts zoevend door het zand.

'Hij probeert weg te komen,' riep jij toen hij dichterbij kwam. 'Verroer je niet. Blijf zitten waar je zit. Hij is gewoon bang.'

Maar ik kon er niets aan doen. De slang was nu nog maar een paar centimeter bij me vandaan. Hij wiebelde een beetje met zijn kop en die roze tong flitste heen en weer. Ik schuifelde achteruit en vloog toen naar de rand van de rosten, waar ik omhoog probeerde te klauteren. Ik vond een richel voor mijn rechtervoet.

Maar de slang ging dezelfde kant op. Ik voelde zijn dikke, zware lijf over mijn andere voet glibberen. Ik keek ernaar en gilde, en toen verloor ik mijn evenwicht. Mijn voet schoot van de richel. Ik probeerde me tegen de rotswand te drukken om te voorkomen dat mijn voet verder zou wegglijden. De slang glibberde nu snel naar een spleet onder in de rotsen. Maar niet snel genoeg. Eén tel later ramde ik keihard met mijn voet op zijn staart, en hij draaide zich met een ruk naar me om. Ik zag zijn enorme hoektanden; hij had zijn bek opengesperd om me te waarschuwen. Ik boog me naar achteren om weg te komen, maar die beweging stond de slang niet aan. Zijn kop schoot op me af. Toen zette hij zijn tanden in mijn been.

De slang verdween in de spleet tussen de rotsen.

Jij stond onmiddellijk naast me.

'Had hij je te pakken?' Je pakte mijn been en draaide het een slag. 'Ik zag hem uithalen.'

Je hield mijn been voorzichtig vast en drukte er zachtjes op. Je betastte het tot aan mijn knie en terug, tot je had gevonden wat je zocht. Op de huid boven mijn enkel zaten kleine krasjes, alsof ik hem had opengehaald aan een scherpe doorn. Je streek er met je duim overheen, en daarna over de huid rondom de krasjes. Je keek me aan.

'Ik moet je shirt hebben,' zei je.

'Hè? Waarvoor?'

'Je shirt of je korte broek, kies maar. Ik moet het gif tegenhouden, zodat het niet door je been trekt.'

Ik keek naar je ernstige blauwe ogen. 'Neem dan mijn shirt maar.'

'Maak je geen zorgen,' fluisterde je. 'Ik weet wat ik moet

doen. Ik heb tegengif.' Je probeerde te glimlachen, maar het zag er niet geloofwaardig uit. Ik kon alleen maar naar je kijken; ik was nog in shock, denk ik. Je schuifelde dichterbij en kwam naast me zitten, zodat ik tegen je aan kon leunen. 'Kom maar hier met dat shirt.' Je trok aan de onderkant.

Ik kruiste mijn armen en trok het over mijn hoofd. Je nam het meteen van me over. Ik sloeg mijn armen voor mijn beha, maar je keek niet één keer naar mijn lijf; je ging een lange, rechte stok zoeken en drukte die tegen mijn onderkuit.

'Hou hem daar vast,' zei je.

Ik drukte de stok tegen mijn vel en jij scheurde mijn shirt doormidden. Je bond het snel om mijn been en bevestigde de stok ertegen door de stof strak aan te trekken.

'Ik voel niks,' zei ik. 'Weet je zeker dat hij me te pakken heeft gehad?'

'Jawel.' Je fronste even. 'Maar misschien heeft hij je geen gif ingespoten. Laten we het hopen, hè? Maar als iemand keihard op mij had getrapt...' Weer dat geforceerde lachje, toen je je zin niet kon afmaken. Je nam mijn hoofd in je handen, opeens heel serieus. Met je duim streek je over mijn wang. 'Van nu af aan moet je me precies vertellen hoe het met je gaat... hoofdpijn, misselijkheid, een gevoelloze plek of juist een raar gevoel, wat dan ook. Dat is belangrijk.'

Het zweet stond op je voorhoofd. Ik veegde het weg.

'Dat zal ik doen,' zei ik. 'Maar ik voel me nu nog prima.'

'Mooi zo.' Je pakte mijn hand. 'Je moet je rustig houden, niet te veel bewegen. Of er nu gif in je been zit of niet, ik wil dat je je ontspant.'

Ik knikte. Die ernstige toon van je stond me niet aan. Ik wierp een snelle blik op mijn verbonden been en meende dat mijn enkel gevoelloos begon te worden. Ik deed mijn ogen dicht en probeerde de paniek op afstand te houden.

'Hou je been zo recht en zo stil mogelijk,' zei je.

Voorzichtig schoof je je arm onder mijn knieholtes en je andere onder mijn oksels. Langzaam ging je staan, met mij in je armen. Je hield me voor je uit, een eindje van je lichaam af, in een poging me zo plat mogelijk te houden, stabiel. Ik zag je armspieren trillen van inspanning.

'Ik breng je terug naar het huis,' zei je.

Je liep snel en koos voorzichtig je weg tussen de stenen en spinifex door. Toen je op een paar takjes trapte, kromp je even in elkaar.

'Ik laat jou niets overkomen,' fluisterde je.

Snel liep je langs de dromedaris; je ademhaling werd nu moeizamer. Ik voelde je spieren trillen van de inspanning die het kostte om me zo vast te houden. Ik sloot mijn ogen tegen het zonlicht. De stralen waren heel fel en verblindend; ik draaide mijn gezicht naar je borst en drukte mijn voorhoofd tegen je huid.

'Wat is er?' fluisterde je. Ik voelde de woorden brommen in je borst.

Ik fluisterde terug: 'Ik krijg hoofdpijn.'

Je ademde snel uit en liep meteen weer door. 'Komt goed,' zei je. 'Ik beloof je dat het goed komt. Als je maar niet in paniek raakt.'

Ik zei niets. Ik voelde een doffe pijn in mijn enkel, die langzaam omhoog kroop. Daar concentreerde ik me op.

Je liep achteruit de deur door en droeg me vlug naar de keuken. Daar legde je me voorzichtig op tafel. Je verdween even en ik hoorde je in de gang de voorraadkast opendoen. Het licht in de deuropening was fel, dus wendde ik mijn hoofd af naar het keukenblok. Je kwam terug met een paar handdoeken, waarvan je er een oprolde en onder mijn hoofd legde.

'Hoe voel je je?'

'Een beetje raar.'

'In welk opzicht?'

'Gewoon raar, ik weet niet. Alsof ik verkouden word of zo.'

Je slikte. 'Verder nog iets? Pijn in je enkel? Een dood gevoel?'

Ik knikte. 'Een beetje.'

Je voelde mijn polsslag en legde de rug van je hand tegen mijn voorhoofd. Zachtjes kneep je in het vlees rondom mijn enkel. Je spreidde de andere handdoek uit en legde die met gefronste wenkbrauwen over mijn borst. 'Misschien moet ik maar even een T-shirt voor je pakken, hè?'

'Hm?'

Je knikte naar mijn borst en mijn beha, en je wangen werden een beetje rood. 'Ik wil niet dat je je ongemakkelijk voelt.' Je trok een wenkbrauw op en forceerde toen weer dat glimlachje. 'En ik moet me kunnen concentreren, snap je?'

Je ging een T-shirt voor me halen. Door de open deur hoorde ik het gekrijs van een roofvogel die hoog boven ons cirkelde, maar dat was alles. Ik betastte mijn been. Hoe ernstig was die slangenbeet eigenlijk? Ik was er nog niet uit of je er grapjes over maakte omdat je je er inderdaad geen zorgen om maakte of dat je je angst probeerde te verbergen.

Je kwam al snel terug en gaf me een T-shirt. Toen ik het aantrok ondersteunde je me, zodat ik mijn been niet te veel hoefde te verplaatsen. Je ging weer weg en kwam terug met een metalen kistje. Daar haalde je een rol verband uit, dat je over het kapotgescheurde shirt om mijn been heen wikkelde, helemaal van mijn voet tot aan mijn heup; mijn korte broek rolde je op om tot helemaal bovenaan te kunnen komen. Mijn huid tintelde onder je aanraking. Je trok het verband strak aan.

'Hoe heb ik zo stom kunnen zijn,' mompelde je.

'Hoe bedoel je?'

'Door mijn schuld ben jij gebeten.' Je zette het metalen kistje op de grond en rommelde er luidruchtig in. Er vielen pleisters, verband en rubber handschoenen uit. 'Ik had die slang dagen geleden al moeten vangen,' ging je verder. 'Ik had op z'n minst moeten proberen jou ongevoelig te maken voor het gif. Maar zelf word ik nooit gebeten en ik dacht eigenlijk... Ik dacht dat we nog tijd genoeg hadden voor dat soort dingen.'

Je woorden stierven weg toen je had gevonden wat je zocht. Je trok je hand terug uit het kistje. Toen je je vingers strekte, zag ik dat je trilde. Je had een sleuteltje vast. Toen je ging staan, zag ik je bleke gezicht. Het deed me denken aan die keer dat je die nachtmerrie had gehad. Ik voelde opeens de drang om je gezicht aan te raken en stak mijn vingers naar je uit.

'Ik heb tegengif gestolen uit een onderzoekslab,' legde je uit. 'Het komt goed.'

Je beende naar de afgesloten lade naast de gootsteen en stak het sleuteltje in het slot. Toen je in de la rommelde, stond je met je rug naar me toe, zodat ik niet goed kon zien wat erin zat. Je haalde diverse glazen ampullen tevoorschijn, en een plastic zak die was gevuld met een heldere vloeistof. Die legde je op het bankje, en je pakte een smal riempje en iets wat op een naald leek. Toen je je naar me omdraaide, liet je de la openstaan. Je pakte mijn arm en sloeg met vlakke hand op de aderen. Ik keek naar de ampullen. Het waren dezelfde waarmee ik je een tijdje terug aan de keukentafel had zien zitten.

'Je weet toch wel wat je doet, hè?' fluisterde ik.

'Tuurlijk.' Je wreef over je voorhoofd. 'Het komt goed. Zo gevaarlijk is die slang trouwens niet...'

'Hoe gevaarlijk is hij?'

'Ik los het wel op.' Je bond het riempje om mijn arm en trok het strak aan boven de plek waar je op mijn ader had geslagen.

'Kijk maar niet,' zei je.

Ik wendde mijn blik af naar de open lade en hoorde een knappend geluid toen je iets openmaakte. Ik voelde de scherpe prik van een naald en een rukje toen je de zak aansloot en de verlossing toen je het riempje losmaakte. Daarna vloeistof die rechtstreeks mijn aderen in stroomde.

'Wat is dat?' vroeg ik, met mijn blik nog steeds op de lade gericht.

'Zoutoplossing, ook uit het onderzoekslab. Daar heb ik tegengif voor de doodsadder doorheen gedaan. Als het goed is, loopt dat nu langzaam je aderen in en zul je je snel beter gaan voelen.'

Ik keek je weer aan, en je woorden drongen tot me door. 'De doodsadder?'

Je streelde mijn wang. 'De naam is erger dan zijn beet.'

Ik keek naar de zak met de vloeistof die langzaam mijn lijf in druppelde, en naar het slangetje in mijn arm. 'Hoe weet je hoe dit moet?'

Je wendde je blik af. 'Ik heb op mezelf geoefend.' Je tikte tegen de zijkant van de zak om te zien hoe snel de vloeistof doorliep.

'En nu?'

'Nu moeten we afwachten.'

'Hoe lang?'

'Een minuut of twintig. Ik weet het niet. Tot deze zak leeg is.'

'En dan?'

'Dan zien we wel.'

Je trok met een schrapend geluid een kruk onder de tafel vandaan en kwam naast me zitten. Je streek met één vinger lichtjes over de naald in mijn arm.

'Word ik hier beter van?' vroeg ik, met een knikje naar de zak.

'Min of meer.' Weer zag ik het zweet op je voorhoofd staan. De ader op je slaap klopte snel.

'Je maakt je zorgen, hè?' fluisterde ik.

Je schudde je hoofd. 'Neuh.' Je stem klonk luchtig en je had een rotsvaste glimlach om je mond. 'Komt goed. Ik heb nog een ampul, mocht je die nodig hebben. Geen punt. Wacht maar rustig af.'

Maar je blik was onrustig toen je me aankeek; je had zenuwtrekjes bij je ooghoeken. Toen ademde je uit, bewust heel langzaam, en drukte je vingertoppen tegen je ogen.

'Wat gaat er met me gebeuren?' fluisterde ik. 'Wat verberg je voor me?' Ik voelde mijn ademhaling versnellen en mijn keel werd dichtgesnoerd.

'Niets,' zei je snel. 'Als je maar niet in paniek raakt, want dat is nu wel het laatste wat we kunnen gebruiken. Als je in paniek raakt, wordt je bloed sneller rondgepompt en dat versnelt de verspreiding van het gif.' Je legde je handen op mijn schouders en masseerde mijn nekspieren. 'Rustig maar,' fluisterde je.

Maar ik kon niet rustig blijven, niet echt. Ik moest steeds denken aan doodgaan, daar in de woestijn, op een keukentafel, omringd door miljarden korrels zand. Mijn ademhaling werd nog sneller, en je legde je hand op mijn mond om me tot bedaren te brengen. Je streelde mijn haar.

'Maak je niet druk, het komt wel goed,' zei je telkens weer. 'Ik zorg ervoor dat jou niks gebeurt.'

Ik sloot mijn ogen en zag duisternis achter mijn oogleden. Misschien zou dat binnenkort het enige zijn wat ik nog zag. Misschien zou het dode gevoel in mijn been al gauw mijn hele lichaam overnemen, en vervolgens mijn geest en dan was het afgelopen. Mijn hart zou ermee ophouden en er zou een eeuwigdurend dood gevoel voor in de plaats komen. Dan lag ik onder het zand, met al die korrels onder en boven me en overal om me heen. Ik greep me vast aan de tafel en drukte mijn nagels in het zachte hout.

'Rustig nou,' mompelde je.

Ik had al eerder aan de dood gedacht, vaak genoeg. Maar de dood zoals ik me die had voorgesteld zou gewelddadig en pijnlijk zijn, veroorzaakt door jou. Niet gevoelloos en klinisch.

'Je gaat niet dood,' fluisterde je. 'Je moet nu gewoon geduld hebben. Ik ben er voor je en ik kan je helpen. Maar niet in paniek raken.' Je streelde de zijkant van mijn gezicht. 'Gem, ik laat je niets overkomen. Jou niet.'

Je veegde de zweterige lokken van mijn voorhoofd.

'Je voelt warm aan,' mompelde je. 'Te warm.'

Ongeveer de helft van de zak met vloeistof was in mijn lichaam verdwenen, maar ik voelde nog steeds een doffe pijn onder aan mijn been. Kwam dat door de slangenbeet of doordat het verband te strak zat? Je nam mijn polsslag nog eens op.

'Moet je overgeven?' vroeg je.

'Niet echt.'

'Pijn in je buik?'

'Nee.'

Je legde peinzend een vinger tegen je lippen en keek aandachtig naar mijn verbonden been. 'Is dit nog pijnlijk?'

'Ja.'

Ik meende die doffe pijn nu te voelen in de buurt van mijn knie; hij trok langzaam naar mijn bovenbeen. Ik stak mijn hand uit naar de plek waar ik het voelde.

'Het zit hier,' zei ik. 'Hier zit de pijn.'

Je deed even je ogen dicht. Weer zag ik dat zenuwtrekje in een van je ooghoeken. Jij drukte nu ook je hand tegen dat gedeelte van mijn been, en je liet je vingers naar mijn enkel glijden.

'Het gif gaat hard,' fluisterde je; ik denk dat je het tegen jezelf had. 'Je been wordt dik.' Je keek even naar de zak met vloeistof en hield hem schuin om te zien hoeveel er nog in zat. 'Ik doe de volgende ampul erin.'

Ik keek toe hoe je met een naald het tegengif opzoog. Toen spoot je hem leeg in de zak en liet de inhoud even rondwalsen. 'Hier krijg je een kick van,' zei je. Je probeerde te grinniken, maar het werd een scheve grimas.

'Dat is de laatste ampul, hè?' vroeg ik.

Je knikte. Je gezicht stond gespannen. 'Het zou genoeg moeten zijn.'

Je wilde mijn voorhoofd weer wissen, maar ik pakte je hand. Ik denk dat het kwam doordat ik op dat moment niet alleen wilde zijn. En ik wilde ook niet dat jij alleen was. Je zette grote ogen op toen je mijn vingers voelde. Je keek naar mijn gezicht, mijn wangen en mijn mond en liet je blik toen naar mijn hals afdalen. Zoiets moois als ik had je nog nooit gezien. Het gaf me een heerlijk gevoel, op dat moment, de blik die ik op jouw gezicht veroorzaakte.

'Ben je duizelig?' vroeg je.

'Een beetje. Het lijkt wel of ik zweef.'

Ik kneep stevig in je hand; ik wilde dat er iets van je kracht in me zou overvloeien. Je hield mijn blik vast. Er stonden vragen in je ogen, en daarachter lagen gedachten.

'Het tegengif zou nu toch moeten werken,' zei je. 'Ik snap het niet.'

'Misschien is het een kwestie van tijd.'

'Misschien.'

Ik kon de spanning in je vingers voelen. Je keek naar de zak met vloeistof. Toen stond je snel op en ging bij de open deur staan. Mijn vingers werden koud nu je ze had losgelaten. Ik knipperde met mijn ogen. De randen van de keukenkastjes waren wazig. Alles was een beetje wazig. Ik zweefde, in een roes. Jij ijsbeerde door mijn roes heen.

Je raapte de lege ampullen op en las met samengeknepen ogen de etiketten.

'Wat is er?'

Je kneep met een zucht een ampul fijn. 'Het enige wat ik kan bedenken, is dat ze niet goed werken. De plek waar ik ze heb bewaard... ik ben bang dat het daar te warm is.'

'Wat wil dat zeggen?'

Je kwam teruggelopen en liet je op het krukje zakken. Toen legde je je klamme hand op mijn schouder, en je blik zocht de mijne. 'Dat wil zeggen dat we kunnen kiezen.'

'Waartussen?'

'Hier blijven en afwachten – ik heb nog andere, natuurlijke middelen die je zouden kunnen helpen – of...'

'Of?'

Je veegde met de zijkant van je hand over je voorhoofd. 'Of we gaan terug.'

'Waarheen? Wat bedoel je?'

Ja ademhaling was haperend. Je sprak langzaam en staarde strak voor je uit naar de keukenkastjes; je wilde niet nadenken bij de woorden die je uitsprak. 'Niet ver hier vandaan is een oude mijn. Ik heb je er laatst over verteld. Daar is een dokterspraktijk waar ze je wel kunnen stabiliseren. Ik zou je ernaartoe kunnen brengen voordat je...'

'Waarom zou je dat doen?' viel ik je in de rede. 'Ik dacht dat je me niet wilde laten gaan.'

'Dat wil ik ook niet.' Je stem brak een beetje.

Ik zag hoe je naar me keek. Zag mijn eigen gezicht in je ogen, twee keer weerspiegeld.

'Vier maanden, had je toch gezegd?'

Je moest je emoties wegslikken voordat je iets kon uitbrengen. 'Jij mag het zeggen. Ik doe nu wat jij wilt.'

'Je zei dat het honderden kilometers was naar de dichtstbijzijnde stad.'

'Dat is het ook... naar de stad.'

'Maar wat...?'

'Die mijn waar ik je naartoe zou kunnen brengen stelt niets voor: een paar mannen en een groot gat in de grond. Maar er is een dokterspost en een landingsbaan. Daar kunnen ze je helpen.'

'Hoe ver is het?'

'Ver.' Je glimlachte treurig naar me. 'Maar ik weet een kortere weg.'

Toen wendde je je blik weer af, met een gekweld gezicht.

'Zou je me echt terugbrengen?' fluisterde ik. Ik kreunde zacht toen ik een felle steek in mijn binnenste voelde.

Je knikte en streelde mijn wang. 'Ik ga de dromedaris halen.'

Ik liet mijn handpalmen op de gladde, koele tafel rusten terwijl ik wachtte tot je terugkwam. Ik keek naar de vloeistofzak, die nu leeg was en van mijn arm was losgekoppeld. Eerder die dag had ik je gretig lopen zoeken in het zand, en nu staarde ik naar het keukenplafond terwijl er gif door mijn lijf joeg. Mijn ogen wilden dichtvallen. Ik gaf ze bijna hun zin. Het zou zo makkelijk zijn om gewoon weg te zakken in die roes die me dreigde op te slokken. Ik concentreerde me op de pijn in mijn buik en luisterde hoe jij buiten de dromedaris riep. Ik wist niet hoe je me daar weg zou krijgen; ik wist nog steeds niet of je het echt zou doen. De kamer begon een beetje te draaien en ik voelde braaksel omhoogkomen. Ik wendde mijn hoofd af en spuugde. Toen drukte ik mijn hand tegen mijn borst; ik voelde mijn hart. *Boem, ka-boem, ka-boem.* Het dreigde door mijn ribben heen te bonzen en ze allemaal te breken. Ik probeerde langzamer te ademen. Daarvoor deed ik mijn best om vast te stellen waar mijn hart precies zat. Links of rechts? We hadden het ooit geleerd op school. Ik drukte hier en daar en probeerde het te voelen, maar mijn hele borstkas voelde aan als één groot hart. Mijn hele lichaam klopte. En het kloppen ging steeds sneller. Ik had het gevoel dat ik zou ontploffen.

Toen richtte ik mijn blik op de keukenkastjes, omdat ik me op iets anders wilde concentreren... alles beter dan de dood. Mijn blik bleef hangen bij de open lade. Er staken een paar vellen papier uit, overhoopgehaald door jouw gezoek. Ik knipperde met mijn ogen en probeerde mijn blik scherp te stellen. Daar lag ook de foto die ik eerder had gezien, van het meisje met haar baby. Hij stak omhoog tussen de andere papieren.

'Gem?'

Je stem bracht me met een ruk terug in de werkelijkheid. Met volle armen kwam je de deur door. Je liet alles wat je vasthield op de vloerplanken vallen; het lawaai galmde om me heen. Toen je naast me kwam staan en zag waarnaar ik keek, trok je de foto tussen de papieren vandaan. Ik ving er nog net een glimp van op voordat je hem in je broekzak stopte: het lange haar van je moeder, en jij nog héél klein.

Je aarzelde voordat je de la dichtdeed en haalde er toen nog iets uit.

'Deze heb ik gemaakt,' zei je nors. 'Voor jou.'

Je schoof hem aan mijn vinger. Hij was ruw, gesneden uit een brok van iets heel kleurrijks en kouds... een ring, helemaal gemaakt van halfedelsteen. Hij was prachtig. Het smaragdgroen en bloedrood glinsterde aan alle kanten op mijn huid en er zaten goudspikkeltjes in die het licht reflecteerden. Ik kon niet ophouden ernaar te staren.

'Waarom?' vroeg ik.

Daar gaf je geen antwoord op. Je raakte alleen de ring voorzichtig aan en keek me doordringend aan, je ogen vol onuitgesproken vragen. Toen draaide je mijn hand om en voelde mijn polsslag, met je vingers op mijn huid. Ze waren klam van het zweet en ik kreeg het nog twee keer zo warm als even daarvoor.

'Luister goed,' zei je vastberadener; je had je stem weer onder controle. 'Ik heb een plan.'

Ik probeerde me op je gezicht te concentreren, maar het werd een beetje wazig aan de randen. Je raapte iets op van de vloer. Ik knipperde met mijn ogen toen ik besefte wat het was: een lange, metalen zaag. De tanden zagen er roestig en scherp uit.

'Wat ga je daarmee doen?' vroeg ik. Ik tastte naar mijn verbonden been. Je zag het.

'Wees maar niet bang, je been loopt geen gevaar.' Je knikte naar de tafel en je mondhoeken krulden om tot een glimlachje. 'Maar de tafelpoten wel.'

Je graaide in het metalen kistje en haalde er nog meer verband uit, dat je afrolde en dwars over mijn buik legde. Toen deed je een stapje terug en keek naar me alsof je me de maat wilde nemen.

'En nu?' vroeg ik.

'Ik ga je aan de tafel vastbinden,' zei je. 'En dan bind ik de tafel op de dromedaris. Daarmee lopen we naar de plek waar jij de auto hebt achtergelaten. Ik krijg hem wel aan de praat.'

Er waren te veel dingen waartegen ik bezwaar wilde maken, dus hield ik het bij de auto. 'Die vind je nooit.'

'Jawel.'

Ik dacht terug aan mijn laatste beelden van de auto, diep ingegraven in het zand.

'Je krijgt hem niet gestart. De motor is in de soep gereden.'

Je haalde je schouders op. 'Dat dacht ik al.'

'Ik wil daar niet doodgaan,' fluisterde ik.

Maar ik denk niet dat je me hoorde. Je begon snel de kamer door te lopen, pakte een doos en vulde die met verschillende glazen ampullen, flessen water en eten. Toen tilde je me met één vlugge beweging op en legde me voorzichtig op de grond.

'Even maar, tot ik de poten eraf heb gezaagd,' zei je met een verontschuldigend lachje.

Een tochtvlaag die door een spleet in de vloerplanken kwam deed het stof opdwarrelen en kietelde in mijn neus. Jij pakte de zaag en begon de eerste poot van de tafel te zagen. Ik voelde de trillingen in de vloer; de zaag vervaagde tot een koperkleurig waas. Eén poot was eraf. Je begon aan de volgende. Je ging snel te werk, maar het ging mij niet snel genoeg.

Algauw lag het tafelblad zonder de poten naast me op de grond. Je tilde me erop. Met de rol verband die je eerder had gepakt bond je me stevig op het blad vast.

'Het is te warm, dat zit te strak,' klaagde ik.

Je bette mijn gezicht met een handdoek en legde die over mijn lijf. Je haalde een glas water voor me en dwong me om te drinken.

'Het wordt alleen maar warmer,' zei je.

Ik gilde het uit toen je me vervoerde op de provisorische brancard, want door het schokken van je stappen kreeg ik kramp in mijn maag. Ik sloot mijn ogen tegen de zon en trok de handdoek over mijn gezicht. Onder de stof voelde mijn adem zwaar en warm, en mijn wangen gloeiden als kooltjes.

Ik verstarde toen je de tafel op het zand liet zakken. De dromedaris zat geknield naast me. Ik hoorde haar kauwen en kon haar warmte voelen. Ik stak mijn arm opzij en raakte met mijn vingertoppen de vacht van haar buik aan. Jij stond aan de andere kant van haar. Ik hoorde je iets vastmaken; de doos die je net had ingepakt, nam ik aan. Toen gooide je een touw over haar bult naar mijn kant toe. Dat bond je om de tafel heen en eronderdoor, om mij en mijn brancard aan de zij van de dromedaris te bevestigen. Je trok hard aan het touw, tot de brancard verschoof in het zand: ik schoof dichter naar de buik van de dromedaris toe, zodat ik naast haar lag. Ze was nu zo dichtbij dat ik de muffe, stoffige lucht van haar vacht kon ruiken en het gerommel in haar maag kon horen. Toen ik mijn arm tegen haar zij drukte, sprong er een minuscuul insectje over van haar huid op de mijne.

Je droeg de dromedaris op om te gaan staan. Ik hoorde het gekreun diep in haar binnenste ontstaan; ik werd erdoor omringd. Ergens heel ver weg hoorde ik de bemoedigende woorden waarmee je haar aanspoorde. Mijn lijf schoot met een ruk naar achteren toen ze haar voorpoten strekte. Ik gilde het uit en klampte me vast aan haar vacht. De pijn werd nog erger toen ze op haar achterpoten omhoogkwam. Maar op de een of andere manier bleef de brancard horizontaal, met mij erop, plat op mijn rug, stevig aan de dromedaris gebonden als een zware zadeltas.

'Hou vol, Gem,' zei je, en je legde je hand op mijn schouder. 'Dit hele gedoe gaat een beetje pijnlijk worden.'

De dromedaris zette een paar aarzelende stappen. Ik zette me schrap en hield me vast aan de rand van de tafel. Mijn lichaam schoof heen en weer, wat stekende pijnen opleverde.

En toen waren we onderweg. Zodra ze eenmaal liep, leek de dromedaris het gewicht dat ze meetorste te vergeten en ze stapte moeiteloos voort. Ik gluurde onder de handdoek vandaan. Met je ene hand hield je de dromedaris vast aan een touw en in de andere hand had je een lange stok. Je liep in hoog tempo naast ons, bijna op een drafje om de enorme passen van de dromedaris bij te houden. Het zweet gutste over je blote bast en spoelde de laatste verfrestjes weg.

'Hup, meisje,' riep je. 'Sneller...'

Jouw woorden klonken als een liedje, op het ritme van de doffe passen van de dromedaris. De geluiden vervaagden in mijn hoofd en werden zachter, zachter...

Ik probeerde langzaam te ademen en me daarop te concentreren, in plaats van op de krampen in mijn buik. Het zonlicht brandde in mijn ogen, verblindend. Ik legde de handdoek er weer overheen. Je had aan weerskanten van mijn hoofd een fles water neergezet; ik legde mijn wang tegen een ervan, die mijn huid enigszins verkoelde. Maar algauw waren de flessen net zo warm als ik, en het water klotste luid in mijn oren. Mijn hele lijf schokte en deed pijn bij iedere pas. En mijn hoofd bonsde.

Op een bepaald moment liet je de dromedaris langzamer lopen, zodat je iets in mijn mond kon stoppen.

'Kauw hier maar op,' zei je. 'Dat helpt tegen de pijn.'

Het spul was zacht als kauwgum, maar smaakte naar bittere bladeren. Ik kreeg een aardse lucht in mijn neusgaten en mijn lippen werden gevoelloos. Ik luisterde naar het geluid van het klotsende water, de plofjes van de dromedarispoten en jouw gehijg naast ons. Er was ook ergens een vlieg, jengelend aan de andere kant van de handdoek. De hitte smoorde me en maakte dat mijn ademhaling oppervlakkig werd. Ik geloof dat ik heb geslapen.

Ik was thuis, ik liep door onze straat. Het was een warme

lentedag. In de voortuin van de buren spetterden wat kinderen in een opblaasbadje. Ik liep om het huis heen, sprong over het hekje en ging naar mijn slaapkamerraam. Als ik een beetje aan de grendel morrelde, kreeg ik het raam meestal wel open. Maar deze keer niet. Ik bleef tegen het raam duwen en probeerde het te forceren. Ramde er met mijn vuist tegen. Er verscheen een scheurtje in het glas. Ik bracht mijn hand naar mijn mond en zoog eraan, speurde hem af naar glasscherfjes. Toen keek ik door het raam naar binnen.

Er lag een kind in mijn bed. Ze was een jaar of tien en had koperbruin haar en groene ogen. Ik zag zelfs mijn roze konijn naast haar liggen. Ze klemde met haar vingers de dekens stevig om zich heen en lag daar met wijdopen ogen. Ze staarde me aan. Toen wierp ze snel een blik op haar slaapkamerdeur, om in te schatten hoe ver het zou zijn om te vluchten. Ze kon het. Het was maar vijf passen naar die deur, en dan nog tien naar de keuken. Ze wilde de huistelefoon pakken, maar ik wist al wat er zou gebeuren. Ze stootte met haar hand het glas water naast het bed om. Toen ze haar mond opendeed en begon te gillen, drukte ik mijn vinger tegen mijn lippen en schudde mijn hoofd.

'Nee,' zei ik geluidloos. 'Niks aan de hand, ik ben het maar.'

Toen zweeg het meisje, met open mond, en ze keek naar me alsof ik een buitenaards wezen was. Ik glimlachte naar haar. Daarna haalde ik iets uit mijn zak – een vogelnestje – en legde dat in haar raamkozijn.

En toen wist ik het. Jij was degene die dat vogelnestje daar neerlegde. Maar ik was het meisje dat naar buiten keek. Wij waren het samen.

Er vielen druppels water op mijn voorhoofd, drukkend; de handdoek plakte ervan aan mijn huid. Met veel moeite deed ik mijn ogen open. Toen ik mijn arm onder de handdoek vandaan schoof, voelde ik water op mijn hand druppen. Ik dacht dat ik nog droomde. Met een ruk trok ik de handdoek van mijn gezicht. Er viel water op mijn wangen en mond, koel en fris. Mijn huid siste haast toen de druppels erop neerkwamen. Ik stak mijn tong uit en likte. De lucht boven me was grijs en het was niet meer zo warm. Ik kon weer ademen.

Mijn lichaam ging sneller vooruit dan eerst. De dromedaris liep harder. Toen ik mijn hoofd bewoog, slaakte ik een kreet van de pijn in mijn nek. Jij liep op een drafje naast ons; je moest je benen helemaal strekken om de dromedaris bij te houden en je blik ging steeds naar mij. Je zag me kijken. Ik wilde je vragen hoe lang we al onderweg waren, maar mijn keel en stem waren schor en nutteloos.

'Het is niet ver meer,' zei je, buiten adem van het rennen.

Ik keek omhoog naar de druppels water, die nu gestager begonnen te vallen. Je stak met een grijns je armen in de lucht en draaide al rennend een rondje.

'Regen,' zei je. 'De hemel huilt om jou.'

Je klakte met je tong en tikte met de stok tegen de achterpoten van de dromedaris, en ze ging nog harder lopen. Daardoor schoof ik wild heen en weer op de brancard, en ik kromp ineen. Het was de eerste keer dat ik pijn voelde sinds je me de zachte blaadjes had gegeven om op te kauwen. Toen je het zag, liet je de dromedaris vaart minderen. Ik hield mijn hoofd schuin om te kijken waar we heen gingen. We waren niet ver van een groepje rotsen en bomen. Het ging harder regenen. De handdoek plakte aan mijn lijf door het vele water. De regen liep in stroompjes van je hoofd en kleurde je haar donker. Je streek het naar achteren, waardoor er nog meer druppels op mij terechtkwamen.

'We zullen de bui moeten afwachten,' bracht je hijgend uit.

De regen viel tikkend in het zand, als licht tromgeroffel. Op dat geluid probeerde ik me te concentreren, in plaats van op de toenemende pijn in mijn been. Ik had ook weer vreselijke maagkramp. Maar we bereikten de bomen. Je liet snel de dromedaris neerzoeven en laadde de spullen eraf. Toen maakte je een provisorisch tentje van zeildoek en touw en takken. Daar droeg je me heel voorzichtig naartoe en je legde me op een deken onder het zeil. Je haalde de natte handdoek van me af en legde er iets warms en droogs voor in de plaats, op je hurken naast me gezeten.

'Je hebt koorts,' zei je.

Je trok aan het zeildoek, dat je tussen twee bomen had gespannen, in een poging de regen die van de zijkant kwam tegen te houden. Ik voelde het gewicht van een nieuwe handdoek die je over me heen legde. Mijn oogleden waren droog en zwaar. Even meende ik donder te horen; een diep gegrom in de lucht. Je schoof mijn hoofd opzij tot het in je schoot lag.

'Hou je ogen open,' zei je. 'Blijf bij me.'

Dat probeerde ik. Het voelde alsof ik iedere spier in mijn gezicht moest aanwenden om ze zelfs maar halfopen te houden, maar het lukte. Ik zag jou ondersteboven, je lippen boven mijn ogen en je ogen boven mijn lippen.

'Je moet praten,' zei je.

Mijn keel voelde dichtgeschroefd; alsof mijn huid opgezwollen was en dat gedeelte een massieve homp vlees was geworden. Ik pakte je hand.

'Blijf me dan maar aankijken,' zei je. 'En naar me luisteren.' Je keek naar het weer, naar de lucht. 'Het is geen echt onweer, dit zijn alleen de naweeën van het noodweer dichter bij de kust. Hopelijk trekt het gauw over.'

Ik fronste; het regende toch nooit in de woestijn? Jij las mijn gezichtsuitdrukking.

'Normaal gesproken niet,' mompelde je. 'Alleen als het echt nodig is.'

Door je woorden werd je gezicht wazig. Je ogen zwommen in een bruine poel. Toen ik naar meer lucht hapte, viel er een regendruppel in mijn mond. Je streek de natte lokken uit mijn gezicht.

'Ik zal je een verhaal vertellen,' zei je. 'Over de regen.' Je goot een beetje water in mijn mond. Bijna spuugde ik het weer uit, proestend. Zelf nam je ook een slokje voordat je verderging.

'Regen is hier heilig,' begon je. 'Kostbaarder dan geld of edelstenen. Regen is leven.'

Je zette je vingers tegen mijn slapen. Dat beetje druk maakte het makkelijker om je aan te kijken, om mijn ogen open te houden.

'Als het hier regent,' zei je, 'dan vermengt de regen zich met het zand en dan kleuren de rivieren rood. Rivierbedden die al maanden droog staan komen tot leven en vullen zich met snelstromend rood water; ze vormen aderen in het zand... ze vormen leven. Het is alsof het land herleeft en het zijn levenskracht over alles laat uitvloeien.'

Je stak je hand onder het zeildoek uit in de regen en drukte hem vervolgens tegen de grond. Toen je hem aan me liet zien, was hij bedekt met rode klei. Je streelde mijn voorhoofd, wangen en mond. Ik voelde zandkorrels mijn gezicht besmeuren en rook de ijzerachtige aardgeur en de frisheid van de regen. Op de een of andere manier hielp dat me om wakker te blijven.

'Als het hier regent,' hervatte je je verhaal, 'dan kruipen er dieren die maanden of soms jaren niet gezien zijn uit de aarde tevoorschijn. Planten richten zich op uit het zand. Zaailingen ontspruiten.'

Je vingers streken over mijn wang. Ik voelde je korte nagels op mijn huid, tikkend als de regen om me wakker te houden. Toen je weer begon te praten, was dat fluisterend. Ik moest me inspannen om je woorden te verstaan voordat ze verloren gingen in het geroffel van de stortregen.

'Er bestaat een traditie wanneer het regent,' zei je. 'De vrouwen dansen spetterend aan de oever van de rode rivieren. En tijdens het dansen stroomt het bloed langs hun benen... het regenbloed en dat van henzelf. Niet alleen het land bloedt hier, ook wij bloeden.'

Je vingers dwaalden omlaag naar mijn lippen en streken erlangs. Ik proefde het zout. Er kwam een korreltje zand in mijn mond. Jij smeerde de rode klei uit over mijn hals en sleutelbeen en masseerde die in mijn huid. Er viel een regendruppel op mijn voorhoofd; ik kon voelen dat hij de rode klei meenam toen hij over mijn wang omlaag liep. Ik voelde me als de bomen die ik had zien bloeden toen ik verdwaald was in de zandduinen, met stroompjes robijnrood sap op mijn huid.

Weer klonk dat gerommel in de verte, alsof de aarde zich daarginds ergens opende; alsof ze iets opslokte. Jij draaide snel je hoofd in de richting waar het vandaan kwam. Vluchtig bekeek je het zeildoek, om na te gaan of het goed bevestigd was.

'Het zit namelijk zo,' mompelde je. 'Regen is voor de woestijn een manier om te veranderen. Overal om ons heen lopen de planten uit en paren de insecten... alles leeft weer.'

Je gezicht draaide helemaal. Je praatte nog steeds, maar ik kon de woorden niet meer verstaan. Je lippen waren twee rupsen die in je gezicht kronkelden. En ik zakte weg, mijn huid was zwaar en gezwollen als dat van een larve en er trok een doffe pijn door mijn spieren. Ik had de regen nodig om ook mij weer levend te maken.

Toen legde je me weer op de brancard, en je trok het verband en het touw strak om me heen. De pijn sneed door mijn ingewanden, alsof iemand een hand in mijn maag had gestoken en die omdraaide.

'Doe je ogen open,' zei je. 'Vooruit.'

Het water uit je haar droop op mijn neus. Je riep naar de dromedaris dat ze moest stilstaan. Ze rommelde als de donder in protest. Je gaf haar een harde tik met de stok en ik voelde haar naar voren schieten; eerst kwam ze omhoog op haar voorpoten en toen op haar achterpoten.

'Vooruit, jongedame,' riep je.

Het regende nog steeds, maar niet meer zo hard; de druppeltjes waren licht als een tuinsproeier. Toen ik mijn mond opendeed, voelde ik het water op mijn tong en tanden. Ik geloof dat de regen op dat moment het enige was wat me in leven hield. Elk drupje was als een remedie om me te genezen... om me bij bewustzijn te houden. Het regende en de dromedaris rende.

Na een poos – ik weet niet hoe lang – kwamen we bij de auto. Je liet de dromedaris neerzoeven onder een nabijgelegen groepje bomen en maakte me los. Toen leidde je de dromedaris weg. Ik hoorde de motor gieren en grommen toen jij de auto probeerde los te krijgen en ik hoorde de dromedaris jammeren. Wanhopig probeerde ik mijn ogen open te houden. Ik keek naar de lucht – weer blauwgrijs – en naar de bomen. Op de stam zaten nog altijd de rode adertjes, net als eerst. Insecten voedden zich met het rode plantensap. Op mijn eigen huid zaten ook vliegen; ze krioelden zoemend over me heen. Ik rook de vochtige lucht van aarde waarop verse regen was gevallen. De auto brulde en gromde en vocht tegen het zand. Je riep iets tegen de dromedaris. Ergens knapte een tak.

Je kwam naar me toe met dekens en water. Liet me drinken. Je praatte voortdurend, maar je woorden waren niet meer dan achtergrondgeluid, als de wind op het zand of ruis op de radio. Toen pakte je mijn arm en stak er iets scherps in. Ik voelde iets door mijn anderen stromen. Daarna werd ik een beetje wakkerder.

'We moeten opschieten,' zei jij.

Je tilde me op en droeg me naar de auto. Je had olie en zand en zweet op je huid. Je rook naar benzine. De auto gromde verwachtingsvol. Je wachtte even voordat je me erin zette.

'Wil je nog afscheid nemen?' vroeg je.

Je klakte met je tong en de dromedaris liep naar ons toe. Ze kwam met haar enorme gezicht vlak bij me en snuffelde aan mijn wang. Haar halsband was weg. Ik raakte even haar fluwelen neus aan, maar het zachte gevoel bereikte mijn vingers pas toen ik ze weer had teruggetrokken.

'Dat was het dan,' mompelde je.

'Hoe vind je haar nou weer terug?' probeerde ik te vragen. 'Hoe vindt zij jou terug?'

Je gaf geen antwoord. Ik denk dat je mijn vraag niet verstond. Je staarde alleen maar strak voor je uit naar de dromedaris, met een doffe blik in je ogen.

'Dag meisje,' zei je zacht. Je klakte nog een keer met je tong en de dromedaris gromde als antwoord. Ze deed een stapje achteruit, bij de auto vandaan.

Je schoof mij als een bundeltje op de achterbank en zette me met mijn rug tegen het zijraampje aan de andere kant, zodat mijn been gestrekt bleef. Je deed het portier dicht. Ik zag dat je nog een laatste klopje op de hals van de dromedaris gaf toen je langs haar liep.

Je liet de motor flink loeien om de auto van z'n plaats te krijgen en pompte met je voet het gaspedaal op en neer. De banden slipten in het zand. Ik keek door het raam naar de dromedaris. Toen de auto langzaam wegreeg, begon ze te draven. Je ging sneller rijden en zij vergrootte haar passen. Ze rende naast ons mee. Ik legde mijn wang tegen het raampje en zond haar mijn gedachten. Ze wilde niet in haar eentje achterblijven, niet weer helemaal alleen zijn. Hoe moest ze haar kudde terugvinden? Hoe moest ze jou terugvinden?

Uiteindelijk sloeg je af. De dromedaris strompelde door het zand en probeerde je bij te houden, maar haar draf werd trager en ze bleef steeds verder achter. Toen we verdwenen, liet ze haar kop hangen en jammerde. Ik had het liefst met haar meegejammerd. Als ik er de energie voor had gehad, zou ik het gedaan hebben. Ik keek haar na tot ze een piepklein stipje in de verte was. Ze stond nog steeds naar ons te kijken.

'Dag,' fluisterde ik.

De auto stuiterde en slipte in het zand. Steentjes vlogen tegen het raam. Gespannen hield ik me vast aan de achterbank. Iedere bocht en beweging joeg een pijnscheut door mijn spieren.

'Hou vol,' zei je.

Maar het was moeilijk. Na een tijdje vielen mijn ogen weer dicht. Ik voelde mezelf wegglijden op de achterbank. Het slangengif trok door mijn lichaam omhoog en vergiftigde me in stilte. Mijn armen en benen werden stijf en hard. Door het gif droomde ik dat mijn voeten door het autoportier heen groeiden en in het zand wegzakten. Mijn huid veranderde in droge schors en mijn armen in takken. Mijn vingers waren zacht fluisterende blaadjes.

Ik was me vaag bewust van geschud. Mijn lichaam schoof opzij, maar ik wist niet hoe dat kwam. De beweging hield aan. Iets praatte tegen me. De wind of het zand of iets anders riep mijn naam.

'Gemma... Gem,' zei het. 'We zijn er bijna.'

Maar mijn lijf reageerde niet. Ik probeerde mijn ogen open

te doen; niets werkte. Mijn huid was stijf. Mijn vingers schokten en wiegden in de wind. Toen voelde ik jouw hand op mijn wang, koel en droog.

'Wakker worden, Gem,' zei je. 'Word alsjeblieft wakker.'

Ik probeerde mijn gezicht weer in de plooi te krijgen; ik spande de spieren in mijn voorhoofd. En deze keer lukte het. Langzaam deed ik mijn ogen open. Een klein spleetje, maar dat was genoeg. Ik zag jou. Je zat half omgedraaid, achterstevoren op de voorstoel, met één hand op het stuur. Achter je, achter de voorruit, torende een gigantische berg zand boven ons uit.

'De oude mijn,' zei je.

Weer stopte je een dot zachte blaadjes in mijn mond, nog bitterder dan de vorige.

'Kauwen,' zei je. 'Wakker blijven.'

Je draaide je weer om, en plotseling hobbelde de auto niet langer. We waren op een zandpad aangekomen. Het was hard en veelgebruikt. Mijn hoofd sloeg tegen het raampje toen je plankgas gaf en om ons heen stoof het stof op. Vergeleken met het ruwe terrein waaraan ik gewend was geraakt, voelde het nu alsof de auto zweefde. Toen we dichterbij kwamen, zag ik boven op de berg enorme trucks rijden; er stonden torens en stortkokers en grote metalen tanks naast. Aan de voet van de berg stonden nog meer gebouwen en in de lucht hing wit stof. Verder was alles bedekt met rood stof, en andere kleuren... bruin- en wittinten, oranje en zwart. Er lagen grote hopen stenen. Er waren geen bomen.

Ik kauwde op de blaadjes en proefde de antiseptische bitterheid. Knipperend met mijn ogen dwong ik ze om open te blijven. Wekenlang had ik van dat moment gedroomd, van die eerste glimp van het leven buiten jouw huis in de woestijn. Maar nu het zover was, voelde het onwerkelijk. Gebouwen, telegraafpalen, vrachtwagens en brokken steen liepen in elkaar over tot één wazig geheel, een ronddraaiende rode vlek achter het autoraampje. Alles leek heet en verbrand.

Je reed met slippende banden naar de gebouwen. Ik hapte naar adem toen je abrupte beweging een pijnscheut door mijn schouders joeg. Het voelde als prikkeldraad onder mijn huid. Je racete een straat in met aan weerskanten kleine, vierkante gebouwtjes. Huizen? Ik kreeg meer moeite met ademhalen. Het was daar warmer, op de een of andere manier was de lucht er dikker, zwaar van het mijnstof. Mijn ogen begonnen weer dicht te vallen.

Je reed een inrit op. Daar stond ook weer een recht gebouwtje, een soort keet. Ik hapte naar adem toen de pijn weer toesloeg. Toen deed ik mijn ogen dicht en legde mijn wang tegen het koele glas van het raampje. Iedere ademteug was zwaarder dan de vorige. Jij sprong de auto uit zonder zelfs maar de motor af te zetten. Je riep iets in de richting van het gebouw, maar ik weet niet wat. Mijn gehoor nam nu af. Alles om me heen werd trager en stiller. Mijn lichaam sloot zich af, de zaak ging sluiten. Alles was wazig als een droom. Niets was echt.

Ik hoorde ook een andere stem roepen. Toen ging het portier waar ik tegenaan leunde open en viel ik naar achteren. Jouw armen waren er om me op te vangen. Er werd iets op mijn neus en mond gedrukt. Een klinische geur. En toen kon ik plotseling iets gemakkelijker ademhalen. Jij boog je over me heen en tilde me op. Maar ik kon je niet echt voelen. Alleen je arm die langs mijn vingertoppen streek, die voelde ik wel.

Je nam me mee naar een vertrek. Legde me op een tafel. Een man boog zich over me heen. Ik zag hem toen hij mijn oogleden opentrok. Hij zei iets tegen me en stak iets in mijn arm. Van ergens heel ver weg voelde ik een pijnscheutje.

Toen kwam het kapje over mijn gezicht. En ik kreeg weer lucht.

Daarna reden we hard. Ik zag de hemel door de ramen: blauw, met daarin de eerste strepen oranje van de zonsondergang. Je remde slippend. Het portier ging open en je tilde me weer op. Je rende; mijn lichaam deinde heen en weer in je armen. Maar ik had geen pijn. Van heel ver weg hoorde ik jouw voetstappen op asfalt. En er was nog een ander geluid. Een ritmisch gebrom. Mechanisch onweer. Iemand in het wit wachtte ons op.

'Naam? Leeftijd?' Ik hoorde een vrouwenstem, ook weer van heel ver weg, alsof ze sprak vanuit een andere wereld.

Jij droeg me een vliegtuig in en legde me op iets zachts. Toen wilde je weglopen. Ik stak mijn arm naar je uit en pakte je hand, sloot mijn vingers stevig om de jouwe. Ik wilde je niet loslaten, wilde niet alleen achterblijven met deze vreemden. Ik keek naar je op en vond je blik. Jij aarzelde, keek even naar de startbaan buiten en het vlakke, rode landschap erachter... en toen weer naar mij. Met een klein knikje ging je zitten. Je begon tegen me te praten. Ik weet niet wat je zei, maar je had tranen in je ogen.

Mijn oren voelden dik en zwaar en het toestel bewoog om me heen. Weer een kapje op mijn gezicht. Lucht. Weer geprik in mijn arm. Ik keek alleen maar naar jou. Jij was het enige dat ervoor kon zorgen dat ik mijn ogen openhield. Maar mijn borstkas zakte weg, dwars door het zachte matras heen, door de bodem van het vliegtuig... Ik lag onder een lawine. Om ons heen kleurde de lucht oranje en het land onder ons was rood. We vlogen de zon in.

Toen dook het vliegtuig naar beneden; het hobbelde en ik werd eruit gereden. Over de landingsbaan. Het was donker, maar in de verte knipperden lichtjes. Het kapje werd van mijn gezicht gehaald. Jij draafde naast me, zoals je in het zand naast de dromedaris had gedraafd. Deze keer hield je mijn hand vast, je vingers gespannen. Je blik liet de mijne geen moment los. Er was een gebouw. Ik ging een schuifdeur door.

Toen bleven we staan. Een man in pak stelde jou vragen, duwde je weg. Je begon te roepen en te wijzen. Daarna keek je me aan... keek je me écht aan. Je ogen stonden wanhopig, je wilde iets... iets vinden. Denk ik. Je ogen werden vochtig toen je me van top tot teen opnam en je blik bleef rusten op mijn gezicht, mijn ogen, mijn benen. Ik wilde iets zeggen, maar ik kon niets uitbrengen. Je draaide je om naar de man in het pak en riep iets naar hem. Toen kwam je terug naar mijn brancard. Je boog je over me heen. Raakte mijn gezicht aan.

'Dag, Gem,' fluisterde je. 'Het komt goed met je.'

Je raakte nog even de ring om mijn vinger aan en wilde weglopen.

Nee. Ik schudde mijn hoofd. Nee.

Ik pakte je beet. Greep je bij je elleboog. Mijn vingers groeven in je huid. En met al mijn kracht trok ik je naar me toe. Je liet me begaan. Je gaf je al snel gewonnen. En toen, plotseling, zat je naast me. Ik liet mijn vingers via je arm naar je blote borst gaan en voelde je warmte. Ik legde een hand in je nek.

Toen, met mijn laatste restje kracht, trok ik je gezicht naar me toe. Ik moest mijn hoofd een stukje van het kussen tillen om dichter bij je te komen. Je huid was een paar centimeter van de mijne. Je mond heel dichtbij. Mijn lippen vonden je wang. Ik proefde jouw zand en zoet en zweet. Voelde je ruwe baard. Ik voelde je warme adem en rook de zurige eucalyptus. Je lippen waren zacht op mijn huid.

En toen werd je van me weggetrokken. Je werd vastgehouden. En ik viel terug in het kussen. Ik zocht je, en toen ik werd weggereden vond ik je ogen. Ik kon je zout nog op mijn lippen proeven.

Je huilde niet. Je verroerde je niet. Je stond daar maar, als versteend, naar me te kijken terwijl je werd omsingeld door het ziekenhuispersoneel. Nu was jij degene die werd opgejaagd. Ik wilde mijn hand opsteken, wilde je bedanken. Maar ik kon alleen maar toekijken terwijl ik achteruit werd weggereden, een klapdeur door. Ik voelde het plastic tegen mijn armen. Ik hees mezelf omhoog, want ik wilde je in het zicht houden. Jij bracht je hand naar je mond en wierp me een soort handkusje toe. Maar ik zag alleen maar het zand dat even in de lucht bleef hangen en toen op de grond viel.

Toen sloeg de klapdeur dicht en werd mijn gezicht betast door andere, koudere vingers. Weer een kapje over mijn mond. De plastic bandjes sneden in mijn gezicht. En daarna werd ademhalen gemakkelijk. Maar dat deed er niet toe, want de wereld werd toch zwart.

Ik zonk weg. Alles was koud en donker en heel ver weg. Ik werd omgeven door het vage geluid van zoemende apparaten en geroezemoes in de verte...

'Wie is dat meisje eigenlijk?'

'Ze ontglipt ons...'

'Breng haar naar de intensive...'

En toen niets meer.

Een scherpe chemische lucht. Stugge lakens op mijn huid, die zwaar op mijn borst drukten. Slangetjes in mijn armen. Er piepte iets. Toen ik ernaar zocht, werd het gepiep sneller. Ik had het koud. Mijn lichaam was niet meer zo gevoelloos, ik had nu een soort spierpijn. Het voelde een beetje leeg. Om me heen waren vier donkere muren. Geen ramen. Toen ik naar een van de wanden keek, leken de andere drie dichterbij te komen.

Het was een piepklein kamertje. Jij was er niet.

Alleen ik.

Een andere keer voelde ik vingers, koude vingers op mijn arm, die iets om me heen sloegen.

'Waar is Ty?' vroeg ik.

'Wie?' Het was een vrouwenstem, tamelijk oud.

'Waar is Ty?'

De vingers hielden op met bewegen. Een zucht.

'Over hem hoef je je geen zorgen meer te maken,' zei de stem zacht. 'Hij is er niet meer.'

'Waar is hij dan?'

De vingers gingen naar mijn pols en drukten ertegen. IJskoude vingertoppen. 'Je ouders zijn onderweg.'

Ik sliep.

Bloed tussen mijn benen... eindelijk ongesteld. Slechts een paar weken over tijd. Ze zeggen dat je menstruatie soms wegblijft door de angst. Ik lag daar maar, te ver heen om me opgelaten te voelen, en keek toe hoe de verpleegster de lakens verschoonde.

Ik sliep weer en wilde dromen.

Eerst hoorde ik de stem van mijn moeder door de gang galmen, hoog en schel; ze kwam mijn kant op.

'We zijn vertrokken zodra we konden,' zei ze. 'Waar is ze?'

Haar hakken tikten snel, kwamen dichterbij... luider.

De stem van mijn vader op de achtergrond; hij praatte met een derde stem.

'Haar coma was veroorzaakt door slangengif,' zei die stem. 'Ze zal zich nog wel een tijdje vreemd voelen.'

Toen stonden ze ineens allemaal in mijn kamer: mijn vader en moeder en de dokter in de witte jas. Bij de deur zat een politieagent. Mijn moeder pakte me beet en verstikte me met haar zachte wollen vest en haar dure parfum. Ze snikte tegen mijn schouders. Mijn vader stond achter haar; hij zei iets. Ook hij lachte, zijn hele gezicht rimpelde ervan, en dat bracht me even in verwarring, omdat mijn vader nooit op die manier had gelachen. Niet tegen mij in ieder geval, voor zover ik me kon herinneren. Toen praatte iedereen door elkaar en ze stelden vragen en staarden naar me. Ik keek van mijn moeder naar mijn vader en toen naar de dokter. Er was te veel lawaai. Ik keek naar hun monden die open en dicht gingen, maar hun woorden drongen niet tot me door. Ik schudde mijn hoofd.

Toen vielen ze bijna allemaal tegelijk stil. Ze staarden me verwachtingsvol aan, wachtend op een reactie.

Mijn moeder deed een stapje terug en bekeek aandachtig mijn gezicht. Ik deed mijn mond open. Ik wilde wel met hen praten. Ik wilde wel iets zeggen. Echt waar. Een deel van me, een groot deel, was zo blij om hen te zien dat ik het liefst in tranen was uitgebarsten. Maar ik kon niet huilen, ik kon niet eens praten. Er kwam niets uit. Ik kreeg mijn armen niet eens omhoog voor een omhelzing. Niet op dat moment. Niet meteen.

Maar mijn moeder compenseerde dat door een tranenvloed te storten waar mijn hals nat en klam van werd. 'O Gemma, wat moet het vreselijk voor je zijn geweest,' snikte ze. 'Maar nu zijn wij er en ik beloof je dat alles goed komt. Maak je maar geen zorgen, je bent veilig.'

Haar woorden hadden iets onhandigs, alsof ze zichzelf probeerde te overtuigen. Ik probeerde naar haar terug te lachen. Echt waar. Iedere spier in mijn gezicht deed er pijn van. En er bonkte ook pijn door mijn voorhoofd. Het licht in die kamer was ontzettend fel.

Ik moest mijn ogen sluiten.

Later kwam mijn moeder alleen terug. Ze had rode ogen en zag er moe uit. Haar blouse had ze verruild voor een perzikkleurig exemplaar, vers gestreken en zoet geurend.

'We hadden niet allemaal tegelijk moeten komen,' zei ze. 'Dat was natuurlijk moeilijk voor je, nadat je zo lang niemand hebt gehad, behalve...'

Ze kon je naam niet uitspreken. Haar gezicht vertrok van de pijn toen ze zelfs maar aan je dacht. Ik knikte om aan te geven dat ik het begreep en ze sprak verder.

'De artsen hebben me verteld dat het soms heel moeilijk is om weer aan het gewone leven te wennen. Ik weet dat ik niet van je mag verwachten...' Haar gezicht vocht tegen een emotie die ik niet kon thuisbrengen. Ik fronste. 'Ik weet niet eens wat hij je heeft aangedaan,' fluisterde ze. 'Je lijkt... anders.' Ze moest haar blik afwenden en ze beet op haar lip. Toen haalde ze diep adem voordat ze zichzelf weer in de hand had. 'En we zijn heel ongerust geweest, Gemma,' fluisterde ze. 'We dachten dat we je nooit meer... dat je nooit meer...'

Daar waren de tranen weer; haar mascara liep ervan uit. In

een vorig leven zou ze dat verschrikkelijk hebben gevonden. Ik keek naar de zwarte vegen op haar wangen. Ze pakte mijn hand en ik liet haar begaan. Haar vingers waren koud en mager, haar nagels lang. Ze voelde de ring die ik van jou had gekregen. Ik verstijfde toen ze hem ronddraaide om mijn vinger; de kleuren glinsterden.

'Had je die al?' vroeg ze.

Ik knikte. 'Op de markt gekocht,' loog ik. 'Gewoon een nepding.'

'Daar kan ik me niets van herinneren.'

De stilte bleef tussen ons in hangen. Mijn moeder beet weer op haar lip. Uiteindelijk leunde ze achterover, duimendraaiend, met haar handen in haar schoot. Ik trok mijn hand onder het laken en schoof met mijn andere hand de ring van mijn vinger. Mijn moeder keek aandachtig naar me, met een bezorgde frons.

'De verpleegster zei dat je naar hem hebt gevraagd,' zei ze toen.

'Ik vroeg me af...'

'Dat is begrijpelijk.' Ze boog zich naar me toe en streelde de zijkant van mijn gezicht. 'Maar je hoeft je om hem niet meer druk te maken, lieverd, je hoeft niet eens meer aan hem te dénken.'

'Hoe bedoel je?'

'Ze hebben hem te pakken, Gemma,' fluisterde ze. 'Hij heeft zich aangegeven in het ziekenhuis. De politie moet jou binnenkort een verklaring afnemen.'

'En als ik dat niet wil?'

'Het moet. Het is het beste.' Ze stopte me steviger in. 'Zodra jij je verklaring hebt afgelegd, kan de politie hem inrekenen. Des te eerder verdwijnt dat monster achter slot en grendel. Dat wil je toch, of niet soms?' Haar stem klonk aarzelend.

Ik schudde mijn hoofd. 'Hij is geen monster,' zei ik zacht.

Mijn moeders handen verstarden rond de lakens en ze keek me fel aan. 'Die man is kwaadaardig,' beet ze me toe. 'Waarom zou hij je anders bij ons weggehaald hebben?'

'Dat weet ik niet,' fluisterde ik. 'Maar hij is niet... zo.' Ik kon de juiste woorden niet vinden.

Mijn moeder werd lijkbleek terwijl ze me bestudeerde, met op elkaar geperste lippen. 'Wat heeft hij gedaan?' vroeg ze. 'Wat heeft hij met je gedaan dat je zo over hem denkt?'

De volgende dag kwamen er twee politieagenten langs: een magere man en een tamelijk jonge vrouw. Ze hadden allebei hun pet in de hand. Het waren honkbalpetjes, veel ongedwongener dan de hoofddeksels die de politie in Engeland droeg, en hun overhemd had korte mouwen. Mijn ouders gingen achter in de kamer staan. Er was ook een dokter aanwezig. Iedereen keek naar me, taxerend. Ik voelde me alsof ik in een toneelstuk zat en iedereen op mijn tekst wachtte. De magere politieman haalde een aantekenblok tevoorschijn en kwam zo dicht bij me dat ik de pukkel op zijn kin kon zien.

'We beseffen dat dit lastig voor u is, juffrouw Toombs,' begon hij. Hij had een nasale, hoge stem en ik had meteen een hekel aan hem. 'Mensen die gevangengenomen zijn, doorlopen vaak een zwijgzame periode, een ontkenningsfase. Uw ouders zeggen dat u nog niet veel hebt losgelaten, aan niemand, over uw pijnlijke ervaring. Ik wil u niet dwingen, maar...'

Ik bleef zwijgen. Hij zweeg ook even en keek mijn moeder aan. Ze knikte naar hem ten teken dat hij moest doorgaan.

'Alleen, juffrouw Toombs... Gemma...' ging hij verder. 'We

hebben een man in hechtenis genomen. We hebben reden om aan te nemen dat hij de ontvoerder is. Je zult een verklaring moeten afleggen om dat te bevestigen.'

'Wie is het?' Ik schudde mijn hoofd.

De magere man keek in zijn aantekeningen. 'De verdachte is Tyler MacFarlane, lengte één meter vijfentachtig, blond haar, blauwe ogen, littekentje op zijn...'

Mijn maag draaide om. Letterlijk. Ik moest de beddensteek pakken om over te geven.

De politie bleef aandringen. Elke dag kwamen ze terug met hun vragen, die ze telkens weer een tikkeltje anders formuleerden.

'Vertel me eens over de man die je op het vliegveld hebt ontmoet.'

'Heeft hij je tegen je zin meegenomen?'

'Heeft hij geweld gebruikt?'

'Drugs?'

Ik kon het niet eeuwig volhouden. Uiteindelijk moest ik mijn mond wel opendoen. Mijn moeder spoorde me voortdurend aan. Na een tijdje kreeg ik foto's te zien. Een paar van jou en een paar van andere mannen.

'Is dit 'm?' vroegen ze keer op keer, terwijl ze door de foto's bladerden. Ze wisten van geen ophouden.

Jij was er heel makkelijk uit te halen: de enige man met een beetje vuur in zijn ogen. De enige man naar wie ik echt kon kijken. Het was alsof je speciaal voor mij de camera in keek, alsof je wist dat ik die foto's later zou bekijken, op zoek naar jou. Je stond er trots op. Zo trots als iemand kan zijn die voor een besmeurde politiemuur staat. Ik zag een snee onder je oog die er voordien niet had gezeten. Ik wilde die foto houden, maar natuurlijk stopte de rechercheur hem terug bij de andere in de bruine envelop.

Het ging maar door. In ieder geval nog een paar dagen. Maar uiteindelijk legde ik toch de verklaring af waar ze op uit waren. Ik moest wel.

De tijd werd een waas van injecties en verhoren. Ik was publiek bezit geworden. Het leek wel of iedereen me alles kon vragen. Niets ging te ver. De vrouwelijke rechercheur vroeg zelfs of ik met je naar bed was geweest.

'Dwong hij je om hem aan te raken?' vroeg ze.

Ik schudde mijn hoofd. 'Nooit.'

'Weet je het zeker?'

Ik praatte met psychologen, therapeuten en andere hulpverleners, artsen voor dit en artsen voor dat. Een verpleegster nam elke dag bloed af en een dokter controleerde mijn hart op onregelmatigheden en afwijkingen. Ik werd behandeld tegen de shock. Ze lieten me geen van allen met rust. Vooral de psychologen niet.

Op een middag kwam er een vrouw met een kort bobkapsel in een donkerblauw mantelpakje aan mijn bed zitten. Het liep tegen het eind van de dag; ik zat al te wachten op het gerammel van de etenskar.

'Ik ben dokter Donovan,' zei ze. 'Klinisch psychiater.'

'Niet nóg een psychiater.'

'Dat begrijp ik.' Maar ze ging niet weg. Ze boog zich over het klembord aan het voeteneind van mijn bed en bladerde door de vellen papier. 'Heb je weleens van het stockholmsyndroom gehoord?' vroeg ze.

Ik gaf geen antwoord. Ze keek me even aan en maakte toen haar eigen aantekeningen op het klembord.

'Zo noemen ze dat wanneer een slachtoffer een emotionele band krijgt met de dader,' legde ze al schrijvende uit. 'Dat kan een overlevingsmechanisme zijn, omdat je je veiliger voelt bij je ontvoerder wanneer je het goed met hem kunt vinden, of het kan ook zijn dat je medelijden met hem krijgt... Misschien is hem ergens in zijn leven onrecht aangedaan en dan wil jij dat goedmaken. Je krijgt begrip voor hem. Er zijn ook andere redenen mogelijk: misschien zit je samen met hem op een afgelegen plek; dan moet je wel met hem optrekken, anders word je gek van verveling... of hij geeft je het gevoel dat je bijzonder bent, geliefd...'

'Ik weet niet waar u op doelt,' viel ik haar in de rede. 'Maar voor mij gaat dat niet op.'

'Dat zeg ik ook niet. Ik vroeg me gewoon af of je er weleens van hebt gehoord.' Ze keek me aandachtig aan en trok een wenkbrauw op. Ik wachtte tot ze verder zou gaan, een tikkeltje nieuwsgierig.

'Wat hij ook heeft gedaan,' zei ze toen zachtjes. 'Wat die MacFarlane ook heeft gedaan of tegen je heeft gezegd, je weet toch wel dat dat niet goed was, hè Gemma?'

'U lijkt mijn moeder wel.'

'Is dat zo erg dan?'

Toen ik daar geen antwoord op gaf, zuchtte ze diep en haalde een dun boekje uit haar aktetas.

'Binnenkort word je uit het ziekenhuis ontslagen,' zei ze, 'maar de artsen zullen vragen blijven stellen tot je het inziet, tot je beseft dat wat MacFarlane je heeft aangedaan...'

'Ik weet heus wel dat het niet goed is wat Ty heeft gedaan,' zei ik zacht. En dat wist ik ook echt wel, toch? Maar het was haast alsof een deel van me haar niet wilde geloven. En een deel van me begreep ook waarom jij het had gedaan. Het is heel moeilijk om iemand te haten wanneer je begrip voor hem hebt. Ik was helemaal in de war.

Dokter Donovan zweeg even en keek me aan, niet onvriendelijk. 'Misschien kun je hulp gebruiken om je gedachten op een rijtje te zetten?'

Ik zei niets en keek strak voor me uit, naar de lichtgrijze muur. Ze legde het boek op mijn nachtkastje. Op het omslag stond iets over het stockholmsyndroom. Ik bekeek het, maar niet al te aandachtig.

'Je zult toch een keer met iemand moeten praten, Gemma,' drong dokter Donovan aan. 'Je zult nu gauw je ware gevoelens moeten verwerken... de waarheid.'

Ze legde haar visitekaartje op het nachtkastje. Ik pakte het en legde het in de la, naast jouw ring die ik daarin had opgeborgen.

Toen ze weg was, staarde ik naar het plafond. Ik trok de dekens over me heen, want ik had het plotseling koud. Ik voelde me naakt... alsof ik mijn vel in de woestijn had achtergelaten, zoals slangen dat doen. Alsof een deel van me ergens was achtergebleven.

Ik vroeg me af of jij ook werd verhoord. Huiverend trok ik de dekens helemaal over mijn hoofd, en ik genoot van de duisternis die dat bood.

Mijn ouders namen de verslaggevers voor hun rekening. Ze maakten hun opwachting bij het journaal en spraken met de kranten. Daar was ik ze dankbaar voor. Op dat moment begon ik al te hyperventileren bij de gedáchte aan een camera voor mijn neus.

Toen ze allebei naar een persconferentie waren, ging ik mijn bed uit. Ik ijsbeerde door het kamertje waarin ik was opgesloten tot mijn ledematen langzaam weer gingen functioneren. Het been met de slangenbeet was nog stijf en pijnlijk, maar het was heerlijk om beweging te hebben.

Ik probeerde over de gang te lopen, om uit te testen hoe ver mijn been me zou dragen voordat de pijn te erg werd. Kon ik zo het ziekenhuis uit lopen? Twee oudere patiënten staarden me indringend aan toen ik langsliep. Ze wisten wie ik was. Hun blik maakte dat ik bijna terugholde naar dat kamertje. Het leek wel of ik beroemd was. Ik slikte en dwong mijn benen om door te lopen.

Ik ging naar de kantine en liep door de klapdeuren waar ik jou voor het laatst had gezien. In het voorbijgaan raakte ik de harde zijkanten. Bij de receptie zat een zwangere dame te wachten. Ze keek op toen ik voorbijkwam, maar ik deed alsof ik haar niet zag. Ik liep door naar de schuifdeuren van de uitgang. Toen ik ervoor ging staan, schoven ze met een mechanisch gezoem open. Buiten was het warmer, de zon scheen. Ik knipperde met mijn ogen tegen het felle licht. Er stonden auto's en lantaarnpalen en er liepen mensen, en in de groene bomen kwetterden vogels. Het asfalt van het parkeerterrein strekte zich voor me uit, en daarachter was het landschap vlak, rood en stoffig.

Ik zette één stapje, maar vrijwel onmiddellijk stond er een verpleegster naast me, die haar handen op mijn armen legde en me niet meer losliet.

'Jij bent nog niet ontslagen,' fluisterde ze.

Ze draaide me om en dirigeerde me terug naar die kamer. Naar dat kleine, piepkleine kamertje... dat wel een cel leek, met die dikke muren en het gebrek aan licht. Ze legde me weer in bed en stopte me stevig in.

Later kwam mijn moeder binnen met een plastic zak. Er zaten honderden krantenartikelen in, allemaal zorgvuldig uitgeknipt.

'Ik weet niet of je beseft hoeveel er over je ontvoering te doen is geweest,' zei ze. 'De hele wereld weet ervan.' Ze legde de zak op mijn bed en bladerde door de pagina's vol woorden. 'Dit is alleen nog maar het gedeelte dat ik heb verzameld sinds ons vertrek uit Engeland. Thuis ligt nog meer. Ik dacht...' Ze zweeg even en koos haar woorden zorgvuldig. 'Ik dacht dat je misschien wel zou willen lezen hoezeer de mensen met je meegeleefd hebben.'

Ik trok de tas naar me toe en voelde het gewicht van de kranten op mijn benen. Ik trok een bundeltje knipsels uit de tas. Het eerste waar mijn oog op viel, was de foto. Mijn laatste schoolfoto was gigantisch uitvergroot en stond op de voorpagina van *The Australian*. Ik droeg mijn haar in een staartje en had mijn schoolshirt hoog dichtgeknoopt. Dat heb ik altijd een vreselijke foto gevonden. Ik bladerde nog wat artikelen door. Dezelfde foto stond er bijna iedere keer bij.

'Waarom heb je ze die foto gegeven?' vroeg ik.

Mijn moeder fronste en schoof het artikel naar zich toe. 'Je staat er mooi op.'

'Ik sta er jóng op.'

'De politie had een recente foto van je nodig, lieverd.'

'Moest dat nou per se een schoolfoto zijn?' Toen dacht ik aan jou, ergens in een cel. Had jij die artikelen ook gezien? En de foto's?

Ik las delen van de artikelen.

*Gemma Toombs, het 16-jarige meisje dat is ontvoerd op het vliegveld van Bangkok, is opgenomen in een afgelegen ziekenhuis in West-Australië, waar ze kennelijk door haar ontvoerder mee naartoe is genomen...*

*Bezorgde ouders Gemma Toombs charteren vliegtuig in Londen om bij hun dochter te kunnen zijn...*

Op de begeleidende foto had mijn moeder een vlekkerig, betraand gezicht. Mijn vader had zijn arm om haar heen geslagen. In de mensenmenigte achter hen staarde Anna bezorgd in de camera.

De artikelen gingen maar door; in de meeste stond hetzelfde. Ik bladerde de koppen door.

*Gemma gevonden!*

*Gemma Toombs bevrijd van woestijnzwerver.*

*Is dit het gezicht van een monster?*

Bij die laatste pauzeerde ik even. De krant van gisteren. Midden in het artikel stond een pentekening van jou. Je zat met gebogen hoofd in een rechtszaal, je handen in de boeien geslagen... je blauwe ogen waren er niet bij getekend. Ik zocht vluchtig naar bijzonderheden. Volgens het artikel was je voorgeleid en had de zitting maar een paar minuten geduurd. Je had al die tijd niet opgekeken en had slechts één woord gesproken: 'Onschuldig.'

Toen ik dat zag, keek ik mijn moeder aan.

'Tja.' Ze schudde haar hoofd. 'Hij moet wel gek zijn. Dat kan hij nooit volhouden. De politie heeft getuigen, videobeelden van het vliegveld – en jou, natuurlijk. Hoe haalt hij het in zijn hoofd om te beweren dat hij onschuldig is?' Ze schudde nog een keer geërgerd haar hoofd. 'Dat toont juist aan dat hij niet goed bij zijn hoofd is.'

'Wat heeft hij nog meer gezegd?'

'Niets, voorlopig. We zullen de rechtszaak moeten afwachten. Maar de politie denkt dat hij zal beweren dat je uit vrije wil met hem meegegaan bent, dat je graag bij hem wilde zijn.' Ze zweeg abrupt; misschien vroeg ze zich af of ze al te veel had gezegd. Ze kon niet inschatten hoe ik zou reageren. Ik zag aan haar ogen dat ze nog steeds niet wist in hoeverre jij me had beïnvloed.

Ik glimlachte dankbaar en probeerde haar gerust te stellen. 'Inderdaad, dat is krankzinnig,' zei ik zachtjes.

Toen begon mijn moeder zenuwachtig de krantenknipsels

op te ruimen, nog voordat ik ze allemaal had gezien. 'Zou je terug willen naar Londen?' vroeg ze. 'Tot de rechtszaak? Dan kunnen we ons er goed op voorbereiden. Misschien heb je behoefte aan tijd om je gedachten een beetje te ordenen, en tijd voor je vrienden?'

Ik knikte afwezig. 'Ik wil het achter de rug hebben,' zei ik. 'Alles.'

We zouden in Perth overstappen op een vliegtuig naar Londen, en dan thuis de rechtszaak afwachten. Tot die tijd verzamelde de politie bewijsmateriaal tegen jou en kon ik aan mijn verklaring werken. Als ik dacht dat ik het aankon, zou ik naar school gaan, en ook de gesprekken met de psychiaters gingen door. Mijn moeder wist het zo te brengen dat het allemaal heel eenvoudig leek.

'Binnen een paar maanden zal het een stuk gemakkelijker voor je worden,' zei ze. 'Let maar op. Het komt vanzelf goed.'

Ik was nog niet veel over jou te weten gekomen. Ik wist dat je op een zwaarbewaakte afdeling zat, ergens in Perth. Je had een cel in je eentje. Er was je geen borgtocht aangeboden en je praatte met niemand. Dat is alles wat de politie me kon vertellen. Kennelijk.

Tijdens de vlucht naar Perth zat ik bij het raampje. Het was een klein vliegtuig, speciaal voor ons gecharterd. Toen de wielen van de grond kwamen, rammelde het toestel aan alle kanten. Het was vreemd dat er geen andere mensen aan boord waren. Schijnbaar was het vliegtuig betaald door de Britse overheid. Ik riep een stewardess en vroeg om een glas water. Het werd onmiddellijk gebracht.

Toen we op grotere hoogte kwamen, drukte ik mijn hand

tegen het plastic raampje. Mijn vader pakte mijn andere hand en hield die stevig vast. Zijn massief gouden trouwring voelde koud aan op mijn vingers. Hij praatte tegen me over het leven in Londen, over mijn vrienden die sms'jes hadden gestuurd en die op me zouden wachten... en over Anna en Ben.

'Misschien kun je ze allemaal uitnodigen,' zei hij. 'Een soort... feestje geven?'

Het klonk vragend, dus knikte ik; ik luisterde niet echt. Ik wilde dat hij ophield met vragen stellen, hoe goed hij het ook bedoelde. Ik deed mijn ogen dicht toen er iets tot me doordrong: het leek wel of niemand enig idee had hoe het met míj ging, wat er door me heen ging. Het was alsof ik in een andere wereld leefde dan zij, met gedachten en gevoelens die verder niemand begreep. Alleen jij misschien. Maar zelfs dat wist ik niet zeker.

Ik legde mijn hoofd tegen het raampje; het trilde tegen mijn slaap. Ik keek naar het land dat onder me voorbijtrok. Van bovenaf gezien bestond de woestijn uit heel veel kleuren... heel veel schakeringen bruin, rood en oranje, met witte droogliggende rivierbeddingen en zoutpannen. Een donkere rivier die kronkelde als een slang. Afgebrand zwart. Krullen en kringen en strepen en texturen. Spikkeltjes van de bomen. Donkere vlekken van de rotsen. Alles strekte zich uit in een eindeloos patroon.

Het kostte twee uur om al die honderden kilometers over te steken, die miljarden zandkorreltjes, al dat leven. Vanaf daar, heel hoog in de lucht, zag het land eruit als een schilderij – een van jouw schilderijen. Het zag eruit als jouw lichaam dat je zelf had beschilderd. Als ik mijn ogen tot spleetjes kneep, kon ik me bijna voorstellen dat jij dat land was... dat je daar uitgestrekt en oneindig onder me lag.

En toen drong er iets tot me door. Ik wist waar je mee bezig was geweest, al die tijd daar in je bijgebouw in de woestijn:

je had het landschap geschilderd zoals het er vanuit de lucht uitzag, zoals een vogel het zou zien, of een geest, of ik... Jouw kronkels en stippen en cirkels vormden het patroon van het land.

De verslaggevers stonden ons op te wachten. Op de een of andere manier wisten ze dat we van de binnenlandse terminal naar de internationale moesten; ze wisten dat we drie uur moesten wachten op onze terugvlucht. Ze dromden om ons heen en sloten me in met hun flitslichten.

'Gemma, Gemma,' riepen ze. 'Heb je even?' Ze spraken tegen me alsof ze me kenden; alsof ik een schoolmeisje was dat bij hen in de straat woonde.

Mijn vader probeerde me af te schermen en hen allemaal weg te duwen, maar ze hielden aan. Zelfs de gewone mensen op het vliegveld, de andere passagiers en de taxichauffeurs en het personeel in de koffiehoek – zelfs zij kenden me. Ik zag zomaar iemand foto's van me nemen. Het was belachelijk. Uiteindelijk trok mijn moeder haar jasje uit en legde dat over mijn hoofd. Mijn vader werd kwaad – althans, voor zijn doen. Ik geloof dat hij zelfs tegen iemand 'Sodemieter op!' riep. Dat verbaasde me, en ik bleef even staan om mijn vaders gezicht te bekijken. Hij gaf dus echt wel om me, hij wilde me beschermen. Toen we langs een tv-ploeg liepen, trok hij me dicht tegen zich aan.

Maar één ding was duidelijk: ik was niet langer zomaar een schoolmeisje. Ik was een beroemdheid geworden. Mijn gezicht bevorderde de krantenverkoop. Miljoenen kranten werden erdoor verkocht. Het maakte dat mensen het journaal aanzetten. En toch, op dat moment, met een jas over mijn hoofd en al die mannen in leren jasjes die me van alles toeriepen, voelde ik me eerder een crimineel. Het waren net bloedzuigers die alles wilden opzuigen, de kleinste dingen die er tussen jou en mij waren gebeurd in de woestijn... Ze wilden alles weten. Jij had me beroemd gemaakt, Ty. Door jouw toedoen was de hele wereld weg van me. En ik vond het verschrikkelijk.

We slaagden erin de andere terminal te bereiken. Ook daar stonden verslaggevers, en toeschouwers en politie – en er was lawaai, lawaai, lichten en nog meer lawaai. Mijn ademhaling versnelde. Ik kon alleen maar denken aan dat enorme vliegtuig op de startbaan, dat klaarstond om mij naar Engeland te brengen, naar de kou en de stad en al het grijs... klaar om me weg te voeren, weg van jou. Ik voelde het zweet op mijn huid; voelde hoe mijn kleren aan mijn lijf plakten.

Ik kon het niet. Ik maakte me los van mijn ouders en begon te rennen. Mijn moeder greep me bij mijn vest, maar ik liet me er snel uit glijden, zodat ze met een lege mouw in haar hand achterbleef. Ik rende langs de verslaggevers, met hun flitslichten en hun lawaai. Ik rende langs de winkeltjes en de andere passagiers, rechtstreeks naar de toiletten. Daar vond ik een leeg hokje en deed de deur achter me op slot. Ik gaf er een schop tegen om me ervan te verzekeren dat hij goed dicht zat. Toen ging ik op de wc-pot zitten en legde mijn hoofd tegen de rol papier. Duwde mijn mond ertegen om de tranen tegen te houden, om te voorkomen dat ik zou gaan gillen en schreeuwen en de hele boel kort en klein zou slaan. Ik ademde de krijtachtige nepbloemengeur in. En ik bleef daar gewoon maar zitten. Ik kon ze niet onder ogen komen, geen van allen. Iedereen wilde antwoorden op vragen waar ik niet aan toe was.

Mijn moeder vond me daar. Ze kwam aan de andere kant van de wc-deur staan; haar rode schoenen wezen met de punten een beetje naar elkaar.

'Gemma?' zei ze. Haar stem klonk bibberig en zwak. 'Toe nou, liefje, maak de deur open. Er is hier verder niemand. Ik heb papa de ingang laten blokkeren. We zijn met z'n tweetjes.'

Ze wachtte een eeuwigheid, tot ik uiteindelijk het slot opendraaide. Toen kwam ze binnen en omhelsde me, onhandig, terwijl ik op de deksel van de wc-bril zat en zij zo goed en zo kwaad als het kon naast me kwam zitten, op haar hurken in het vuil, tussen de flarden wc-papier en oude pisvlekken. Ze trok me op schoot, en voor het eerst sinds haar komst beantwoordde ik haar omhelzing. Toen ze daar zo zat, tegen de wc-pot geleund, en ze haar jasje om me heen sloeg, vroeg ik me iets af. Deze versie van mijn moeder, die me stevig omhelsde, leek helemaal niet op de moeder over wie jij me allerlei verhalen had verteld. En voor de allereerste keer vroeg ik me af of al die dingen die jij me in de woestijn had verteld wel waar waren; al die gesprekken die je schijnbaar had afgeluisterd: dat mijn ouders wilden verhuizen of dat ze teleurgesteld in me waren. Had je al die tijd gelogen?

Mama streelde zachtjes mijn haar. Ik fluisterde tegen haar schouder: 'Ik kan niet terug naar huis. Nog niet. Ik ben er nog niet aan toe om hier weg te gaan.'

En ze drukte mijn hoofd stevig aan haar borst en sloeg haar armen om me heen.

'Dat hoeft ook niet,' zei ze, en ze wiegde me heen en weer. 'Je hoeft niets te doen wat je niet wilt. Niet meer.'

En ik begon te huilen.

In de taxi naar de stad zeiden we geen van allen iets. Ik bleef opgekruld in mijn moeders armen liggen. Mijn hoofd gonsde bij de herinnering aan wat je allemaal had gezegd, aan de dingen die je me had verteld over mijn leven. Je had gezegd dat mijn ouders niks om me gaven, dat ze alleen geïnteresseerd waren in zichzelf en in geld, en dat ze wilden verhuizen. Het had heel overtuigend geklonken.

Ik moest mezelf dwingen om mijn hoofd leeg te maken; ik wist niet wat ik zou doen als ik weer begon te malen. Waarschijnlijk had ik me dan uit de taxi laten vallen en me laten doodrijden.

Mijn vader hield zich bezig met de bagage en de vraag waar we moesten overnachten. Ik concentreerde me op het voorbijrazende beton... de trottoirs en de gebouwen en nog meer trottoirs, en zo nu en dan een boom. Ik richtte me op de zoetige geur van mijn moeders blouse.

De chauffeur stopte voor een donkergrijs flatgebouw.

'Verzorgingsflats,' bromde hij. 'Gloednieuw, niemand weet nog dat ze open zijn.' Hij wachtte op een fooi.

We liepen naar binnen; mijn uitdrukkingsloze gezicht verborg wat er in me omging. Mijn moeder pakte de sleutel en ging me voor door de hal terwijl mijn vader het woord deed. Mijn benen trilden toen mijn moeder me de trap op hielp.

Eenmaal in de flat zelf flipte ik. Ik gooide met de deur, pakte het eerste wat me voor handen kwam – een lamp – en smeet dat tegen de pasgeverfde beige muur. De porseleinen voet ging aan diggelen en de scherven vlogen alle kanten op. Toen pakte ik het volgende voorwerp dat ik zag – een vaas – en smeet ook dat tegen de muur. Mijn moeder dook weg. Met grote ogen van schrik kwam ze naar me toe gelopen, maar ik pakte weer het dichtstbijzijnde stuk huisraad en hield dat voor me om haar tegen te houden. Het was een kleine elektrische ventilator, waarvan de stekker nog in het stopcontact zat en de bladen nog rondzoefden. Het snoer liep strakgespannen langs mijn armen. Ik stond op het punt om weer te gaan gooien.

'Wat is er nou?' Haar blik liet me niet los.

Ik schudde mijn hoofd; de tranen stroomden over mijn wangen. 'Je moet me één ding vertellen,' fluisterde ik. 'Wilden jullie volgend jaar gaan verhuizen, zonder mij? Heb je het daar ooit met papa over gehad?'

'Hè?' Mijn moeders wenkbrauwen schoten omhoog. 'Nee, natuurlijk niet! Wie zegt dat?'

Ze wilde weer naar me toe komen, maar ik hield de ventilator tussen ons in, klaar om hem naar haar gezicht te slingeren. De stekker bleef vastzitten in het stopcontact. Ze zag aan mijn ogen dat ze niet dichterbij moest komen. Mijn hele lijf trilde en iedere vezel van mijn lichaam werd kwaad.

'Ik haat dit! Alles!' gilde ik; mijn stem sloeg over. 'Ik haat hém ook. Zelfs hem!' Er steeg een enorme snik op uit mijn borstkas.

En het was waar, op dat moment: ik haatte je om alles, omdat ik me door jou zo hulpeloos voelde, overal waar ik kwam, en omdat ik de controle was kwijtgeraakt. Ik haatte je vanwege alle emoties in mijn hoofd, vanwege de verwarring... en omdat ik opeens overal aan twijfelde. Ik haatte je omdat je mijn leven overhoopgehaald had en het aan diggelen had gesmeten. Ik haatte je omdat ik door jouw schuld met een draaiende ventilator in mijn hand tegen mijn moeder stond te schreeuwen.

Maar er was nog iets anders waarom ik je haatte. Op dat moment, zoals op alle momenten sinds je bij me was weggegaan, kon ik alleen nog maar aan jou denken. Ik wilde dat je daar in die flat was. Ik wilde je armen om me heen, je gezicht vlak bij het mijne. Ik wilde jouw geur. En ik wist dat ik die niet kon – niet *mocht* – krijgen. Dat vond ik nog het ergste. De onzekerheid. Jij had me ontvoerd, mijn leven in gevaar gebracht... maar ik hield ook van je. Of ik dacht van je te houden. Ik kon het zelf niet meer volgen.

Ik gromde achter in mijn keel, gefrustreerd en kwaad op mezelf. Mijn moeder kwam voorzichtig een stapje dichterbij.

'Je mag best in de war zijn,' fluisterde ze. 'De mensen... om wie we... geven... zijn niet altijd degenen die we zouden moeten...' Ze fronste; ze wist niet of ze het bij het rechte eind had.

Toen ontsnapte er een geluid tussen mijn tanden door, dat ergens diep uit mijn borst kwam.

'Jij hoeft me niks te vertellen,' beet ik haar toe. 'Hou je mond!'

Ik rukte de stekker uit het stopcontact en hield de ventilator tussen ons in om haar op afstand te houden. Toen ik hem naar haar toe duwde, deed ze een sprongetje achteruit en struikelde over de salontafel.

'Maar Gemma,' fluisterde ze, 'ik hou van je.'

En ik smeet de ventilator tegen dezelfde muur als de lamp; de bladen draaiden nog toen hij hem raakte.

We bleven in Perth. Zelfs nadat ik van alles had stukgegooid, mochten we in de flat blijven wonen.

De rechtszaak is pas over ruim een maand, ook al heeft de rechter besloten jouw zaak voorrang te geven. En het appartementencomplex kon het geld niet weigeren dat mijn vader bood om de zaak stil te houden.

Mijn emoties stuiteren alle kanten op. De ene dag is het een fijn idee om te weten dat jij ook hier bent, in dezelfde stad, dat je dicht bij me bent. Op andere dagen vervult diezelfde gedachte me met angst. Maar ik denk hoe dan ook iedere dag aan jou, daar in je cel. Ik voel nog altijd een steekje in mijn maag wanneer mijn moeder de ramen openzet en de eucalyptusgeur naar binnen waait.

Onze verzorgingsflat voelt ook een beetje als een gevangenis, met zijn grijstinten en zijn properheid – en doordat ik de deur niet uit kan gaan zonder dat iemand een foto van me neemt. Door de ramen staar ik naar de stad... naar het beton en de gebouwen, de auto's en de zakenpakken. Op sommige dagen stel ik me het land voor dat erónder zit, rood en slaperig, het land waar jij zo van houdt. Ik stel me voor dat het op een dag weer tot leven zal komen. Dan gaan mijn gedachten terug naar de woestijn, naar die open vlaktes vol kleur en patronen. Ik mis de uitgestrektheid.

De politieagent die de zaak in behandeling heeft is al twee keer bij me langs geweest, en na het incident met de ventilator heeft mijn moeder ook dokter Donovan gebeld. Ze komt vrijwel iedere dag, en ik vind het niet vervelend om met haar te praten. Ze dringt niet te veel aan, ze laat me praten wanneer ik dat wil... en wanneer ik het kan.

Dokter Donovan was ook degene die me voorstelde om dit te schrijven. Natuurlijk zei ze niet dat ik het aan jou moest richten. Tuurlijk niet. Ze heeft me alleen de laptop gegeven en gezegd dat ik alles moest opschrijven.

'Als je niet over je ervaringen kunt vertellen, schrijf ze dan op,' zei ze. 'Uit al je gedachten op je eigen manier, misschien in de vorm van een dagboek... Kijk maar wat voor jou het gemakkelijkst is. Je moet de belangrijke gebeurtenis die jou is overkomen zien te bevatten.'

Echt waar, dat probeer ik ook. Ik zou het maar wat graag willen bevatten. Maar ik kan dit dagboek – deze brief – alleen aan jou schrijven. Jij was tenslotte de enige die daar bij me was, de enige die weet wat er is gebeurd. En er is wel degelijk iets gebeurd, of niet soms? Iets heel krachtigs en vreemds. Iets wat ik nooit zal kunnen vergeten, hoezeer ik ook mijn best doe.

Dokter Donovan denkt dat ik het stockholmsyndroom heb. Dat denken ze allemaal. Ik weet dat ik mijn moeder de stuipen op het lijf jaag als ik iets positiefs over je zeg; als ik zeg dat je niet zo slecht bent als de mensen denken, of dat er wel meer in je schuilt dan de kranten schrijven. En als ik zoiets tegen dokter Donovan zeg, maakt ze een hoop aantekeningen en knikt ze in zichzelf.

Dus houd ik die dingen voor me. Ik vertel ze gewoon wat ze willen horen. Ik zeg dat je echt een monster bent, dat je verknipt bent. Dat ik niets anders meer voor je voel dan haat. Ik houd het keurig bij de dingen die de politie wil horen en ik heb de verklaring geschreven die ze wilden lezen. Intussen probeer ik het zelf te geloven.

Ik wou dat ik geheugenverlies had, zodat ik kon vergeten hoe je eruitziet. Ik wou dat ik het een fijn gevoel vond om je voor tien of vijftien jaar te laten opsluiten. Ik wou dat ik kon geloven wat de kranten allemaal schrijven. Of wat mijn ouders me vertellen. Of wat dokter Donovan zegt. Ik begrijp het ook heus wel; zelf heb ik je ook dood gewenst.

En laten we niet vergeten dat je me wel degelijk hebt gestolen. Maar je hebt ook mijn leven gered. En ergens daar tussenin heb je me een volkomen ándere, mooie plek laten zien die ik nooit zal kunnen vergeten. En jou kan ik ook niet vergeten. Je zit net zo verankerd in mijn hoofd als mijn eigen bloedvaten.

Ik heb daarnet een kleine pauze genomen voor een wandelingetje door de tuin achter het appartementencomplex.

'Tuin' is eigenlijk een groot woord; er liggen tegels en er staan wat potten met planten en struiken. Ik ben op de tegels gaan zitten en heb naar de wolkenkrabbers om me heen gekeken. Ik kon je bijna voelen, weet je dat, ergens in deze stad, niet ver weg. Ik kon bijna je kuchje horen. Jij dacht ook aan mij. Ik sloot mijn ogen en probeerde me voor te stellen hoe het zal zijn. Zal ik bang zijn als ik je zie, of zal ik iets anders voelen?

Je zult dan geboeid zijn; je sterke armen roerloos. Je kunt me niks doen, me niet aanraken. Zullen je ogen smeken of zullen ze zich woedend in de mijne boren? Hoe ben je daar behandeld? Zijn je nachtmerries teruggekeerd? Eén ding is zeker: als we elkaar weer zien, zal ik naar je kijken met het complete rechtssysteem tussen ons in.

Ik dacht dat wanneer ik op dit punt in deze brief zou zijn aanbeland, ik wat meer inzicht zou hebben, dat ik zou begrijpen waarom dit alles is gebeurd, waarom je in mijn leven bent gekomen... waarom je mij hebt uitgekozen. Soms denk ik dat je nog net zo in de war bent als die allereerste keer dat ik je zag, in het park. En soms moet ik denken aan je plan om daar te gaan wonen, in die hitte en uitgestrektheid en schoonheid – en dan vraag ik me af of het gewerkt zou hebben. Meestal weet ik niet wat ik moet denken.

Maar het opschrijven van dit alles doet wat met me. Als ik in bed lig te schrijven, kan ik bijna de echo horen van de wind op het zand, of het gekreun van de houten wanden om me heen. Ik kan bijna de stoffige lucht van de dromedaris ruiken en de bittere smaak van melde proeven. En als ik droom, bedekken jouw warme handen mijn schouders. Je fluistering voert verhalen mee en klinkt als het geritsel van spinifex. Ik draag de ring nog steeds, weet je dat...? 's Nachts, als niemand het ziet. Hij zit nu in mijn zak. Ik zal hem verstoppen voordat de politieagenten vanmiddag komen.

Ze willen met me doornemen wat ik ga zeggen als ik straks in de getuigenbank sta. Daar moet ik inderdaad over nadenken, lijkt me, alleen... ik weet nog niet wat het gaat worden. Die dag in de rechtszaal kan op twee manieren eindigen... maar het begin zal hetzelfde zijn.

Het is op maandagmorgen, nog geen negen uur. De media zullen klaarstaan. Ik zal tussen mijn vader en moeder in lopen, met gebogen hoofd; we moeten ons een weg banen tussen de verslaggevers, forenzen en toeschouwers door. Sommigen zullen aan mijn kleren trekken en een microfoon onder mijn neus duwen. Mijn moeder houdt mijn hand zo stevig vast dat haar nagels in mijn huid drukken. Mijn vader draagt een pak. Voor mij heeft mijn moeder ook iets zwarts en degelijks uitgekozen.

We gaan het rechtsgebouw binnen, waar het onmiddellijk stiller wordt. De grote, indrukwekkende hal en al die strakke pakken lijken geluiddempend op ons te werken. We gaan op zoek naar meneer Samuels, onze advocaat. Hij vraagt of ik kans heb gezien om mijn verklaring nog eens door te nemen. Dan neemt hij mijn ouders mee naar de grote zaal en ik hoor even geroezemoes en geschuifel, waarna de deur met een doffe dreun achter hen dichtvalt. Ik blijf daar achter, op een koude leren stoel, met niets anders dan mijn eigen gedachten.

Na een poos, een periode die langer lijkt te duren dan hij in werkelijkheid is, gaat de deur weer open. Dan is het mijn beurt. Mijn verklaring. De lucht is zo gespannen als een trampoline – het wachten is op mijn onhandige gestuiter. Iedereen kijkt naar me. Ook al vinden ze het onbeleefd, ze kijken toch. De tekenaar begint mijn gezicht te schetsen. Maar ik zie maar één persoon.

Jij zit in de beklaagdenbank, je sterke handen samengebonden. Je ogen, zo groot als de oceaan, zoeken ook naar de mijne. Je hebt me nu nodig. Dus neem ik een beslissing. Dan wend ik mijn gezicht van je af.

En het begint zoals het hoort te beginnen. Ze vragen naar mijn naam, leeftijd en adres. Daarna wordt het interessant. Er wordt gevraagd hoe ik jou heb leren kennen.

In eerste instantie zal ik precies zeggen wat ze willen horen. Dat je me hebt gevolgd, dat je me al... stalkte... toen ik nog heel jong was. Ik zal vertellen dat je naar Engeland bent gekomen op zoek naar je moeder en dat je haar niet vond, maar wel drank en drugs... en toen mij. Ik zal vertellen dat je nergens bijhoorde, dat je waanideeën had over de woestijn en dacht dat ik je enige ontsnappingsmogelijkheid was.

Daarna zal de advocaat me vragen hoe het op het vliegveld is gegaan, en ik zal hem vertellen dat je me hebt meegesleurd en gestolen. Dat je me in de kofferbak van je auto hebt gestopt en me tegen mijn wil hebt vastgehouden. Ik zal ze vertellen over de lange, eenzame nachten in dat houten krot, dat je me hebt opgesloten in de badkamer... en dat ik heb zitten wachten tot je me kwam vermoorden. Ik zal vertellen over je woede-uitbarstingen en je wispelturigheid, je leugens, en ik zal vertellen dat je me soms zo hardhandig beetpakte dat ik er tranen van in mijn ogen kreeg en dat mijn huid vuurrood werd.

En gedurende die hele verklaring zal ik niet naar je kijken. Ik zeg gewoon wat er van me wordt verwacht.

'Hij is een monster. Ja, hij heeft me ontvoerd.'

En de rechter zal een klap geven met zijn hamertje en je een straf opleggen van een jaar of vijftien, en dan is alles – alles – eindelijk achter de rug.

Maar het kan ook anders gaan.

Ik kan de rechtbank een verhaal vertellen over die keer dat we elkaar zagen in het park, toen ik tien was en jij bijna negentien. Toen ik jou daar onder de rododendronstruik aantrof, diep verscholen tussen de bladeren, met de eerste roze knoppen boven je hoofd. Ik zou kunnen zeggen dat we vrienden zijn geworden, dat je met me praatte en op me lette. Ik zou kunnen vertellen over die keer dat je me hebt gered uit de klauwen van Josh Holmes.

Natuurlijk zal meneer Samuels ertussen willen komen. Met een vuurrood hoofd, zijn ogen uitpuilend van verbazing. Hij zal misschien tegen de rechter zeggen dat mijn verklaring niet betrouwbaar is, dat ik lijd aan het stockholmsyndroom. Maar ik ben heel beheerst, kalm, en leg rustig uit dat dat niet het geval is. Ik heb er veel over gelezen; ik weet precies wat ik moet zeggen om ervoor te zorgen dat ze me zullen geloven.

Dus mag ik van de rechter nog even verder vertellen. En dan verras ik ze pas echt. Ik zeg daar in de rechtszaal dat we verliefd zijn geworden. Niet in de woestijn, natuurlijk niet, maar twee jaar geleden in de straten en parken van Londen, toen ik veertien was en heel veel op je moeder leek.

Er zal geroezemoes opstijgen in de rechtszaal, gemompel. Mijn moeder slaakt een geschrokken kreet. Na het volgende gedeelte kan ik haar bijna niet aankijken, dus dat doe ik ook niet. Ik kijk naar jou. En dan zeg ik dat ik van huis wilde weglopen.

Je knikt even naar me; je ogen leven weer. En vervolgens vertel ik over je plan.

Jij zei dat je de ideale plek wist om naartoe te vluchten. Een plek zonder mensen en gebouwen, heel ver weg. Een gebied bedekt met bloedrode aarde en sluimerend leven. Een plek die ernaar snakt om weer op te bloeien. Ideaal om te verdwijnen, zei je, om te verdwalen... en gevonden te worden.

Daar neem ik je mee naartoe, zei je.

En ik zou kunnen zeggen dat ik daarmee heb ingestemd.

Ik typ dit met trillende handen. De tranen biggelen over mijn wangen en het beeldscherm wordt wazig. Mijn borst doet pijn van het ingehouden snikken. Maar er is iets wat aan me trekt, iets waar ik bijna niet over na durf te denken.

Op deze manier kan ik jou niet redden, Ty.

Wat jij me hebt aangedaan was niet zo fantastisch als je zelf denkt. Je hebt me weggehaald van alles wat ik had – mijn ouders, mijn vrienden, mijn leven. Je nam me mee naar het zand en de hitte, het stof en de afzondering. En je verwachtte van me dat ik van je hield. Dat is het moeilijkste gedeelte, want dat deed ik ook – of er was daarginds in ieder geval iets waar ik van hield.

Maar ik heb je ook gehaat. Dat mag ik niet vergeten.

Buiten is het pikdonker; de takken van de bomen tikken tegen het raam... als vingers. Ik trek het dekbed hoog op, ook al heb ik het niet koud, en ik staar naar het zwarte gat achter het glas. Weet je, als we elkaar als gewone mensen hadden leren kennen, was het op een dag misschien anders gelopen. Misschien had ik dan verliefd op je kunnen worden. Je was anders, ongetemd. Wanneer de zon 's morgens heel vroeg je blote huid oplichtte, was je het mooiste wezen dat ik ooit had gezien. Jou in een cel stoppen is hetzelfde als een vogeltje verpletteren met een legertank.

Maar wat kan ik anders doen dan je op deze manier toespreken? Wat kan ik nog meer doen dan mijn verhaal opschrijven, óns verhaal, om jou te laten inzien wat je hebt gedaan... om jou te laten beseffen dat het niet eerlijk was, niet goed.

Als ik straks in de rechtszaal sta, zal ik de waarheid vertellen. Míjn waarheid. Natuurlijk zal ik zeggen dat je me hebt ontvoerd. Dat héb je immers gedaan. En ik vertel ook dat je me een verdovend middel hebt toegediend en dat je last had van stemmingswisselingen. Ik zal niet terugdeinzen voor het kwaad dat soms in je schuilt.

Maar ik ga ook vertellen over je andere kant. De kant die ik soms zag wanneer je zachtjes tegen de dromedaris praatte of voorzichtig over de blaadjes van de melde streek; je plukte nooit meer dan je nodig had. En over de keren dat je me hebt gered. Ik zal ze vertellen dat je liever de gevangenis in ging dan dat je mij liet doodgaan. Want zo is het toch? Zodra die slang me had gebeten, wist je dat het afgelopen was. Toen ik je in het vliegtuig vroeg om bij me te blijven, deed je dat in de wetenschap dat je jezelf zou moeten aangeven. En ik ben je dankbaar, Ty, begrijp me niet verkeerd. Maar ik heb ook mijn leven voor jóú opgegeven... op het vliegveld in Bangkok. En ik had niets te kiezen.

De rechter zal je veroordelen. Dat kan ik niet voorkomen. Maar misschien kan mijn verklaring invloed hebben op de plek waar ze je naartoe sturen... ergens vlak bij je eigen gebied, deze keer in een kamer met raam. Misschien. En misschien heb je ook wat aan deze brief. Ik wil je laten inzien dat degene die ik in jou zag toen je met de dromedaris meeliep, op een drafje om mijn leven te redden – dat je ervoor kunt kiezen die persoon te zijn. Ik kan je niet redden op de manier zoals jij zou willen dat ik je red, maar ik kan je wel laten weten hoe ik erover denk. Het is niet veel, maar misschien bied ik je daarmee een kans.

Jij hebt me verteld over planten die zich slapend houden in tijden van droogte; afwachtend, halfdood, diep in de aarde.

Over planten die wachten op regen. Soms jarenlang, zei je, als het moet, en ze bezwijken bijna voordat ze weer gaan groeien. Maar zodra de eerste druppels vallen, rekken die plantjes zich uit en verspreiden hun wortels zich. Ze rukken op in het zand tot ze de oppervlakte bereiken. Ze krijgen weer een kans.

Op een dag word jij vrijgelaten uit die dorre, lege cel. Dan ga je terug naar de Afgezonderden, zonder mij, en dan zul je de regen weer voelen. En deze keer groei je mooi recht omhoog, naar de zon toe. Dat weet ik zeker.

Mijn oogleden zijn loodzwaar, maar als ik ga slapen, krijg ik die droom weer. Ik wilde je er steeds niet over vertellen, maar nu doe ik dat wel:

Ik ben in de Afgezonderden, waar ik met blote handen een gat graaf. Als het diep genoeg is om een boom te planten, steek ik mijn vingers erin en doe de ring af die ik van jou heb gekregen. Wanneer het licht erop valt, glinstert er een regenboog aan kleuren op mijn huid, maar ik trek mijn handen terug en laat de ring daar liggen. Ik begin er zand over te strooien en begraaf hem. Terug op de plek waar hij thuishoort.

Daarna leun ik tegen een boomstam. De zon gaat onder; de oogverblindende kleuren trekken strepen door de lucht en verwarmen mijn wangen.

Dan word ik wakker.

Het is nu 4.07 uur. Nog lang geen ochtend. De geur van eucalyptus hangt zwaar in de kamer; hij sijpelt door het open raam mijn longen binnen. Nog even en ik ben zo ver, dan zet ik de computer uit en is het voorbij. Dan is deze brief klaar. Ergens wil ik niet ophouden met je te schrijven, maar dat moet. Voor ons allebei.

Vaarwel, Ty.

Gemma

## Dankwoord

Er zijn miljoenen individuele korreltjes zand die samen de woestijn vormen. Er zijn ook vele individuen die ik moet bedanken voor hun bijdrage aan de schepping van *Brief aan mijn ontvoerder*. Zonder jullie hulp zou dit boek nog altijd niet meer zijn dan een handjevol stoffige ideetjes.

Deze roman is zijn reis begonnen als onderdeel van mijn promotieonderzoek. Tracy Brain en Julia Green zijn de beste en meest toegewijde studiebegeleiders van de hele wereld, en zonder hen zou Gemma's verhaal nooit tot stand gekomen zijn. Die twee geniale dames, en het groepje mensen op de Bath Spa-universiteit waarvan ze deel uitmaken, verdienen een speciaal bedankje.

Verder wil ik nog het vertrouwen vermelden van twee andere fantastische vrouwen: Imogen Cooper en Linda Davis, mijn redacteur en mijn literair agent. Imogen bedank ik omdat ze me al die jaren-vol-zand trouw is gebleven, en Linda wil ik bedanken voor haar deelname aan de wilde jeepsafari die het verschijnen van *Brief aan mijn ontvoerder* is geworden. Ook grote dank aan de andere teams bij Chicken House en Greene and Heaton, voor hun vertrouwen.

Er is een tamelijk grote groep individuen zonder wie dit boek er nooit gekomen zou zijn: mijn familie en vrienden. Velen van jullie wil ik bedanken voor jullie commentaar op mijn eerdere versies, het corrigeren van *mein veele spelfauten* en voor jullie geduld in de periode dat ik eindeloze uren aan de laptop gekluisterd zat – en bedankt voor jullie liefde en steun in het algemeen. Pap, mam en Barb, ik hou van jullie, dankjewel. Simon Read, bedankt voor je eindeloze, liefdevolle geduld en voor het nieuwe einde dat je hebt verzonnen – ha! Dank aan de vrienden die mijn manuscripts moesten lezen en te maken kregen met de *Brief aan mijn ontvoerder*-bijwerkingen: Hem Wijewardene, Cam McCulloch, Kristen Wheeler, Roma Arnott, Sue Alexander, Han, Alexander, Dan Burrows, Emily Stanley, Grant Phillips en de zeer nauwgezette Derek Niemann.

Van de meeste details in deze roman was ik niet op de hoogte voordat ik begon met schrijven... dus een bedankje voor degenen die me hielpen om alles correct weer te geven! Dr. Atkins en Dr. Garrett hebben me geholpen met de medische zaken en Nick Tucker met de juridische kant. Dank aan al die mensen die me meehielpen om de bijzonderheden van de woestijn weer te geven: Vic Widman, Wayne Desmond, John en Helen Markham. Tony en Elaine Barnett hebben me bijgestaan tijdens mijn tocht door West-Australië, Philip Gee was behulpzaam op dromedarissengebied, Ted Edwards gaf advies over motten, Roger Michael Lowe en Brian Bush verschaften me informatie over slangen en slangengif en Rob Bamkin over de Grote Sandy-woestijn en zijn oorspronkelijke bewoners.

Tot slot gaat mijn dank uit naar het gebied zelf, en de oorspronkelijke bezitters van de Grote Sandywoestijn – in het